MÜNCHENER TEXTE UND UNTERSUCHUNGEN
ZUR DEUTSCHEN LITERATUR DES MITTELALTERS

HERAUSGEGEBEN VON DER
KOMMISSION FÜR DEUTSCHE LITERATUR DES MITTELALTERS
DER BAYERISCHEN AKADEMIE DER WISSENSCHAFTEN

BAND 31

Konrads Büchlein von der geistlichen Gemahelschaft

Untersuchungen und Text

VON

ULRICH SCHÜLKE

C. H. BECK'SCHE VERLAGSBUCHHANDLUNG
MÜNCHEN 1970

ISBN 3 406 02831 4

Gedruckt mit Unterstützung der Stiftung Volkswagenwerk
Satz und Druck: Buchdruckerei Georg Appl, Wemding
Printed in Germany

VORWORT

Die vorliegende Arbeit hat sich aus Anregungen einer Seminarübung entwickelt, die unter der Leitung von Prof. HANS FROMM am Münchner Seminar für deutsche Philologie im Sommersemester 1960 stattgefunden hat (FROMM-FISCHER, Festschrift f. Kunisch S. 109). Den Ausgangspunkt bildeten die in der UB München liegenden Prosafassungen (FROMM-FISCHER S. 119/20). Schon früh hatte Prof. HANS FROMM mir die Edition des Büchleins von der geistlichen Gemahelschaft angetragen. Während meines Studiums in Zürich und Tübingen wuchs die Arbeit in stetem brieflichen und gelegentlichem mündlichen Austausch mit Prof. HANS FROMM, der zunächst für mich ein strenger und gerechter Lehrmeister und dann ein großmütiger und geduldiger Förderer dieser Arbeit war. Im Spätjahr 1966 nahm die Philosophische Fakultät der Ludwig-Maximilians-Universität zu München die Arbeit als Dissertation an.

Mein erster Dank gilt Herrn Prof. HANS FROMM; weiterhin danke ich den Herren der Kommission für Deutsche Literatur des Mittelalters an der Bayerischen Akademie der Wissenschaften, vor allem Herrn Prof. KURT RUH, für wertvolle Hinweise. Besonders verpflichtet bin ich auch den Damen und Herren der Universitätsbibliotheken in München und Tübingen, der Staatsbibliothek München, der Landesbibliothek Stuttgart, sowie den Bibliothekaren der Benediktinerstifte Zu den Schotten in Wien und Melk/Nö, P. CÖLESTIN RAPF und P. Dr. BURKHARD ELLEGAST, für freundliches Entgegenkommen.

Das Evangelische Studienwerk Villigst und die Stiftung Volkswagenwerk haben mir Stipendien gewährt, ohne deren Hilfe mir die Durchführung der Arbeit nicht möglich gewesen wäre.

Stuttgart, im Juni 1969 — Ulrich Schülke

INHALT

a) Der Tugendreigen

Anhang

ERSTER ABSCHNITT

EINLEITUNG

I. VORBEMERKUNG

Konrads Büchlein von der geistlichen Gemahelschaft ist von der germanistischen Forschung vernachlässigt. Hinweise finden sich in der wissenschaftlichen Literatur nur spärlich. Bereits MORIZ HAUPT und HEINRICH HOFFMANN haben die Reimfassung des Büchleins vorgestellt: Sie druckten im zweiten Band der Altdeutschen Blätter[1] den Eingang des Werkes (v. 1–203), ein Stück aus der Mitte (v. 4312–4320) und den Schluß (v. 6514–6530). Nur OTTO BEHAGHEL[2] und ROMUALD BANZ (S. 99) haben diese Auszüge zu Forschungen herangezogen.

WOLFGANG STAMMLER hat im Verfasserlexikon (VL II, Sp. 869/70) die Reimfassung des Büchleins unter dem Verfassernamen Konrad aufgeführt, aber die enge Verwandtschaft dieses Reimwerkes mit Inkunabeln aus der Offizin Johannes Bämlers aus Augsburg (HAIN 4036–4038, GKW 5666–5668, von 1477–91) und Hans Schönsbergers aus Augsburg (HAIN 4039, GKW 5669, von 1497) ist ihm verborgen geblieben.[3] ANNEMARIE KLECKER[4] hat den Inhalt des Reimwerkes bekanntgemacht; ihren Angaben folgte HANS RUPPRICH in seinem Aufsatz über das Wiener Schrifttum des ausgehenden Mittelalters (S. 49/50). Weitere Hinweise auf das Werk gibt es nicht. Die spärliche und überdies disparate Überlieferung des Textes hat sich einer Übersicht entzogen. Es ist eine Reimfassung des Büchleins von der geistlichen Gemahelschaft in bisher einer Hand-

---

[1] HAUPT-HOFFMANN, Geistliche Poesie und Prosa, Altd. Bll. II S. 316–322.

[2] BEHAGHEL, Der Stand des germ. b. PBB 57, 1933, S. 246.

[3] STAMMLER, Ma. Prosa 940 (wie STAMMLER, Studien Ue. F. 420, WEIDENHILLER 147 Anm. 1) bringt irreführenderweise die Inkunabel HAIN 4039 in einen Zusammenhang mit der 'Gemahelschaft Christi mit der gläubigen andächtigen Seele'. Den Unterschied hat bereits DOCEN handschriftlich festgehalten (auf dem dritten unpaginierten Vorsatzblatt des Cgm 518):
„Dieses weitläufige – etwa um 1400 deutsch verfaßte – Werk ist von dem a. d. lat. übersetzten 1497 gedruckten 'Büchlein von der Gemahelschaft so sich zwischen Got und der Seele macht' (worüber PANZER Annal. S. 224 sehr ungenügend ist) gänzlich verschieden ..."
DOCEN bezieht sich auf GEORG WOLFG. PANZER: Annalen der älteren deutschen Literatur. Nürnberg 1788. Zu den vier Druckauflagen s. dort S. 96, 105, 190, 224.
Die Trennung der beiden 'Gemahelschaften' s. auch FISCHER-FROMM, PBB (Tüb.) 84, 1962, S. 443.

[4] KLECKER, in: Festschrift f. Kralik S. 193–203.

schrift bekannt (Hs. 295, fol. 1^r–67^v, des Wiener Schottenstiftes). Dazu kommen acht Handschriften mit Prosafassungen:

Cgm 5942, fol. 273^r – 346^v
Stadtbibl. Nürnberg cent. VII 31, fol. 1^r – 173^v[5]
Cgm 775, fol. 172^r – 264^v
UB München 4° Cod. ms. 483, fol. 256^r – 369^v
UB München 4° Cod. ms. 485, fol. 1^r – 87^r
Klosterneuburg 1153, fol. 80^r – 208^r
Melk 235, fol. 189va – 206vb
Melk 1730, fol. 1^r – 87^v[6]

Hinzu kommen schließlich die genannten Inkunabeln HAIN 4036–39, GKW 5666–69 und das Fragment einer Inkunabel, das als Vorsatzspiegel der Inkunabel Rar. 286 der SB München überliefert ist.

Es läßt sich zeigen, daß die gereimte Fassung aus dem Codex 295 des Wiener Schottenstiftes, die den Verfassernamen Konrad überliefert, ein Textzeuge der ursprünglichen Fassung ist: der Reimtext wird hier herausgegeben und untersucht.

II. DIE HANDSCHRIFT 295 (FRÜHER 203) DES WIENER SCHOTTENSTIFTS

A. Handschriftenbeschreibung[7]

15. Jahrhundert, erstes Viertel.
Besitzereinträge: Perg. Vorsatzblatt: *Monasterij Sancte Marie alias Scotorum wyenne*
Bl. 1^r: Rundstempel (*Bibliotheca Mon. B. M. V. Ad Scotor. Vien:*)
Hand des 15. Jhs: *Monasterij sancte marie alias scotorum wyenne*

---

5 Auf diese beiden Hss. hat freundlicherweise Prof. Wolfgang Stammler brieflich aufmerksam gemacht.

6 Auf die beiden Melker Hss. hat Prof. Kurt Ruh freundlicherweise aufmerksam gemacht.
PAUL RUF, Mittelalterl. Bibliothekskataloge Deutschl. und der Schweiz Bd. 3/3, S. 399 erwähnt im Bücherverzeichnis des Spitals von St. Gertrud in Bamberg (1484) unter *Pergamenen pucher*: *Item das funfft von einer geystlichen gemahelschafft.*

7 Vgl. HÜBL Catalogus p. 219/220.

Der Rundstempel noch 67ᵛ, 70ʳ, 74ʳ, 189ʳ.
Bl. 189ʳ: *Scotorum wienne claustro liber attinet iste.*

Nicht vor 1418 im Schottenstift,[8] nicht mit Sicherheit im Schottenstift geschrieben (HÜBL Cat. p. VI), wahrscheinlich nicht aus der Bücherschenkung des *Johannes Polzmacher* (1453),[9] nicht auszuschließen die Herkunft aus Schenkungen eines Barons *Piligrinus de Bůchaim* oder eines *civis Wienne nomine Dietricus Hessz.*[10]

Papier. Vier Wasserzeichen:

1. Drei Berge mit Strich (ähnlich BRIQUET 11684) in Lage 1–5 und Lage 6.
2. Drei Berge mit zwei konzentrischen Kreisen (ähnlich BRIQUET 11898) in Lage 6.
3. Ochsenkopf mit Kreuz (PICCARD Ochsenkopfwz. XI, 117/8) in Lage 7–13.
4. Ochsenkopf mit Blume (PICCARD Ochsenkopfwz. XII, 195) in Lage 14–16.

Blatt 1 und 12 lose. Griffspuren Bl. 1–4, 72–80. Löcher in Bl. 81. Stockflecken häufig, vereinzelt Fett- und Wasserflecken, schwarze und rote Tintenkleckse, Bleistiftstriche. Drei Schreiberhände (HÜBL Cat. 219 hat nur zwei erkannt): erster (Eilschrift 1. Viertel 15. Jh.) und zweiter Schreiber (konservativer, runder) wechseln sich bis Bl. 70 ab (Einzelnachweis s. S. 9), ab Bl. 74 die dritte Hand (bair. Bastarda, 2. Hälfte des 15. Jhs.). Korrekturen bis Bl. 67ᵛ vom Schreiber und zwei deutlich unterscheidbaren Korrektorenhänden; Bl. 68ʳ–70ʳ Korrekturen vom

---

8 Nach dem 'Memoriale reformationis ad Scotos' (im Oktav-Codex 405, 55 g 16 des Schottenstifts) BARRY S. 59. BARRY druckt S. 23 Anm. 37 aus dem Memoriale: *Et miror super omnem quod tantum temporis fuerunt in hoc monasterio et nihil vel modicum in libris et ornamentis et calicibus et aliis rebus necessariis providerunt monasterio, qui tunc bonam pacem hic et fertiles annos habuerunt.*
(Der Grund war ein Brand im Schottenstift i. J. 1411. BARRY 31, HÜBL Cat. V.) BARRY druckt die für Bücher einschlägige Stelle aus dem Memoriale ab (S. 78):
de libris quid est dicendum? Quod paucos libros invenimus tam in choro quam in communi, nisi in habitatione abbatis jacebant aliqui de jure, sed paucos in theologia invenimus.
Bis 1418 waren im Schottenstift nur Mönche aus der keltischen Bevölkerung Irlands (BARRY 104).

9 Das vermutet ohne Belege RUPPRICH S. 49. Das Testament Polzmachers weist jedes Buch einzeln nach: GOTTLIEB Nr. 39, S. 437–442. ZAPPERT S. 134–139. Es käme überhaupt nur in Frage *liber erudicionis principum in papiro* (GOTTLIEB 440, ZAPPERT 138). S. Anm. 82.

10 GOTTLIEB Nr. 38 S. 435–7. Büchergeschenke im 'liber donationis' saec. XV. vgl. Quellen zur Geschichte der Stadt Wien I. Wien 1895. Nr. 512. S. 99–100. vgl. MGH Necrologia Germ. V. Berlin 1913. p. 313, 20sqq. 314, 3sqq.
Die übrigen Bücherschenkungen sind im 'liber donationis' zweifelsfrei auf bestimmte Hss. festgelegt oder sie sind bereits in HÜBLS Katalog (bei Hs. 363, S. 274) bestimmt.
Über *Piligrinus de Bůchaim* und *Dietricus Hessz* hat sich nichts ausmachen lassen.

Schreiber; Bl. 74^{r}–189^{r} Schreiberkorrekturen und Korrekturen durch einen Bibliothekar des Schottenstifts.[11]

Ungezähltes Pergamentblatt, 191 Papierblätter (zwei voneinander abweichende irreführend Bleistiftzählungen[12]) bis fol. 144 regelmäßige Sexternionen (die ersten sechs Lagen haben Kustoden, die nächsten sechs Reklamanten; vereinzelter Reklamant noch Bl. 179^{v}), Schema:

12 VI – (VI–1) – (VII–1) – (VI–1) – VI

Blattgröße 216: 148 mm. Schriftspiegel Bl. 1–72 (vorgeritzt) 171 : 98 mm (zwischen 170/174: 97/100 mm); Schriftspiegel Bl. 73 ff. (mit Tinte ausgezogen): 152 : 103 mm (zwischen 146/157: 100/111 mm). Texte sämtlich einspaltig, Initialen im Schriftspiegel, Verszeilen nicht abgesetzt.

Wasserzeichen, Schreiberhände, Kustoden, Schriftspiegel weisen darauf, daß Bl. 1–72 ursprünglich wahrscheinlich selbständig waren.

Rot: Überschrift Bl. 1^{r}, Postscript Bl. 67^{v}. Initialen bis Bl. 67^{v}. Rubrizierung am Versanfang bis Bl. 67^{r}. Streichungen, Verweisungen und sehr wenige Korrekturen rot. Schwarze und rote Ornamente in den Oberlängen bis 67^{v}. Rote Zierstriche an den Abschnittsenden. Hände am Rand Bl. 19^{r}, 19^{v}, 20^{v}. Ab Bl. 74^{r} Überschriften rot bis Bl. 127^{v}, dann leergelassen. Rubrizierung der Satzanfänge, rote Unterstreichung von *maister, iunger,* gelegentlich auch von Autoritäten bis Bl. 96^{v}. Handzeichnung 132^{r}.

Einband: strapaziertes braunes Rauhleder auf Holzdeckel (227 : 150 mm). Ecken bis auf eine durchstoßen. Vorderseite mit zwei Metallrechtecken (29 : 21 mm), je 48 mm von der oberen und unteren Buchkante: die entsprechenden Widerlager hinten abgerissen. Einbandrücken (52 mm breit) mit drei starken Bünden, in den Zwischenräumen:

a) helles Papier (44 : 37 mm), beschrieben mit:
Matrim(onium)
Spiritua(le)
De amo(re Christi)
M(arquard)

b) mit schwarzer Tinte: *Saec. XV.*

c) mit dicker roter Farbe: *D*

---

[11] Die Bibliotheksordnung des Abtes Martin vom Schottenstift (bei Gottlieb 432/3: Codex 4970 der Wiener Hofbibliothek fol. 13^{v}–14^{r}) zu den Aufgaben des *librarius: Item in principio, medio et fine voluminis scribat quod liber est noster.* Der Besitzereintrag f. 189^{r} stimmt im Duktus mit Korrekturen f. 115^{r}, 135^{v}, 137^{r}, 161^{v}, 162^{r}, 162^{v}, 174^{r}, 180^{r}, 185^{r} überein.

[12] Eine davon Hübls 175 Blatt (Cat. 219).

d) ebenso: *14*

Vorderseite oben links gezahntes blaugerändertes Schildchen: 295 203(53 b 15). Pergamentspiegel (zweispaltig hebräisch beschrieben) weit abgerissen.

Die Mundart aller drei Schreiber ist bairisch (s. die Einzeluntersuchungen S. 13–15).

B. Der Inhalt der Handschrift

1. Konrads Büchlein von der geistlichen Gemahelschaft (fol. 1r–67v)

Überschrift (rot) fol. 1r

Daz puechel ist von geischeicher (sic!) *gemähelschaft die czwischen got ist vnd der sel vnd redet ingeleichnuzz von tugenten als von junchfrawen*

Incipit fol. 1r

Adducentur regi virgines / Mein geist wegert des daz ich ettwaz sprech von der wirtschaft / Geischleicher gemachelschaft

Explicit fol. 67v

ich sünder haiz Chünrat wer mein armes gehüge hat / dem lan got in seimem reich / da ich in sech ewichleich/ dez verleich uns in dez sunes namen / got vater mit dem heiligen geist Amen

AMEN

(rot) *finis est illius operis* (schwarz) *vnde*

Über die Überlieferung s. die folgenden Untersuchungen; in Kürze orientiert der Abschnitt: Die Überlieferungsgeschichte.

2. Vollständige Übersetzung des
'Jubilus rythmicus de nomine Jesu'
(fol. 68r–70r)

Ohne Überschrift

Incipit fol. 68r (Initiale fehlt, D klein am Spiegelrand)

Der süzz gedanch an Jhesum christ Ein ware freud dez hertzen ist / Auer vor aller suessichait ist suezz sein gegenwurtichait

Explicit fol. 70r

Mein hertz ist nach jm geganen wann er es hat mit lieb vmuangen Mit gir vnd auch mit andacht lob wir Jhesum in suezzer acht daz er vns in seinem reich verleich zeleben ewichleich AMEN

Dieser Text ist gedruckt bei WACKERNAGEL KL II, nr. 810 unter der Angabe: Papierhandschrift, 15. Jh. 70 Blätter in 4°, im Benedictinerkloster zu den Schotten in Wien. s. auch bei W. BREMME: Der Hymnus Jesu dulcis memoria in seinen lateinischen Handschriften und Nachahmungen, sowie deutschen Übersetzungen. Mainz 1899. S. 115–120, S. 366 (Mitteil. von Dr. Werner Höver).

Weitere selbständige Übersetzungen im Cgm 463, fol. 181ʳ–183ᵛ (nicht Cgm 462, Bl. 181–185, wie GOEDEKE Grundriß I, 2. Aufl. S. 239/40 irrtümlicherweise mitteilt) und Cgm 858, fol. 126–130. Letztgen. Fassung gedruckt bei GILLITZER S. 18–23.

3. Marquard von Lindau: Das Buch der zehn Gebote
(fol. 74ʳ–189ʳ)

Überschrift (rot) fol. 74ʳ
Das puch sagt von dem zehen gepoten gots vnd yegleich gepot hatt drey sinn vnd dor ein werdent drey gezohen ander mangerley matery die zu ygleychem gepott gehörent vnd notdorftig sind

Incipit fol. 74ʳ
Der iunger ich peger das du mich peweisest von den zehen gepoten gots chlerleich vnd auch mer dann du verzeiten andern lewten hast getan

Explicit fol. 189ʳ
vnd sol got allein anhangen vnd alles worvmb vnd also ist sein lieb volchomen wonn hiet er got lieb vmb lust so hiet er in lieb noch creaturleich weise Wir söllen got lieb haben noch dem nechsten Amen
Hie habent die zehen gepot ain end Got vnd seinen heiligen geist send amen spricht der schuler

Zu diesem Traktat vgl.:

J. KLAPPER, Marquard von Lindau VL III, 268–75. Nr. 25. (Die Angabe KLAPPERS, daß die Hs. 203 – jetzt 295 – und 301 – jetzt 97 – des Schottenstifts lateinische Fassungen des Textes enthalten, ist unrichtig).

K. LANGOSCH und K. HANNEMANN, Marquard von Lindau VL V, 668.

JOH. GEFFCKEN: Der Bilderkatechismus des funfzehnten Jahrhunderts und die katechetischen Hauptstücke in dieser Zeit bis auf Luther. Leipzig 1855. S. 42–44. 109.

Ausgaben: VINCENZ HASAK: Ein Epheukranz oder Erklärung der zehn Gebote Gottes nach den Originaldrucken vom Jahre 1483 und 1516. Augsburg 1889 (wissenschaftl. wertlos) und (ndld.) G. H. VAN BORSSUM WAALKES: De tien geboden (De Frije Fries 17, III, 5). Leeuwarden 1890. S. 239–324.

ANTON MAYR: Zur handschriftlichen Überlieferung der Dekalogerklärung Marquards von Lindau. Sonderdruck aus der Festschrift zur Hundertjahrfeier des human. Gymnasiums Freising. Freising 1928.

P. OTTOKAR BONMANN O. F. M.: Marquard von Lindau und sein literarischer Nachlaß. Franziskanische Studien 21, 1934, S. 315–343, bes. S. 316. 319. 332 (vor allem Anm. 77). 343. KURT RUH: Bonaventura deutsch. Bern 1956. S. 136. 150.

152.[13] A. AMPE: Marquard von Lindau en den Nederlanden. Ons Geestelijk Erf 34, 1960, S. 377.
P. EGINO WEIDENHILLER, Untersuchungen S. 230/1 (WEIDENHILLER hat zu seiner Redaktion A den Cgm 4880 übersehen).
s. auch W. DOLCH, Katalog der dt. Hss. der kk. öff. u. Univ. Bibl. zu Prag S. 7. H. MENHARDT, Verzeichnis der altdt. lit. Hss. der Österr. Nat. Bibl. (zur Hs. 2827, 2968, 12546).

III. DER TEXT VON KONRADS BÜCHLEIN

A. Zur Paläographie

1. Schriftbild und Korrekturen

Im Büchlein von der geistlichen Gemahelschaft wechseln sich die beiden ersten Schreiber ab. Die Textverteilung auf die beiden Schreiberhände ist (nach Versen) folgende:

erster Schreiber		zweiter Schreiber	
1	– 9	10	– 244
245	– 497 (*frewt*)	497 (*die*)	– 580
581	– 971 (*soleyche*)	971 (*missetat*)	– 1098
1099	– 2303	2304	– 2410 (*dañ*)
2410 (*daz*)	– 3031	3032	– 3069
3070	– 3345	3346	– 3692
3693	– 3980	3981	– 4008
4009	– 6387	6388	– 6437
6438	– 6530		

Der erste Schreiber schreibt Eilschrift, erstes Viertel des 15. Jahrhunderts; die zweite Schreiberhand ist im Duktus konservativer, auch scheint sie ältere Schreib-

[13] Professor Kurt Ruh, der dankenswerterweise die Angaben zu HASAK, VAN BORSSUM und AMPE mitgeteilt hat, hat brieflich eine Ergänzung zu den Angaben S. 136 beigetragen: Die Signatur der Zürcher Hs. ist: Zürich, Zentr. Bibl. Cod. C 102c, auch fehlt der Anfang nicht.

gewohnheiten besser zu bewahren (im einzelnen s. den Abschnitt: Reliktformen aus der Vorlage).

Auffallend ist an der Textgestalt die Vielzahl von Korrekturen. Ein großer Teil der Korrekturen ist vom Schreiber selbst angebracht; eingefügte Buchstaben lassen sich schwer auf eine Hand festlegen.[14] Immerhin sind ganz sicher zwei Korrektorenhände festzustellen; außerdem hat der zweite Schreiber in die vom ersten Schreiber geschriebenen Partien hineinkorrigiert.[15]

Die beiden Korrektorenhände X und Y lassen sich festlegen: X hat die Zeilen 615, 1301, 1443 nachgetragen und Nachträge in 1210, 1221 (am Rand), 1679 (am Rand), 3849, 3914 (*libet* am Rand), 4879 angebracht. Der Vers 1301 ist hierbei besonders interessant: Y hat später in die nachgetragene Zeile 1301 hineinkorrigiert, er ersetzt *sam* durch *der*. Auf einen größeren zeitlichen Abstand des Korrektors Y weisen auch andere Veränderungen. Y hat im Bereich der Verse 981/2, 1302/3, 1428/9 mit den Reimen ganze Sätze verändert und bei den Versen 1405 und 1427 Sätze eingefügt. Die einzige von Y nachgetragene Verszeile (494) kann analog 418 und 932 gebildet sein. Die Veränderungen sind fast alle unnötig, zum Teil sogar sinnwidrig; insgesamt verraten sie, daß alte Bedeutungen nicht mehr verstanden worden sind. Mit 1677 hören die Korrekturen auf, die Y mit Sicherheit zugewiesen werden können.[16]

2. Die diakritischen Zeichen

Über vereinzelten Konsonanten und häufig über Vokalen sind Punkte gesetzt, meist horizontal nebeneinander, oder aber: links unten, rechts oben. Selbst

---

[14] Vgl. die eingefügten *t* nach *ch*: z. B. 1337, 1380, 1466, 1529, 1533, 1592, 1687 und öfter;
die eingefügten *e* über *i* (für *ei*): 686, 793, 874, 917, 951, 1213, 1387, 1436, 1554, 1579, 1783, 1831, 1915, 2010, 2213, 2276, 2286, 2688, 2693, 2762, 2989, 3070, 4108, 4141, 4354, 4403, 4407, 4864, 4992, 5198;
die eingefügten *i* nach *a*: 341, 443, 1108, 1435, 1461, 1604, 1648, 1983, 2150, 2169, 2230, 2268, 2523, 2549, 2611, 2619, 2680, 2903, 3112, 3251, 3703, 4515, 4751, 4875, 5005, 5218, 5399, 5845, 6113;
die eingefügten *i* nach *e*: 4, 1378, 1806, 2516, 3200, 4153, 4161.

[15] Vgl. für diese Fälle die Verbesserungen in den Versen 285, 320, 799, 846, 878, 1205 (*ern̄*), 1219, 1275, 1610, 1930, 2158, 2163, 2260, 2268 (*ir*), 2422, 2677, 2678, 3019, 3165, 4224 (*ir*), 4286 (*dem*), 4321, 4344, 4419, 4687, 4883, 5193, 5648 (*der. ī. gelözzen.* Hier hat offensichtlich der zweite den ersten zum Nachtrag von v. 5649 angehalten), 5712 (v. 5713 nachgetr.), 5880, 5916, 6279.

[16] Eingriffe des Korrektors Y: 14, 30, 64, 210, 218, 220, 231, 271, 377, 434, 437, 441, 442, 494, 514, 518, 555, 561, 564, 725, 780, 840, 842, 904, 912, 913, 974, 981, 982,

einzelne Punkte kommen vor: entweder ist zufällig nur ein Punkt der vom Schreiber beabsichtigten zwei aufs Blatt gekommen, oder es handelt sich um Tintenspritzer. Striche und Haken scheinen auch nur zufällige Erscheinungen zu sein. Über allen fünf Vokalen finden sich die diakritischen Punkte. Für a lassen sich die Punkte über Kürzen und Längen, sowie den Umlauten ohne Regel nachweisen.

Selten finden sich die diakritischen Punkte über e, und dann meist für mhd. æ im Nebenton, z. B. 367 *sündër*, 720 *lasterwër*. Auch das Zeichen eͣ (Weinhold Bair. Gr. § 9 S. 22) ist nachweisbar.

Eine deutliche Funktion haben die diakritischen Zeichen über i. Sie weisen auf einen Diphthong. Das ist entweder das mhd. -ie-, wie z. B. in 202 *trïgen*, 220 *dïnst*, 540 *enpfïngen*, 643 *getzïrt*, 4999 *lïcht* u. a. oder der neuentstandene bairische Sekundärdiphthong vor n, h und r (vgl. Kranzmayer LG § 7 e 1 und 2; § 7 f 1; § 7 g 8), wie z. B. 4306 *enphïndet*, 336 *sïcht*, 320 *wïrt* u. v. a. m.[17]

Für o lassen sich die Punkte in gleicher Weise wie für a über Kürze, Länge und den Umlauten ohne Regel nachweisen (zu den ö-Schreibungen für mhd. ô vgl. Köck 201–203). Die diakritischen Punkte über u haben verschiedene Bedeutungen (s. auch Strebl 57, 77, 129). In Reliktformen (s. dazu den Abschnitt: Zum Sprachstand der Vorlage) stehen sie für die mhd. Längen û, iu. Üblicherweise stehen sie für die alten Diphthonge -ue- und -üe-, z. B. 285 *güt*, 696 *püssen*, sowie für die umgelautete Kürze, z. B. 403 *übel*. Überdies bezeichnen die diakritischen Punkte in Verbindung mit Nasalen, h und r (Kranzmayer LG § 7 e 1, 2; § 7 f 1; § 7 g 8–11) auch den neuen bairischen Sekundärdiphthong (Köck 111 weist ihn vor fast allen Konsonanten nach). Schließlich finden sich die Punkte auch ohne erkennbare Funktion über altem u, z. B. 1440 *püsawn*, 1785 *tügent*.[18] Auch das Zeichen ů ist in der Handschrift gut belegt. Über y kommen gelegentlich diakritische Zeichen, nämlich Punkte oder Haarstriche, vor; auch die u, v, w der Diphthonge eu, ev, ew und au, av, aw sind ab und zu durch horizontale Punkte gekennzeichnet.

1125, 1162, 1169, 1193, 1196, 1202, 1203, 1233, 1269, 1271, 1287, 1301, 1302, 1303, 1354, 1393, 1401, 1405, 1427, 1428, 1429, 1430, 1519, 1522, 1526, 1536, 1537, 1582, 1615, 1672, 1677.

[17] 3289 *friͤd* und 5490 *schiͤd* sind – mittelbairische – Sekundärdiphthonge vor Zahnlaut, Kranzmayer LG § 7b 2. 5297 *viͤl* ist vielleicht Dehnungszeichen. 5447 *ze wiͤzzen* (?).

[18] Gillitzer 82 kennzeichnet die Vermischung der Schriftzeichen für mhd. *uo* und mhd. *u* als *ü* oder als *u* mit „Prager Kanzleiformen“.

3. Die Abkürzungen

Es finden sich sehr häufig der Nasalstrich und das R-Häkchen. Seltener werden folgende Abkürzungen[19] angewendet: die für *-el* (XXVII); die für *-ra-* (XXI); die für *-er* (X); die für *per, par* (XXVII); die für *pro* (XXXIV); die für *pre* (XXVII); die für *-ur-* (XXI, XLIV); die für *con-* (XX); die für *-io* (XX); die für *-us* (XX); die für -is (XI, XLI u. ö.); die für *-rum* (XXI) und vereinzelte andere. Ebenso finden sich die üblichen Abkürzungen für *Jesus* und *Christus* und wenige Kontraktionsformen (z. B. 2628 *dn̄i* = *domini*).[20]

4. Die Einteilungen des Büchleins

Die Abschnitte des Büchleins sind durch Initialen gekennzeichnet. Ein einziges Mal (nach v. 2313) findet sich ein Postscriptum, das aber nicht im Reim steht und deshalb im Apparat aufgeführt ist. Die Abschnitte sind im Druck bewahrt.

Unterteilungen sind durch Paragraph-Zeichen (Alinea-Zeichen) gekennzeichnet bei folgenden Versen: 365, 441, 519, 661, 795, 951, 983, 1149, 1214, 1446, 1495, 1698, 1780, 1816, 1904, 1928, 2008, 2082, 2108, 2122, 2152, 2236, 2360, 2384, 2414, 2432, 2526, 2552, 2564, 2618, 3092, 3168, 3210, 3524, 3558, 3568, 3676, 3680, 3686, 3758, 3996, 4098, 4123, 4157, 4169, 4179, 4193, 4207, 4217, 4225, 4245, 4291, 4303, 4321, 4339, 4351, 4425, 4526, 4688, 4698, 4704, 4732, 4740, 4752, 4822, 4834, 4850, 4886, 4900, 4952, 4964, 4994, 5084, 5130, 5144, 5168, 5178, 5280, 5436, 5462, 5514, 5674, 5708, 5856, 6045, 6089, 6171, 6195, 6259, 6279, 6309, 6351, 6509, 6515.

Weitere Unterteilungen finden sich mit dem Zeichen II bei 3486, 3490, 3496, 3508, 3510, 4918, 4922, 4926, 4978 (nur zwei senkrechte Striche).

Nahezu ausnahmslos stehen Virgeln am Ende der Verszeilen; innerhalb der Verse stehen sie vereinzelt. Gelegentlich kommen Punkte als Satzzeichen vor.[21] Zwei horizontale Striche als Worttrennungszeichen sind die Regel.

---

[19] Herangezogen ist CAPPELLI, Verweis jeweils auf die Seitenzahl bei CAPPELLI.

[20] Für die Schreibung 1982 *swertz*, 2032 *swertz* (und dazu 1899, 1902, 1904, 2008), 4380 *phlichtz* findet sich bei CAPPELLI keine Erklärung.

[21] 81 *den.der*; 82 *waz.der*; 129 *gertt.*; 148 *schalk.*; 263 *fürstentumb.dez*; 282 *e.* (später getilgt); 445 *vor. einem*; 938 *E.*; 1558 *darnach.*; 1680 *in.dz*; 1691 *gedagen.*; 1891 *swer.der;* 1894 *gepot.*; 3351 *schriren.piz* (vgl. Apparat) 3352 *tyerr.wann*; 3466 *nyemant. Die*; 4632 *wartet.* (Punkt getilgt); 4923 *der.dem*; 4928 *mynn.ew*; 4967 *gnaden. schrein*; 5294 *unser.sein*; 5358 *würtzen.wenn*; 5730 *.e.*; 5732 *.e.*.

B. Zur Dialektbestimmung

Der Schreiberdialekt beider Schreiber des Büchleins ist bairisch.

1. Konsonantismus

p- im Anlaut (WEINHOLD BG § 121 S. 123; KRANZMAYER LG § 27 a 4), z. B. 21 *poten,* 453 *pegan.* Es kommt jedoch auch *b*-Schreibung vor, z. B. 1630 *bechenn,* 2216 *bracht.*[22]

w für *b* (WEINHOLD BG § 136 S. 140; KRANZMAYER LG § 25 a 3, KÖCK 39,42 für den Inlaut, KRANZMAYER LG § 36 a 3, KÖCK 41/2 für den Anlaut, s. a. KRANZMAYER R 24) z. B. 2 *wegert,* 375 *awer,* 4076 *ewengwaltig.*

b für *w* im Anlaut (WEINHOLD BG § 124 S. 127/8, KRANZMAYER LG § 25 a 6) z. B. 513 *unbert,* 556 *berdent,* 2804 *besen.*

b für *w* im Inlaut (WEINHOLD BG § 125 S. 129, KRANZMAYER LG § 25 a 3) z. B. 3335 *phaben,* 3938 *rubstat.*

ch für *k* im Anlaut (WEINHOLD BG § 179 S. 185, KRANZMAYER LG § 38 b) z. B. 8 *chunich,* 200 *chlagen* (daneben auch wenige cch und c). Das postkonsonantische *k* wird meist mit *-kch-* wiedergegeben, das postvokalische ebenfalls. Sproßkonsonant (KRANZMAYER LG § 27 j) findet sich z. B. 371 *frumpt.*

Die Hauchlaute *h* und *ch* werden graphisch nicht unterschieden (WEINHOLD BG § 183 S. 188, MAUSSER I S. 55, dazu KRANZMAYER LG § 33 b 2 und § 34 i 6) vgl. z. B. 2166 *slachen* neben 2554 *slahen;*[23] ebensowenig unterscheiden die Schreiber *s* und *z* (WEINHOLD BG § 153 S. 158, KRANZMAYER LG § 32 b 2). Die beiden letzten Erscheinungen erlauben nach KRANZMAYER LG durch den Vergleich von § 34 i 6 und § 32 b 2 eine vorsichtige Eingrenzung der Abschrift aufs Mittelbairische.

2. Vokalismus

Die gröbsten bairischen Kennzeichen, die Endung *-leich* (dazu KRANZMAYER R S. 32. 73), die Schreibung *-ai-* für mhd. *-ei-,* die Endung *-ew* in der Formen-

---

[22] BEHAGHEL, Stand des germ. b beruft sich S. 246 zu Unrecht auf das Büchlein: sowohl der erste (612, 714, 797, 948, 1164, 1378, 1590, 1613, 2273 usw.) als auch der zweite Schreiber (1073, 2326, 3063) benützen *pe-* für die Vorsilbe *be-.* Aus HOFFMANNS Auszügen allerdings hatte BEHAGHEL nur Belege für *be-.*

[23] Zu den Formen 2028 *enphaen* und 5722 *gehabt* s. KRANZMAYER LG § 33 b 3; § 34 i 7.

bildung des Artikels und der Adjektive, die Entrundung (z. B. 2879 *erleichtent* s. KRANZMAYER LG § 16 c 1), die Rundung (z. B. 146 *fromd,* 2275 *swöster,* 2947 *schöpher* s. KRANZMAYER LG § 26) finden sich allenthalben, ebenso der bairische Sekundärdiphthong.[24] Der Zusammenfall von mhd. *-ar-* und *-or-* gilt für die meisten bairischen Landschaften (KRANZMAYER LG § 1 h 1, vgl. KRANZMAYER R 32, KÖCK 45 ff.) s. 385 *vercharen,* 792 *verwarffen,* 822 *ardnung* u. v. a. neben 1069 *versport,* 1798 *storkch* u. a.

Die Form *het* (vgl. KRANZMAYER R 38 Anm. 16) weist aufs Bairische, z. B. 79, 250, 661; die Form *hiet* aufs Mittelbairische (KRANZMAYER ebenda), s. v. 934, 4318, 4469, 4520. Der Sproßvokal *e* zwischen *r* und Nasal ist gesamtbairisch;[25] mittelbairisch ist *-i-* nach Liquiden (KRANZMAYER LG § 49 f 1, § 50 d 1), z. B. 30 *scherigen,* 40 *durich,* 627 *erib,* 2416 *vertiligen* u. a.

Der mittelbairische Gleichklang *â* aus mhd. *ou* und *û* (KRANZMAYER LG § 21 a 1, KÖCK 123 ff.) ist noch erkennbar: 1145 *Ach,* verbessert zu *Auch;* 6096 gestrichenes *ta^{u}get* und in der falschen Hyperform 1666 *tugen* verbessert zu *tuwgen.* Eine genauere Lokalisierung ermöglichen die Schreiberformen *a* für mhd. *ô* (KRANZMAYER LG § 11 a 7, KÖCK 201) z. B. 95 *nat,* 391, *petärt,* 585 *gepat* u. v. a. m.: niederösterreichisch mit angrenzenden Landschaften. In der Reimchronik (Anm. 71) erwähnt KRANZMAYER die Vertauschung der Zeichen in niederösterreichischen Urkunden; die Umkehrung findet sich (*o* für mhd. *â*): 32 *hocher,* 119 *empfohlen,* 236 *worheit* und andere mehr. Die zugrundeliegende lautliche Erscheinung nennt KRANZMAYER (R Anm. 71) Wiener Gleichklang, den sich die Verkehrssprache angeeignet hat.

Der Zusammenfall von *ei* und *a* ist ebenfalls wienerisch-verkehrsmundartlich (KRANZMAYER LG § 20 g 1, KÖCK 117 ff.): 1156 *weishat,* 1554 *masterin,* 3931 *honigsam,* 4296 *verant* und von späterer Hand eingefügte *i* nach *a* (s. Anm. 14). Die *e*-Schreibung für mhd. *ei* kennzeichnet KRANZMAYER (LG § 20 g 1) ebenfalls als wienerisch: 2912 *heligen,* 4205. 4210. 4227 *helichait* und eingefügte *i*

---

[24] Die Kennzeichnung des bairischen Sekundärdiphthongs durch diakritische Punkte s. unter Abschnitt: Die diakritischen Zeichen, unter *i* und *u.* Die Schreibung *-ue-* für den Sekundärdiphthong findet sich nie, *-ie-* recht häufig z. B. 375 *geschiecht,* 1384 *gieriger* und weitere Beispiele 1764, 1770, 1809, 2532, 2848, 3028, 3030, 3221, 4294, 5590 (zum Sekundärdiphthong vgl. KRANZMAYER LG § 7 e 1. 2; f 1–3; g 9–11; KÖCK 93 ff.).

[25] WEINHOLD Bair. Gr. § 17. S. 32. PAUL-MITZKA § 48, wichtig für die Auflösung von Nasalstrichen wie 1528 *lucern̄,* 2050 *gern̄* u. a. Bei den Fällen *arm̄* 883. 3249. 3867. 3873. 6450; *dirn̄* 1220. 3888; *dyrn̄* 1198; *dyrrn̄* 955; *murm̄ulūt* 2016; *orn̄det* 2452; *scherm̄* 3001; *swarm̄* 6449; *würm̄* 3221 ist der Nasalstrich bei der Texherstellung nicht berücksichtigt.

nach *e* (s. Anm. 14). Die Sprachformen der Abschrift weisen auf Wiener Verkehrsmundart.[26]

IV. DIE VORLAGE UND DIE URSCHRIFT

A. Zur Vorlage

1. Schlüsse auf eine Vorlage

Daß der vorliegende Text eine Abschrift ist, ist nicht zweifelhaft.

Erstens ist das aus einzelnen Reimen zu erschließen:
537/8 *rüften/slieffen,* wo ursprünglich *rieffen* stand;
1254/5 *lernent / erent,* wo ursprünglich *lerent* stand;
2970/1 *ding/ursprung,* wo *urspring* stand;
6399/6400 *lieben/synnen,* wo *mynnen* stand.

Zweitens finden sich typische Verschreibungen:
124 *Der schol* gestrichen vor *Den*: hier hat der Schreiber angesetzt, eine Zeile doppelt zu schreiben.
278 nach *sein* ist *nicht* gestrichen und umrahmt: der Schreiber hatte ein Wort vergessen.
672 nach *geit* ist *als ich waiz* gestrichen und umrahmt: der Schreiber hatte anderthalb Zeilen ausgelassen.
940 *Die poten iah* abgebrochen, gestrichen, darüber *Ob es ir*: der Schreiber hatte eine Zeile vergessen.
Ähnliche Fälle: 1177, 2301, 2402, 3521, 5596, 6025.

Drittens finden sich nachgetragene Verse, einerseits Schreibernachträge: 1515, 3249, 3863, 5649 (s. auch 509–512); andererseits Nachträge von Korrektorenhand: 494, 615, 1301, 1443, 5713.[27]

---

[26] Formen der Abschrift, die als alemannisch gelten: 1. Pers. Pl. Präs. auf *-ent*: 281 *müzzent,* 893 *sehend,* 1877 *wartent* (vgl. 4471). 2. Pers. Pl. Präs. auf *-ent*: 2661 *wissent,* 3849 *glaubent, mynnent.* Entweder späte Eindringlinge oder literarische Lehnformen, die schon der Verfasser kannte (vgl. den Abschnitt: Die Sprachschicht des Büchleins).

[27] Vers 494 vom Korrektor Y (Analogie nach 418, 932?). 5713 vom zweiten Schreiber (s. Anm. 15). v. 615, 1301, 1443 vom Korrektor X. v. 1301 legt die Vermutung nahe, daß auch der Korrektor X die Vorlage gekannt hat. Die Prosafassungen, die offenbar nicht von der Abschrift der Hs. 295 abhängen (s. Abschnitt: Der Umfang der Urschrift), haben den Vers fast wörtlich, s. Cod. Mell. 1730 f. 16v 7/8: *und der sam an die erd*

Viertens finden sich Waisen. Sie werden aufgeführt, obwohl sie keine selbständige Beweiskraft haben: 4118, 4475, 5920. Das Prinzip des Reimpaars ist ja nicht völlig bindend; der Dreireim (1211) ist jedenfalls auch in Reimpaardichtungen eingeführt.

Fünftens finden sich Lücken:
zwischen v. 148/9; 1347/8; 4412/3; 5980/1.

2. Zum Sprachstand der Vorlage

Eine Beobachtung läßt sich durch den gesamten Text machen: die Behandlung von *ei* und *i* ist unsicher. Es läßt sich vermuten, daß die Schreiber die Diphthongierung selbst vornehmen mußten, daß also in der Vorlage noch *i* stand. So erklären sich die vom Schreiber sofort vorgenommenen Korrekturen:
1897 *mi* abgebrochen, darauf *mein*
2232 nach *ew* gestrichen *bi*
2278 *mi* abgebrochen, darauf *mein*
2444 *wi* abgebrochen, darauf *weiroch*
2656 *di* abgebrochen, darauf *dein*
2784 *si* abgebrochen, darauf *sein*
2882 *dapi* zu *dapey*
2984 *dri* zu *drey*
4117 *zi* abgebrochen, darauf *zeit*
4408 *gesti* abgebrochen, darauf *gesteigen*
5654 *mi* abgebrochen, darauf *meiner*.

So erklärt sich der falsche Ersatz, der dann wieder rückgängig gemacht ist, bei den Versen
1471 *gereicht* verbessert zu *gerecht*
1472 *reichter* verbessert zu *richter*
2060 *gereicht* verbessert zu *gerecht*
2717 *sein* durch Tilgung verbessert zu *sin*
2933 *sein* durch Tilgung verbessert zu *sin*
3139 *weitz* durch Tilgung verbessert zu *witz*
3203 *sein* durch Tilgung verbessert zu *syn*
4773 *pein* durch Streichung verbessert zu *pin*
4815 *leib* durch Tilgung verbessert zu *lib*.

In den – für das Bairische des 15. Jahrhunderts erstaunlichen – Formen 2107

---

ist enwicht (vgl. Cgm 775 f. 189r 23/4). Entsprechungen zu Vers 615 und 1443 gibt es der Kürzungen wegen in den Prosafassungen nicht.

wil, 2845 *bewisen,* 3885 *dines,* 3887 *din,* 3920 *din* ist der alte Sprachstand bewahrt (vgl. Anm. 14).

Dieselbe Unsicherheit läßt sich für mhd. *iu* zeigen:

4238 *v* abgebrochen, darauf *ew*
4559 *flust* verbessert zu *fleust*
4647 *u* abgebrochen, darauf *ewr*
5073 *rwe* verbessert zu *rewe.*

Zu diesen Korrekturen kommen noch die Hyperformen

3279 *rewe* (für *rüe*)
3955 *rewen* (für *ruen*)
5195 *lewtzel* (für *lützel*),

die verbesserten Hyperformen

714 *fre* abgebrochen, darauf *frümpt*
4095 *rewe* durch Streichung verbessert zu *rwe*
5063 *rewe* durch Tilgung verbessert zu *rwe*
6166 *fra* abgebrochen, darauf *frümt*

und die stehengebliebenen Formen: 299 *chwschem,* 794 *ür,* 3241 *getrüwen,* 3428 *früntschaft,* 4167 *getrüwen,* 4276 *erlüchtunge,* 4814 *inflüzzet,* 5036 *erlüchtet,* 6481 *füreinew.* Daß neben der Länge *iu* auch die mhd. Länge *û* in der Vorlage stand, beweist 650 *tüsent* und 1938 *tusent* verbessert zu *tawsent,* sowie die Unsicherheit -au- und -eu-: 978 *hewt* verbessert zu *hawt,* 1125 *hawt* gestrichen, am Rand *hewt,* 2532 *uncha* abgebrochen, darauf *unchewsch,* 3466 *laut* verbessert zu *leut,* 4283 *lewterhait* verbessert zu *lawterhait,* 6321 *lawchtent.*

3. Reliktformen aus der Vorlage

Vereinzelt begegnen historische Schreibweisen, die auf die Vorlage zu weisen scheinen.

Der zweite Schreiber bewahrt die Ligatur *æ* (für Kürze und Länge), z. B. 12 *gemæhel,* 14 *gemæchelschaft,* 16 *sælig* u. v. a. m. (beim ersten Schreiber immerhin 345 *bewäeren,* 419 *naem,* 2611 *hailbäer,* 3078 *staetichait,* 6323 *saelichait*).

Der zweite Schreiber schreibt für die mhd. Endung *-heit* immer *-heit* (der erste immer *-hait*); dazu kommen die Schreibungen 1232 *peiten,* 1888 *seit,* 2562 *treit*: Reliktformen für sonst durchaus übliches *-ai-*.

Vermutlich kannte die Vorlage noch die Form *-sc-* für späteres *-sch-* (Weinhold § 157 S. 162; Kranzmayer LG § 42 a 1 lt. Satz); s. die Korrekturen

422 *scaiden* verbessert zu *schaiden*
1490 *scol* durch Tilgung verbessert zu *sol* (so auch 1570)
3122 *scol* verbessert zu *schol*

3134 *scüll* verbessert zu *schüll*
4718 *scull* verbessert zu *schull*
und die Reliktform 5541 *gemiscet.*

Ein altertümliches *c* für übliches *cz* und *ch* (vgl. STREBL 97. 144): 992 *claider*, 1010 *clagunder*, 1680 *cumpt*, 2335 *beclagen*, 2727 *curtz*, 2871 *gecierd*, 3222 *gecelt* (auch 3224. 3288. 3298. 3300), 3461 *ce*, 4282 *gecir*, 4389 *geciret*, 4924 *urcund.*

4. Zur Datierung der Vorlage

Ein Anhaltspunkt für die Datierung der Vorlage ist die Behandlung der mittelhochdeutschen Langvokale. Nach Anm. 26 ist in Betracht zu ziehen, daß die Vorlage aus einem anderen Dialektbereich stammen könnte; im Alemannischen wären die mhd. Monophthonge noch im 15. Jahrhundert die Normalform. Allerdings findet sich außer den Restformen der mhd. Langvokale, den historischen Schreibweisen und den Konjugationsformen aus Anm. 26 nichts, was für die Sprachgestalt der Vorlage Rückschlüsse erlaubte. Weil dieses Material für eine Festlegung der Vorlage nicht ausreicht, muß die Frage nach der Herkunft der Vorlage so lange zurückgestellt werden, bis die Frage der Herkunft der Urschrift behandelt ist.

B. Zur Urschrift

1. Die Heimat des Büchleins

Die Heimat des Büchleins läßt sich aus Reimen und aus mundartlichen Kennworten erschließen.[28]

Die zur Zeit Ottokars lebendigen bairischen Kennworte, die KRANZMAYER für die 'Steierische Reimchronik' zusammengestellt hat, finden sich zu einem guten Teil im Büchlein (in Klammern die Seitenzahl bei KRANZMAYER, Reimchronik): *ekchel* 5917 (37); *gais* 673 (67); *gevag* 5014 (36); *herphe* 3926. 4894. 4961. 5988 (36); *mail* 2230. 2241. 2451 (36), im Reim 1727. 2240. 2258. 2268. 2398. 2419. 3112. 4931. 5248. 5273. 6163, in der Verbindung *sündenmail* 1553. 1801. 2627. 5279. 5882. 6133; *nindert* 1335. 4873. 4897 (36); *weitze* 1609. 1829 (37); *wurm* 1433. 2409. 3221 (66. 74); *czant* 6022 (37, vgl. dazu KRANZMAYER, Kennwörter 14); *zesem* 1537. 1589. 1874. 2280. 3154. 4075. 4497. 4719. 5722 (74).

[28] Vgl. STOPP 118 nach dem Vorgang von KRANZMAYER, Reimchronik.

Von den Wörtern, die KRANZMAYER, Reimchronik 54, als gut bairisch, aber kaum mehr der lebendigen Sprache Ottokars angehörend kennzeichnet, finden sich im Büchlein: *lützel* 371. 712. 845. 3240. 3331. 3364. 3396. 3422. 3460. 4632. 4710. 5195. 6392. 6520; *tougen* (subst.) 2705. 4800. 6096, im Reim (nur auf *augen*) 1638. 1719. 2195. 2665. 2854. 3748. 3923. 4258. 4405. 5009. 5135, (adv.) 242. 1658. 1666. 2469. 2669. 3040. 3281. 5333, (adj.) 1721. 2453. 2483. 2677. 2679. 3005. 3287. 4364; *trḗchtein* (vgl. dazu STREBL 123) 5656; *winster* (Hs. *vinster*) 1791. 1882. 4713; *zehant* 359. 1783. 4732. 5896.

Zur Zeit Ottokars veraltete Ausdrücke des bairischen Dialekts (in Klammern die Seitenzahl bei KRANZMAYER, Reimchronik): *ais* 6483 (55); *gedinge* (stark flekt.) 1642 (56). Dazu kommen die schwach flektierten Maskulina 1032. 1315. 3173. 3967. 4127. 4209. 4451. 4580. 4591. 4594. 4778; *hert* 3580 (56); *herter* 3852 (56); *hierz* 5590 (56, dazu KRANZMAYER, Kennwörter 17); *hinz* 2453 (57); *chlaffen* 2024 (56); *lad* 4694 (56); *lawch* (*loug*) 2479 (56); *pesolgen* 1132 (57); *trüchsetzinn* 4703 (57).

Hinzu kommt die bairische Deminutivform *-el* in den Versen 527. 533. 557, 3346. 3540. 3832. 3895. 3897 (vgl. KRANZMAYER, Reimchronik 74). Die Lexikographie ergibt also ein ähnliches Bild wie Ottokars Reimchronik. Wichtig ist nun, daß sich nach diesen Kennworten landschaftliche Unterteilungen im Bairischen noch nicht vornehmen lassen;[29] für sie muß die Untersuchung des Lautstandes, der sich aus der Reimtechnik ergibt, die genaueren Ergebnisse liefern. Bairische Lautungen lassen sich nun zu Genüge in den Reimen nachweisen.

Reime von *a* : *â* gelten für Baiern und manche Ostfranken als rein. Sie lassen sich in großer Zahl belegen; s. 173/4 *sprach/nach*, 181/2 *hazzen/lassen*, 193/4 *nach/gemach*, 249/50 *an/getan*, 283/4 *phlag/wag*, 577/8 *qual/ïrsal*, 635/6 *gab/hab*, 791/2 *zwar/gar*, 881/2 *pegnadet/ladet* usw. Es wurde der Zusammenfall vor h und ch über zwanzigmal, vor n fast fünfzigmal, vor r und d je fast zwanzigmal, vor t über zehnmal, vor g, l, b, s und z je über fünfmal gezählt (s. KRANZMAYER LG § 1 g 1–3).

Auf bairischen Ursprung weist auch die Behandlung des *-e-* in den Reimen (ZWIERZINA ZfdA 44, 253. 255). Erstens findet sich eine lange Reihe von Belegen für die Reimbindung von *ê* auf altes *e*: 5/6 *sel/snel*, 65/6 *enpern/eren*, 111/2 *chert/begert*, 113/4 *eren/gern*, 945/6 *er/er* usw., allerdings nur vor *l* und *r*

[29] KRANZMAYER R 78. Auf S. 42 hält KRANZMAYER *smielen* für einen „vielleicht schon ausgesprochen südbairischen Ausdruck". Dagegen spricht Lamprecht v. Regensburg 'Tochter Syon' (ed. WEINHOLD) v. 4001. S. im Büchlein v. 4137. 4768.

Ein lokalisierbarer Dialektausdruck scheint aber im Büchlein (v. 405, 3450, 3653) *auf* für Uhu zu sein: mittelbairisch. KRANZMAYERS handschriftl. Bair.-österr. Sprachatlas, Karte 1269, die Prof. I. Reiffenstein freundlicherweise zugänglich machte.

(ZWIERZINA 255; WEINHOLD BG § 48 S. 58; KRANZMAYER LG § 3 j 3. l 1). Zweitens weisen Reime von altem *e* auf Umlaut-*e* vor *b* und *g* auf ebenfalls bairischen Ursprung (ZWIERZINA 253; KRANZMAYER LG § 3 d 1): 203/4 *geben/uberheben,* 1704/5 *phlegen/legen,* 2030/1 *phleg/sleg,* 2166/7 *geben/anheben,* 2466/7 *swebt/erhebt* vgl. 2076, 2322, 2504, 3338, 3542, 3672, 4203, 4536, 5096, 5136, 5288, 6359, 6431.

Weiterhin sind bairisch Reime, die den Übergang von *w* zu *b* im Inlaut zeigen (KRANZMAYER LG § 25 a 3): 3540/1 *phaben/haben,* 3940/1 *rüben/betrüben,* 6361/2 *rüb/trueb* vgl. 5014. 5030;

Reime, die den Zusammenfall von *-ar-* und *-or-* zeigen (KRANZMAYER LG § 1 h 1): 1342/3 *invart/wart,* 2636/7 *vor/spar,* 2750/1 *wart/enspart* vgl. 2770, 2792, 2810, 2932, 3022, 3208, 3706, 3716, 4265, 5816 (s. auch KRANZMAYER, Reimchronik 100);

Reime, die mit Sproßvokal rein werden (WEINHOLD BG § 17; PAUL-MITZKA § 48); 419/20 *geren/enperen,* 1544/5 *luczeren/enperen,* 2830/1 *steren/cheren* vgl. 1564, 1656, 1708, 1806, 2044, 3960, 4367, 4381, 6381;

Reime von *-ir-/-ier-* (KRANZMAYER, Reimchronik 87 Anm. 80): 17/8 *cziertt/wiͤrt,* 225/6 *wiͤrd/gecziͤrd,* 239/40 *diͤr/schiͤr,* 643/4 *getziͤrt/wiͤrt* vgl. 423, 1252, 1258, 2870, 4231, 4562, 4678, 4694, 4844, 4944, 5026, 5144, 5406, 5432, 5568, 5602, 5824, 5860, 5896;

Reime mit affrizierter Aussprache von *g* und *k* im Auslaut (BOHNENBERGER 405/6): 1400/1 *lag/erschrakch,* 1602/3 *släg/erschrakch,* 2728/9 *langkch/chrankch,* 3284/5 *gesanch/chranch;*

Reime, die Entrundung zeigen (KRANZMAYER, Reimchr. 51 Anm. 28): 825/6 *rüeffen/lieffen,* 3466/7 *slieffen/rüffen;* der Reim *ch/h* (WEINHOLD BG § 183; KRANZMAYER LG § 33 b 2; § 34 i 6): 4006/7 *fliechen/siechen.*

Auf einen engeren Bereich des Bairischen weisen Reime mit *hiet* (KRANZMAYER, Reimchronik Anm. 16: mittel- und südbair.): 625/6 *hiet/riet,* 2340/1 *hiet/verriet,* 3586/7 *riet/hiet;* Reime mit *hêt* weisen aufs Mittelbairische (KRANZMAYER R 93 u. Anm. 16): 1966/7 *het/stet,* 3762/3 *propheten/heten.*

Ebenso weisen aufs Mittelbairische die Reime *-ih-/-ieh-* (KRANZMAYER R 42. 86, vgl. LG 7 f 1): 1808/9 *liecht/geschiecht,* 3004/5 *licht/sicht,* 3066/7 *gesiͤcht/liecht,* 4293/4 *liecht/siecht* vgl. 4998, 5818, 6101. Mittelbairisch (KRANZMAYER R 86) ist auch der Reim 2608/9 *erpurt/gefürt.*

Mittelbairisch ist der Reim *â* : *o* (KRANZMAYER R 88. 103; LG § 1 f 1): 91/2 *geraten/poten,* 1015/6 *drittenmal/vol,* 1394/5 *plasent/glosent,* 2524/5 *verschlossen/lazzen,* 3166/7 *got/hot,* 3426/7 *geslozzen/lazzen,* 3616/7 *geslozzen/mozzen,* 3944/5 *verschlozzen/inlozzen,* 5648/9 *gelözzen/verslözzen.*

Mittelbairisch ist der Zusammenfall von *ou* und *û* (KRANZMAYER R 85. 102;

LG § 2 e; § 13 e 1): 1710/1 *prawt/getrawt*, 2218/9 *trawf/auf*, 2246/7 *schawt/prawt*, 2834/5 *auf/lawf*, 3342/3 *auf/lauff* (vgl. 3502), 5234/5 *chrawt/haut*.

Hinzu kommen Reime 2828/9 *weishait/geit*,[30] 3094/5 *wirdichait/seit*, 3110/1 *verstendichait/seit*, 3824/5 *veinst/mainst*. Sie setzen den mittelbairischen Übergang von *î* (KRANZMAYER LG § 13 e 1) und von *ei* (KRANZMAYER LG § 20 g 1; KÖCK 117–9) zu *ā* voraus.

Einzelne Erscheinungen lassen sich noch weiter spezifizieren.

Der „Wiener Gleichklang" (KRANZMAYER R Anm. 71) *ô : â* (vgl. KÖCK 203) findet sich 1242/3 *lan/han*.

Ebenso findet sich der Zusammenfall von *ei* und *a* (vgl. oben zum Zusammenfall von *î* und *ei*; KRANZMAYER LG § 20 g 1; KÖCK 117–9), eine Lautung der Wiener Verkehrsmundart: 167/8 *gnuchtsam/hönigsam* (vgl. 3931) und 463/4 *gat* (mit nachträglichem falschem Ersatz) */sait*. Wie die Abschrift weist die Urschrift nach Wien.[31]

2. Die Sprachschicht des Büchleins

Aus dem Lautstand lassen sich Folgerungen für die Sprachschicht treffen, der das Büchlein entstammt (zur Methode s. STOPP 109/10. 116). Fürs Mittelbairische liegen Untersuchungen unter soziologischem Aspekt vor. KÖCK 61 weist die niederösterreichische Schreibung *a* für mhd. *ô* (vgl. KRANZMAYER R Anm. 71; LG § 11 a; s. S. 14. 20) einer feineren Sprachschicht zu und nennt sie Herrensprache. Auch der bairische Sekundärdiphthong (KÖCK 112/3 „Brechung") ist eine Lautung der Herrensprache. Ebenso ist der Zusammenfall von *a* und *ei* herrensprachlich (KÖCK 119), wie der Zusammenfall von *ou* und *û* in *ā* (KÖCK 123). Diese Herrensprache, die KÖCK fürs 11./12. Jahrhundert erschlossen hat, wird zur breiteren Verkehrssprache (KÖCK 201). KRANZMAYER nennt sie Verkehrsmundart; er ordnet den Zusammenfall von *ei* und *a* (LG § 20 g 1) der Wiener Verkehrsmundart zu wie den „Wiener Gleichklang" (KRANZMAYER R Anm. 71) *â : ô*.

---

[30] Reime mit Kontraktionen aus *-igi-*, *-ibi-* finden sich häufig: 223, 339, 671, 893, 1278, 1286, 1394, 1644, 2256, 2350, 2540, 4102, 4726 u. a. Sie reimen untereinander und auf mhd. *î* (vgl. KÖCK 9. 17; KRANZMAYER R 71; LG § 27 e. f.).

[31] Es erscheint ausgeschlossen, daß die mittelbair. Formen des Büchleins literarischer Import sind: Das Büchlein hat *-ih-/-ieh*-Reime, deren Unterdrückung (KRANZMAYER R 42) speziell südbairisch ist. Die südbair. Reime *ei/ô* und *ei/ae* kommen nicht vor. Zum Reim 3942/3 *schaffen/schlaffen* vgl. KRANZMAYER R 46, vor allem Anm. 21: der Reim ist auch mittelbairisch möglich.

Bemerkenswert scheint dann allerdings, daß im Büchlein die Reime für die mittelbairische Konsonantenschwächung (KRANZMAYER R 90. 91) keinen Anhalt geben.

Auch der Wortschatz zeigt fremde Einflüsse. Dichtersprachlich sind (in Klammern die Seitenzahlen bei KRANZMAYER R): *wesen* 1167. 1174. 1250. 1256. 3137. 3158. 6490 (66); *sunne* (mask.) 2894. 2901 (66); *chlaid* 2875. 3251. 6059 (65). Gelehrte Buchworte – vielleicht schon umgangssprachlich – *firmament* 4792 (62), *element* 2836. 2872. 4411 (62).

Ausgesprochen höfische Worte sind: *banir* 3342, *maiczogen* 1248. 1254, *qual* 577. 701. 4879. 5911. 6039. 6339 (60).[32]

Äußere Einflüsse lassen nun überdies noch die Reime erkennen. Aus der Reimtechnik der lateinischen Hymnendichtung kommt die Möglichkeit, die Endungssilben allein reimen zu lassen (GILLITZER 85). Beispiele bieten vor allem die Substantive auf *-heit, -ung* und *-schaft*, z. B. 3/4, 39/40, 87/8, 169/70, 205/6 u. v. a. m.

Verschiedene Reime lassen mitteldeutschen Einfluß vermuten, so die Bindungen *e/ae* (KRANZMAYER R 104) 1115/6 *Lucifer/liechtrager*, 1117/8 *Luciper/liechtverlieser*, 1119/20 *nügifer/lugentrager*, 1692/3 *rẽdt/widertẽt*, 3552/3 *Lucifer/nachvolger*; ebenso 4177/8 *werchen/sterkchen* (KRANZMAYER R 16. 104. Anm. 1 a), 2478/9 *rawch/lawch* (ch/g; KRANZMAYER R 64).

Aus dem Mitteldeutschen oder Alemannischen stammen die Reime 2224/5 *prehent/jehent*, 2226/7 *sehent/jehent* (KRANZMAYER R 65) – und dazu vielleicht 529/30 –, und ein Reim mit rd/rt (KRANZMAYER R 65) 6097/8 *erd/gelert* (vgl. z. B. 1692), sowie die Reime mit dem literarischen Lehnwort *vröude* (KRANZMAYER R Anm. 25. S. 65. 74): 5678/9 *freud/anbescheud* vgl. 5728. 6309. 6319 (dieser Reim findet sich im 'Anegenge', ed. K. A. HAHN 27, 35/6).

Alemannischen Einfluß (vgl. Anm. 26) zeigen die Reime mit *mächten* (KRANZMAYER R Anm. 62): 4187/8 *mechten/erphẽchten*, 5854/5 *mechten/erphechten*, 6109/10 *geslecht/mẽcht*, 6335/6 *mechten/erphechten*, die Reime mit *mê* (KRANZMAYER R 64): 1398/9 *we/me*, 3362/3 *nyemee/ee*, 5690/1 *annunctiate/ymmerme*, 6445/6 *we/me* und – wahrscheinlich (nach KRANZMAYER R Anm. 63) – die Reime mit *-aere*: 219/20 *lugner/swär*, 367/8 *sünder/swer*, 699/700 *charcher/swär* (vgl. 1610), 719/20 *charcher/lasterwer*.

Herrensprachliche, höfische und alemannische Formen weisen auf den habsburgischen Wiener Hof.[33]

---

[32] Die beiden letzten sind besonders interessant. Die Prosafassung, die ebenfalls nach Niederösterreich gehört, ersetzt beide Ausdrücke, vgl. den Abschnitt: Wortschatzverschiedenheiten zwischen Reimfassung und Prosafassung, zu v. 701 und 1248. Ein augenfälliger Beweis für den Wechsel der soziologischen Zuordnung.

[33] Nach der Erschließung von dichtersprachlichem, höfischem und alemannischem Einfluß im sonst gut bairischen Text überraschen inhaltliche Anklänge an Hartmann von Aue nicht: 1236/7: 'Gregorius' 119. 121. 125. 126. 136. v. 1270: 'Klage' 1049–52.

C. Die Datierung von Vorlage und Urschrift

Die sprachliche Substanz des Büchleins ist trotz fremder Einflüsse bairisch; das ergeben die typisch bairischen Kennworte ebenso wie die Masse der dialektgebundenen Reime. Von dieser Voraussetzung her läßt sich auch die Entstehungszeit des Büchleins eingrenzen, und zwar wiederum mit Hilfe der dialektgebundenen Reime.

Der Zusammenfall von *a* und *â* und der von *ê* und altem *e*, sowie die Reime von Umlaut-*e* auf altes *e*, die fürs Bairische bezeugt sind (vgl. KRANZMAYER LG § 3 d), geben für die Datierung nichts her: diese Erscheinungen finden sich vom 'Nibelungenlied' bis ins 15. Jahrhundert.

Sekundäre Diphthonge vor *-r* setzt KRANZMAYER fürs Mittelbairische in den Beginn des 13. Jahrhunderts (LG § 7 g 8), s. 17, 225, 239, 643, 697, 1252, 1258 usw. s. o. S. 20.

Für Ulrich von Lichtenstein (KRANZMAYER LG § 7 f 1) ist die Diphthongierung vor *-h* belegt: 1808, 3004, 3066, 4293, 4998, 5818, 6101 s. o. S. 20.

Im Mittelbairischen – der für die Urschrift erschlossenen Heimatmundart – reimt seit dem 13. Jahrhundert *s* und *z* konsonantisch rein: 4850/1 *caritas*/*saz* (KRANZMAYER LG § 32 b 2).

Seit der zweiten Hälfte des 13. Jahrhunderts (KRANZMAYER LG § 21 a 1) waren im Mittelbairischen *û* und *ou* in *ā* zusammengefallen: s. 1710, 2218, 2246, 2834, 3342, 5234 (s. o. S. 20/1).

Auf mittelbairischem Boden reimen zwischen 1280 und ungefähr 1400 die deutschen Dichter mhd. *â* sogar mit mhd. kurzem *o* (KRANZMAYER LG § 1 f 1): s. 91, 1015, 1394, 2524, 3166, 3426, 3616, 3944, 5648 (s. o. S. 20).

Der Zusammenfall von *î* und *â* tritt seit 1300 im Mittelbairischen auf (KRANZMAYER LG § 13 e 1): s. 2828, 3094, 3110, 3824.

Ebenso (KRANZMAYER LG § 20 g 1) tritt *a* für mhd. *ei* erst gegen 1300 auf, s. 167, 463.

Der im Vers 1242 festgestellte Zusammenfall von *â* und *ô* findet sich (KRANZMAYER LG § 11 a 7; R Anm. 71) bald nach 1300.

Die bairischen Kennworte (aus dem Abschnitt: Die Heimat des Büchleins) ermöglichen eine ähnliche Datierung wie die Reimchronik Ottokars, die Untersuchungen zur Sprachschicht ergeben den Einfluß des habsburgischen Wiener Hofes.

---

v. 1660: 'Klage' 552/3. v. 2630: 'Gregorius' 50. v. 4471: 'Klage' 1023/4. 5580: 'Armer Heinrich' 773–811. 6522: 'Armer Heinrich' 22–28.

Für den *terminus ante quem* bietet das Vorkommen der mhd. Langvokale in der Vorlage (s. den Abschnitt: Zum Sprachstand der Vorlage) immerhin einen Anhaltspunkt. Nach LINDGREN 30 und KÖCK 20 läßt sich damit rechnen, daß bis zur Mitte des vierzehnten Jahrhunderts noch Langvokale in bairischen Texten vorkommen; wie unsicher dieser Grenzwert ist, zeigt STREBL 66: im Jahr 1417 eine undiphthongierte Form *chrut.*

Das Bemühen der Schreiber, die nicht selten überlieferten Langvokale der Vorlage zu diphthongieren, läßt jedoch die Vermutung zu, daß die Vorlage des – wie gesagt – in der Substanz bairischen Textes bei der Behandlung der mhd. Langvokale für das erste Viertel des fünfzehnten Jahrhunderts als altertümlich galt.

Auf keinen Fall spiegeln die vereinzelt auch im Reim überlieferten mhd. Langvokale (1292/3 *sein/Augustin,* 1932/3 *paradis/weis,* vgl. 1958/9) einen tatsächlichen Lautwert. Die Datierung der dialektgebundenen Reime weist höchstens bis zum Anfang des vierzehnten Jahrhunderts zurück. Mit Vorsicht läßt sich die erste Hälfte des vierzehnten Jahrhunderts als Entstehungszeit annehmen.

Genaueres läßt sich jedoch aufgrund des datierbaren sprachlichen Materials nicht bestimmen. Immerhin scheint die Vorlage – hinsichtlich der Behandlung der mhd. Langvokale – der Urschrift näher gestanden zu haben als der Abschrift in der Hs. 295 des Wiener Schottenstifts.

D. Der Umfang der Urschrift

Daß die Handschrift 295 Lücken wegen der Unachtsamkeit der Schreiber hat, ist erwähnt. Sie hat aber offenbar auch bewußte Auslassungen. Unter der Voraussetzung, daß derjenige, der das Reimwerk in Prosa umgesetzt hat, keine weiteren Quellen als das Büchlein benützt hat (wofür sonst keine Beobachtung spricht), läßt sich aus dem Vergleich der Prosafassung mit einer Quelle zeigen, daß die Urschrift mehr Verse hatte, als die Handschrift 295 überliefert. Die Verse 5785 bis 6378 sind nämlich eine Reimparaphrase eines Textes aus dem 'Elucidarium' des Honorius Augustodunensis. Das 'Elucidarium' (III. 18 *De corporum dotibus in beatis* P. L. 172. 1169 D) vergleicht *pulchritudo, velocitas, fortitudo, libertas, voluptas, sanitas, immortalitas* mit *Absalon* (PL 172. 1169. 1171), *Asael* (PL 172. 1170. 1171), *Samson* (PL 172. 1170. 1171), *Augustus* (PL 172. 1170. 1171), *Salomon* (PL 172, 1171), *Moyses* (PL 172, 1170. 1172), *Mathusalem* (PL 172, 1170. 1172).

In der Handschrift 295 finden sich die Vergleiche mit *Absalon* (5807), *Samson* (5932), *Augustus* (5954); die Prosafassungen dagegen kennen *Absalon, Asahel,*

Samson, Augustus, Salomo, Moyses, Matusalem (Melk 1730 fol. 80ᵛ–81ᵛ; Cgm 775 fol. 257ᵛ–258ᵛ).

Die sieben Gaben der Seele (Eluc. III, 20 *Dotes animarum in beatis* PL 172, 1172 C) *sapientia, amicitia, concordia, potestas, honor, securitas, gaudium* werden verglichen mit *Salomo* (PL 172. 1170. 1172), *David* und *Jonathan* (PL 172, 1170. 1173), *Laelius* und *Scipio* (PL 172, 1170. 1173), *Alexander* (PL 172, 1170. 1174), *Joseph* (PL 172, 1170. 1174), *Elias* und *Enoch* (PL 172, 1170. 1174). *Gaudium* hat keine Bezugsperson.

In der Handschrift 295 finden sich die Vergleiche mit *Salomo* (6091), *David* und *Jonathas* (6176), *Laelius* und *Scipio* (6199), *Joseph* (6282), während die Prosafassungen überdies den Vergleich mit *Alexander* (Melk 1730 fol. 83ʳ; Cgm 775 fol. 259ᵛ) und mit *Helias* und *Enoch* (Melk 1730 fol. 83ᵛ; Cgm 775 fol. 260ʳ) kennen. Damit ergibt sich überdies: die Handschrift 295 ist nicht die Vorlage für den Redaktor der Prosafassung. Ein Hinweis für diese Annahme ist das Reflexivpronomen *zü sich* im v. 950; die Prosaüberlieferung (Melk 1730 fol. 12ᵛ 23; Cgm 775 fol. 184ʳ 24) hat das ältere *zu im* bewahrt.[34]

Die Prosafassung, die im allgemeinen stark kürzt, hat bei Waisen in der Reimfassung gelegentlich doch mehr Text überliefert als die Abschrift der Handschrift 295. Zwischen v. 4118 und 4119 bietet die Hs. Melk 1730, 57ʳ 4–6: *oder wann chümbt er das er mich nem in sein haimleichait* (vgl. Cgm 775, 232ʳ 10). Für den Vers 4475 steht in der Hs. Melk 1730, 62ʳ 2/3 (vgl. Cgm 775, 238ᵛ 10): *von der red.*[35]

An einer Stelle bietet die Prosafassung noch das Reimwort, das der Abschrift der Hs. 295 verlorengegangen ist (5266/7):

Christus sey lieb loben wil
und gich: „Ir sint vergeben sünd“.

Die Hs. Melk 1730 fol. 73ᵛ 10/1 (vgl. Cgm 775 250ᵛ 25) hat: *ir sind vil sünt vergeben.*

Aus diesen verschiedenartigen Beobachtungen ergibt sich zwingend: die Handschrift 295 ist nicht Vorlage für den Redaktor der Prosafassung gewesen.

---

[34] Die Form *zü im* ist bereits fürs beginnende 14. Jh. altertümlich. OTTO BEHAGHEL, Dt. Syntax I, 297/8: Die Verbindung *ze sich* schon seit Williram und Notker.

[35] Für die in der Reimfassung festgestellten Lücken 148/9, 1347/8, 4412/3, 5980/1 und die Waise 5920 läßt sich nichts aussagen: die Verse 105–151, 1346–1357, 4409–4415, 5976–5986, 5896–5930 haben in der Prosafassung keine Entsprechung, ebensowenig die Verse 1920–23, die für v. 1921 eine Stütze hätten brauchen können.

Cod. Mell. 1730, 60ʳ bietet (für Vers 4321): *Die vierd tugent ist würchung* (wie Cgm 775 fol. 235ᵛ/236ʳ). Dieselbe fehlerhafte Umstellung hat auch die Hs. 295. Hängen beide von einer an dieser Stelle fehlerhaften Abschrift ab?

V. UNTERSUCHUNGEN ZUM TEXT

A. Die Quellen

Im Werk selbst finden sich Hinweise, daß dem Verfasser schriftliche Quellen vorlagen: 998 *ich lis,* 1168 *ich hab gelesen,* 1177 *als vil mir dy schrift sait,* 5263 *Nü stet geschriben.* Die Deutung des Begriffs *dy schrift* (1177) führt zunächst auf die Heilige Schrift; tatsächlich sind Bibelstellen häufig unter Nennung der Quellen angeführt: 13 *weyssag* (Ps. 44,15), 304 *gotez stymm* (Matth. 13,45/6), 1349 *In genesi* (Gen. 24,16), 1840 *sant Johans* (1. Joh. 4,18), 1967 *in Genesi* (Gen. 6,13), 2069 *David an dem salter* (Ps. 35,7), 2228 *püch der mynn* (Cant. cant. 4,7), 2475 *David in dem salter* (Ps. 140,2), 2745 *Paulus* (Rom. 11,20), 3809 *Esechiel* (Ezech. 44,2), 3814 *psalterium* (Ps. 44,3). Es findet sich auch ein falsches Zitat: 2957 *Daniel, der weissag* zitiert nicht Daniel, sondern Ps. 104,3. Die ungekennzeichneten Bibelstellen sind aber weitaus in der Überzahl;[36] unter ihnen machen die Stellen aus den als hochzeitliche Lieder verstandenen Texten der Bibel nur eine Minderheit aus: Der Psalm 44 ist zitiert in den Versen 1 (15), 3814, 5585; das Hohe Lied 997, 2229, 2275, 2278, 2279, 2280, 5597, 5600, 5682, 5705, 5722. Zwar treten sie an wichtigen Stellen des Werkes auf, aber sie sind keineswegs die einzigen Träger der Vorstellung der geistlichen Gemahelschaft.

Gekennzeichnet sind – neben einer apokryphen Stelle (4063, Nicodemus-Evangelium) – auch Stellen aus der patristischen Literatur: 1293 *Augustin* (Sermo 169 C. 11 n. 13, PL 38, 923), 1299 *Chrysostomus* (nicht erkannt, ist allerdings

---

[36] 1: Ps. 44,15; 401: 1. Cor. 3,19; 503: nach Matth. 10,37; 587: Gen. 3,17; 649: Matth. 14,13–21. Marc. 6,31–44. Luc. 9,10–17. Joh. 6,1–13; 799: Esther 1. 3,4; 800: Matth. 14,6. Marc. 6,21; 830: Eccl. 24,26; 997; Cant. cant. 6,12; 1214; 2. Sam. 11,2; 1392: nach Apoc. 8,2; 1405: Apoc. 8,13; 1427: Gen. 3,19; 1451: nach Apoc. 20,12; 1499: nach Matth. 25,41; 1523: Apoc. 3,20; 1930: Gen. 3,23; 1952: 1. Sam. 31,4. 1. Chron. 10,4; 1963: Gen. 6,13; 1972: Gen. 19,24; 1983: Exod. 14,23–31; 2008: Exod. 32,7–10; 2275: Cant. cant. 5,1; 2278: Cant. cant. 7,6; 2279: Cant. cant. 4,8; 2280: nach Cant. cant. 2,6; 8,3; 3312: Ps. 4,3; 3357: Ps. 36,35; 3389: Ps. 38,7; 3418: nach Eccl. 37,34; 3457: 1. Cor. 3,19; 3468: nach Matth. 24,42. 25,13; 3668: Matth. 24,43; 3843: nach Luc. 2,14; 4813: nach Jes. 11,2. Apoc. 5,6. 12; 5186: Act. Apost. 9,3. 4; 5263: Luc. 7,47; 5585/6: Ps. 44,12; 5589: Ps. 41,2; 5597: Cant. cant. 5,1; 5600: Cant. cant. 5,6; 5635: Ps. 56,8; 5682: Cant. cant. 4,8; 5685: Ps. 102,1. 2; 5690: nach Jes. 48,20; 5705: Cant. cant. 2,11; 5709: Jes. 61,10; 5715/6: Ps. 65,16; 5722: nach Cant. cant. 2,6. 8,3; 5806: Esther 2,7; 5812: Matth. 13,43; 5932: Judic. 16,28; 5954: Luc. 2,1; 6091: 1. Reg. 4,30. 34; 6176: 1. Sam. 18,1; 6247: nach Ephes. 4,15. 16; 6422: Dan. 13,22.

Alexanders von Hales 'Summa' lib. III. pars III. inqu. I. tr. I. qu. I. cap. II. 607. ad obi. 8 (tom. IV 1948 p. 955) dem Anselmus (PL 158, 529) zugeschrieben), 1846 *Augustin* ('Enarratio in Ps.' CXXVII, 7, PL 37, 1680/1), 2180 *Augustin* (nicht erkannt), 2793 *sand Bernhart* ('De consideratione' V, 18. S. Bernardi opera III. Romae 1963. p. 482, 15 f. Mitteil. von Dr. Werner Höver). 5813 *ein lerer* (= Honorius Augustodunensis Eluc. III, 18, PL 172, 1171 A), 5816 *der maister* (= Honorius Augustodunensis Eluc. III, 15, PL 172, 1168 C), 5823 *Albertus* ('De resurrectione' Tract. quartus qu. I. Art. 13 § 2 Sol. (2)).

Aber auch hier sind die meisten Stellen versteckt und ohne Kennzeichen in den fortlaufenden Text eingewoben. Außer den genannten drei Stellen (1293, 1846, 2180) findet sich augustinisches Gedankengut 1760–3, 2438, 2802, 3107 – wobei allerdings die Stellen 1760–3, 2802, 3107 über Petrus Lombardus vermittelt sein können.[37]

Es findet sich eine Stelle (3214), die auf dem fälschlicherweise dem Beda zugeschriebenen Johanneskommentar beruht.[38] Einige Stellen beruhen auf Honorius Augustodunensis (2756–9, 3134, von 5785–6351, 6477–95),[39] andere auf Hugo von St. Viktor (1019, 1262, 4355, 4681, 4774, 4808, 4940, 5007; Entwick-

---

[37] 1760–3: nach Augustinus, In Epist. I Joan. tr. 9 n 4 (PL 35. 2047); Petrus Lombardus, Libri IV Sent. lib. III. Dist. XXXIV cap. 5.
2438: nach Augustinus, De perfectione justitiae hominis liber cap. VIII n 18 (PL 44. 300). Einteilung der *Sanctificatio in ieiunium* (v. 2552–2557), *eleemosyna dandi* (v. 2570), *eleemosyna ignoscendi* (v. 2585), *oratio* (v. 2515–2524). Die Dreiteilung *ieiunium, oratio, eleemosyna* s. auch Bonaventura, Sent. Lib. IV. d. XV p II a I q 4 (Op. om. 4, 367 a sq.) und (nach K. H. F. GANDERT 20/1) Henricus Hostiensis, Raymund de Pennaforte.
2802: Augustinus, De trinitate lib. VI cap. 12 (PL 42, 932). Petr. Lomb. Libri IV Sent. lib. I. Dist. III. cap. I.
3107: Augustinus, De trin. lib. X cap. 12 (PL 42, 984). lib. XIV cap. 12 (PL 42, 1048). Petr. Lomb., Sent. lib. I. Dist. III cap. II.

[38] 'Expositio in S. Joan. evang.' (PL 92, 704), homilia XXI (PL 94, 111). Außerdem nur noch bei Alcuin, Comment. in Joan. (PL 100, 819) und Otfrid III, 7. 13–18.

[39] 2756–9: 'Elucidarium' I, 2 (PL 172, 1111). 3107: 'Eluc.' I, 11 (PL 172, 1116). 3134: 'Eluc.' I, 1 (PL 172, 1110/1). Von 5785–6351 beziehen sich alle Angaben auf 'Eluc.' III cap. 15–20 (PL 172). 5785–5803: 1169. 5807: 1169D, 1171A. 5813: 1171A. 5820: 1168C. 5824: 1168D. 5842–7: 1174C. 5857–61: 1171. 5894–5904: 1171B. 5932: 1170. 1171. 5954: 1170. 1171. 5956–64: 1171C. 5985–95: 1172B.
5999: 1172B. 6022: 1170B. 6037: 1172C. 6091: 1170B. 1172D. 6111–9: 1173. 6124: 1173B (dort aber noch: David, Petrus, Paulus) 6139–44: 1173C. 6176: 1173D. 6199: 1170C. 1173D. 6203–6214: 1173D. 6221–6: 1173D. 6231–42: 1174A. 6248/9: 1173D. 6253–6: 1173D–1174A. 6276–8: 1174A. 6282: 1174D. 6283: 1170C. 6285–9: 1174D. 6309: 1175A. 6313: 1175A. 6325–7: 1175A. 6351: 1174D.
6477–88: 'Eluc.' III, 4 (PL 172, 1159D–1160A). 6489–95: 'Eluc.' III, 4 (PL 172, 1160C).

lungen aus Kerngedanken 5065–5167, 5226–5385).[40] Sehr stark ist das Büchlein von der 'Summa theologica' des Alexander von Hales abhängig, und zwar von dem Teil De gratia (Alexandri de Hales 'Summa theologica'. Libri tertii pars tertia De gratia et virtutibus. Inquisitio prima De gratia. tom. IV. Quaracchi 1948. p. 941–1060): 997, 1185, 1282, 1286, 1300, 1320, 1335, 1631–3, 1760, 2214, 4747, 6095.[41]

Die letzten theologischen Quellen, die benützt sind, sind Bonaventura (997, 1272–5, (1294), 2438, 3894–3905, 3966, 6095)[42] und Albertus Magnus (5816(?),

---

[40] 1019: 'De anima cur Christi sit sponsa' (PL 177, 849). 1262: PL 176, 964. 4355: 'De tribus nuptiis spiritualibus' (= *per fidem, spem, charitatem*) (PL 177, 863).
4681: PL 176, 976.
4774–7: PL 176, 974.
4808: PL 176, 974.
5007: PL 177, 863, in der zweiten Hochzeit (*per spem*) *dulcedinis internae praelibatio.*
5065–5167: Zu den Stufen vgl. 'Expositio in Hierarch. Coelest. S. Dionysii' lib. VI. PL 175, 1037 f.: *fervor, calor, humor, acutum, superfervidum.*
5226–5385: Die drei Salben nach Miscell. lib. IV. Tit. LX. PL 177, 731: *unguentum contritionis* (v. 5230–5279), *u. devotionis* (v. 5280–5325), *u. pietatis* (v. 5326–5377). Sie salben *pedes* (v. 5275), *caput* (5315), *totum corpus* (5343/4).
5570: PL 176, 987.

[41] Alexander von Hales, Summa theologica lib. III, p. III. inqu. I (tom. IV. Quaracchi 1948)
997: tr. I. qu. III. membr. II. cap. I. 615. Sol. (p. 972) tr. I. qu. V. membr. III. 629 ad obi. 6. (p. 995)
1185: tr. I. qu. III. membr. II. cap. I. 615. ad obi. 1–3 (p. 974)
1282: tr. I. qu. V. membr. III. 629. Sol. (p. 994) tr. I. qu. V. membr. III. 629. ad obi. 6 (p. 995)
1286: tr. I. qu. III. membr. II. cap. II. 616. ad obi. 2 (p. 976)
1300: tr. I. qu. I. cap. II. 607. ad obi. 8 (p. 955)
1320: tr. I. qu. VI. cap. III. 633. sic c (p. 1001)
1335: tr. I. qu. I. cap. I. 606. Resp. 6 (p. 950) tr. I. qu. V. membr. III. 629. ad obi. 5 (p. 995)
1631–3: tr. I. qu. V. membr. II. cap. I. art. I. 625. ad obi. 2 (p. 990)
1760: tr. II. qu. II. tit. III. cap. II. 666. ad obi. i (p. 1054)
2214: *Sanctificatio* nach SCHMOLL 145 ein Begriff des Alexander von Hales.
4747: tr. I. qu. VI. cap. III. 633 ad obi. C 1 (p. 1002)
6095: *speculum aeternitatis* bei Alex., Summa lib. III. p. III. inqu. I. tract. II. qu. II. tit. IV. cap. III. 671 a. (tom. IV. Quaracchi 1948. p. 1059)

[42] 997: 'Sent.' 2 d 28 a 2 q 1: *Utrum liberum arbitrium, destitutum gratia gratis data, possit ad gratiam gratum facientem se sufficienter disponere ... vix aut numquam liberum arbitrium destituitur omni gratia gratis data.*
1272–5: 'Sent.' 2 d 4 a 1 q 2 ad 4. 5.: *gloria est bonum laudabile; ideo non dat (deus) nisi per meritum laudabile; et ideo convenit eam dari praecedenti aliquo merito congrui.*
1294: 'Sent.' 2 d 27 *dubia* III. 2 d 29 a 2 q 2. MITZKA 44.

5823, 5842–7, 5905–7).[43] Schließlich sind die Berührungen mit dem lateinischen Traktat von der 'Filia Syon'[44] so eng, daß die Vermutung nahe liegt, der Verfasser habe den Traktat gekannt (997, 1549, 4125, 4371, 4383, 4576–8, 4599. 4630–8, 4643, 4681, 4773, 4775, 4806–8, 4810, 4980).

B. Die Verarbeitung der Quellen

Von Vers 5785–6351 folgt der Text in der Grundstruktur dem 'Elucidarium' des Honorius Augustodunensis.[45] Einige auf Quellen zurückgeführte Erweiterungen in diesem Abschnitt sind bereits bekannt. Es sind die Erweiterungen aus dem Werk 'De resurrectione' von Albertus Magnus und aus Bonaventuras 'Soliloquium' (cap. IV § 5. 24) der Abschnitt über den Spiegel der Seligen (6095).

2438: 'Sent.' 4 d 15 p 2 a 1 q 4 (vgl. Anm. 37)
3894–3905: 'De quinque festivitatibus' (op. om. VIII, 88–98), festivitas II, 3.
3966: 'De quinque festivitatibus', festivitas IV, 4.
6095: 'Soliloquium' (op. om. VIII) cap. IV. § 5 24. Der Spiegel, den die Heiligen sehen, ist im Büchlein in der Andacht erkennbar v. 2730–4. 4615. s. *speculum contemplationis* v. 2910 mit v. 2729.
Zu 2730 vgl. Ruh, Grundlegung 262; zu 2750 zum Begriff *ûzfluz* s. Ruh, Spekulation 40, 44; zu 3130 vgl. Ruh, Grundlegung 263, 265, 266.

[43] 5816 (möglicherweise): 'De resurrectione' (Op. om. XXVI, Münster 1958) tract. II q 10 a 3 Sol. (3).
5823: 'De resurr.' tract. IV q 1 a 13 § 2 Sol. (2)
5842–7: 'De resurr.' tract. IV q 1 a 13 § 2 Sol.
5905–7: 'De resurr.' tract. IV q 1 a 16 (De agilitate) § 2 Sol (2).

[44] Welche ursprüngliche Redaktion (s. Wichgraf 210, Ruh, Mystik 139) zu Grunde lag, läßt sich wohl kaum feststellen.
997: FS 285 *filia Syon, a deo aversa.* FS 286 *libenter nunc revertar ad virum meum priorem.* 1549: FS 285 *mittit Cognicionem.* 4125: FS 290 *quando veniet?* 4371: FS 286 *concurrerunt puellae* ... sc. *Fides et Spes.* 4383: FS 286 *filia Syon audiens altercationem earum.* 4576–8: FS 286 (*Spes:*) *aeternis in praesenti posita frui non potest nisi me mediante.* 4599: FS 288/9 *vidit Timorem stantem* (ist nach v. 1816–1839 *der timor filialis*). 4630–8: FS 287 *consulo ut advocetur Caritas.* 4643: FS 288 *quem mittam?* 4681: FS 287 *caritas omnium regina virtutum.* 4769: FS 288 *Caritas ... sensit se fore causam languoris.* 4773: FS 288 *Caritas ... fortis fuit contra deum.* 4775: FS 287 *regem gloriae humiliavit, formam servi induens ei.* 4806–8: FS 288 *arrepto arcu et sagittis.* 4810: FS 289 *ex ipso vulnere ... stillae emanaverunt.* 4980 FS 290 *rapidis amplexibus sponsa ... ruit in collum sponsi.*

[45] Der 'Lucidarius' scheidet als Quelle aus:
'Elucidarium': *substantia* – 'Luc.': *schoni* – Büchlein: *besen* v. 3137 vgl. 3158.
'Eluc.': *sol* – 'Luc.': *himel* – Büchlein: *dew sunn* v. 5817.

Bemerkenswert ist, daß von den vier bei Honorius genannten Büßern (David, Petrus, Paulus, Maria Magdalena) nur *Maria Magdalena* (6124) genannt wird.[46]

Im übrigen finden sich in Konrads Text Erweiterungen, die die Aussagen anschaulich machen: 5916–22 Der Berg aus Stahl, 6007–10 Der Tropfen Süßigkeit, 6045–66 Das Rittergleichnis, 6177/8 Beispiele aus der Familie, 6201/2 Beispiele aus Ehe und Familie: diese Erweiterungen ähneln Predigtbeispielen.

Die wesentlichen Erweiterungen sind moralisch-belehrende Exkurse: 5876 *Wer sölhe chlarhait well enphahen,* 5923 *Wen haben lustet sölhe wird,* 5938 *Wer gert, daz er der chrefte werd,* 5971 *Wer also geharsamet got,* 6016 *wer chömen wil zu den gotezgesten,* 6025 *Wer gab gert der selichait,* 6041 *Wer frides vol ist, frides gert,* 6077 *Wer aber den leib arbaitet,* 6117 *Wer dez sarg hat, der schol wizzen,* 6190 *Wer dy brüderschaft enphahen wil*: alles moralische Erläuterungen zum Erwerb der vierzehn Gaben der Seligen. Wo sind nun diese Erweiterungen her?

Beim Durchblättern des Büchleins fällt diese Wendung ins Belehrende überaus häufig auf: 739, 743, 753, 763, 788, 1055, 1135, 1280, 1318, 1327, 1333, 1692, 1860, 1895, 1914, 2006, 2104, 2116, 2129, 2146, 2340, 2381, 2387, 3196, 3198, 4319, 4586, 5053, 5318, 5341, 5354, 5378. Da nun zudem der Verfasser die moralische Grundabsicht seines Vorhabens ausdrücklich im Vorspann betont (v. 39–43) – sein Grundbegriff ist *pezzrung* (v. 40. 1261. 1861. 2214/5. 2264–87. 2432–2617. 4537. 4592. 5050. 5052. 5053. 5485. 5888) – ist der Schluß erlaubt: diese Wendung ins Belehrende stammt vom Verfasser des Büchleins.

Nun schließen sich jedoch an die Schilderung der vierzehn Gaben der Seligen aus dem 'Elucidarium' in den moralischen Exkursen, die dem Verfasser zugewiesen werden können, Hinweise an, wie der Gläubige zu diesen Gaben kommen könne.

Unter anderem heißt es da, die Erneuerung des Gewissens durch Reue, Beichte und Buße sei die Voraussetzung zu ewiger Schönheit (5874–89); ebenso ist die Voraussetzung der Weisheit die Läuterung des Gewissens mit Reue, Beichte und Buße (6117–22). Die Voraussetzung der fürstlichen Ehre aber ist die Wandlung, die Unterordnung unter Gottes Willen (6296–6300). Wie dargelegt ist, sind diese Bedingungen wahrscheinlich vom Verfasser ausgedacht; selbst wenn er sie schon in einer Quelle gefunden hätte, hat er sie selbständig in die epische Erzählung hinein übertragen. Die Bedingungen finden sich nämlich bereits viel früher als Versatzstücke innerhalb der epischen Erzählung. Reue, Beichte und Buße weisen die Jungfrau auf die zukünftige Schönheit (2224, 2227, 2249, 2251,

46 Schon Annemarie Klecker hat festgestellt (202): merkwürdig hervorgehoben ist die Büßerin Maria Magdalena.

2252, 2261) hin; außerdem folgt die allegorische Figur *Sapientia,* als deren Voraussetzung nach obigen Ausführungen Reue, Beichte und Buße gelten, den drei Frauen Reue, Beichte und Buße auf dem Fuß (2671). Sie trägt (vgl. 6095) einen Spiegel in der Hand (2672), der nur in der Kontemplation (2730–5) erkannt werden kann.

Mit der Voraussetzung für die fürstliche Ehre, die aus des Verfassers Behandlung des 'Elucidarium' bekannt ist, erklärt sich auch, warum die siebte Jungfrau, die von den Boten als *magt* (1182) angesprochen wird, nach ihrer Wandlung eine *fraw* (1393, 1447, 1537, 1695 usw.) ist: sie hat ihren Willen dem Willen Gottes unterworfen.

Damit wird überdies auch der innere Zusammenhang zwischen dem Lob der vierzehn Gaben der Seligen und der epischen Erzählung von der geistlichen Gemahelschaft verständlich. Die gedankliche Übertragung von Elementen des himmlischen Jerusalem auf das Leben in der Zeit leistet die Lehre von der Praelibation.[47]

Diese Einzelheiten für die Disposition des Stoffes haben sich aus der Betrachtung der Quelle, dem 'Elucidarium', ergeben. Weitere Einzelheiten lassen sich aus zwei der bereits genannten Quellen noch zusammentragen: aus der Betrachtung einzelner Stellen der 'Summa' des Alexander von Hales und aus dem Vergleich mit dem lateinischen Traktat von der 'Filia Syon'.

Zwischen den Versen 4000 und 5000 lassen sich einige enge Parallelen zwischen dem Traktat von der 'Filia Syon' und Konrads Büchlein aufzeigen. Die sehnsuchtsvolle Frage (4125), die Einzelheit, daß *Spes* die zukünftigen Güter ver-

---

[47] Zur Lehre von der Praelibation s. die Verse 2729–38, 4615, 5444–51.

Nach v. 5445 ist *chosten* die begrifflich exakte Wiedergabe von *praelibatio*. Das legt auch v. 5007 nahe im Vergleich mit Hugo v. St. Victor (PL 177, 863): *dulcedinis internae praelibatio*. Aus v. 4303 folgt die Gleichsetzung mit *degustatio* (4273), s. auch 5062.

Zur Sache vgl. Hugo v. St. Viktor (PL 176, 970): *aliquando se tibi ad gustandum praebet*. Bonaventura, 'Soliloquium' cap. IV, 4 (Op. om. VIII, 57b): *si gaudia teneres, suburbium regni construeres, in quo aeternam dulcedinem praelibando degustares.*

Die in der mhd. Literatur übliche Wiedergabe des Begriffes *praelibatio* ist *vorschmack*: WEINHOLD, Lampr. v. R., St. Franz. Leb. 3268, 'Tochter Syon' 1088/9 (3935–9). RIEDER, Der sog. St. Georg. Prediger DTM 10, 170,13–171,2. PFEIFFER, Dt. Mystiker I, 298, 21–23. STRAUCH, 'Paradisus anime intelligentis' DTM 30, 131, 14/5 (= SIEVERS ZfdA 15, 418, 122), PFEIFFER, Dt. Mystiker II, 374, 19–22; 380, 14–19; 382, 18–25; 393, 34–38. BIHLMEYER, Seuse 297, 8. 472, 13–15 (31, 2; 234, 5; 313, 8). VETTER, Die Predigten Taulers DTM 11, S. 16, 12–14; 56, 3–5; 57, 2–6; 57, 14–17; 169, 27; 216, 33–37; 317, 25. BANZ, Minnende Seele 694. (BARTSCH, Der Minne Spiegel 683–6). Den Begriff s. noch Goethe, Götz v. Berl., Herberge im Wald (HA 4, S. 80, 35).

mittelt (4576–8), die Frage, wer den Bräutigam holt (4643), die Tatsache, daß *Caritas* der Grund der Sehnsucht ist (4769), Pfeil und Bogen der *Caritas* (4806), die Tropfen aus der Pfeilwunde (4810): das alles könnten zufällige Übereinstimmungen aus einer gewissen Motivähnlichkeit heraus sein.

Auffällig aber ist, daß sämtliche allegorischen Figuren der 'Filia Syon' vorkommen. *Cognitio* (1549), allerdings nur mehr am Rand, aber immerhin noch als Personifizierung, *Sapientia* (2671), *Fides* (4377), *Spes* (4379), *Caritas* (4662). *Oratio* (4647) ist fast ebenso verdrängt wie *Cognitio*.

Verändert gegenüber der 'Filia Syon'[48] ist die Einordnung der *Sapientia* und die Aufgabe der *Oratio*. Die Stellung der *Sapientia* ist deswegen verändert, weil für Alexander von Hales *fides, spes, caritas* als besonders qualifiziert zusammengehören (*a Spiritu Sancto et cum Spiritu Sancto.* Alex. Summa lib. III. p. III. inqu. I. tract. II. qu. II. tit. III. cap. II. 666. ad obi. 1 tom. IV. 1948. p. 1054). Aber in wesentlichen Einzelzügen stimmen die Darstellungen zusammen. Es findet sich sowohl der Streit der Tugenden (4383), wie auch die Einzelheit, daß *Sapientia* rät, die Minne zu holen (4630–8) – was ein Hinweis auf die ursprüngliche Anordnung der *Sapientia* ist –, und schließlich ist in der 'Filia Syon' auch noch die allegorische Figur des *Timor* angedeutet.[49] Ein deutlicher Beweis dafür, daß in der 'Filia Syon' die Schar der Jungfrauen nur angedeutet, aber nicht voll gezeichnet ist, lautet (286):

Quod dum perstreperet in aula cordis, concurrerunt puellae quarum duae priores, scilicet Fides et Spes, sciderunt vestimenta sua (vgl. v. 4371).

Ein Bearbeiter des Textes konnte also leicht auf den Gedanken kommen, die Schar der Tugenden zu vervollkommnen. In der 'Filia Syon' (285) war von der Gottferne der Seele die Rede:

Filia Syon, a deo aversa (vgl. v. 997)

und von ihrer Bekehrung. Es ist nicht ausgeschlossen, daß dem Verfasser bei dem Stichwort Bekehrung ein Text aus der 'Summa' Alexanders von Hales einfiel:[50]

Si ergo avertat suum arbitrium ab actu peccati et dirigat ex lumine fidei in iustitiam damnantem reprobos et in misericordiam divinam salvantem iustos: ex primo causabitur timor in eo et ex secundo spes, et hoc est facere quod in se est.

---

[48] Die Jungfrauen der 'Filia Syon' sind *Cognitio* (285), *Fides* (286), *Spes* (286), *Sapientia* (287), *Caritas* (287), *Oratio* (288).

[49] FS 288/9: *Cum iret Oratio, conversa est retrorsum et vidit Timorem stantem et Caritati dixit: ‚Hic autem quid?' At illa sic: ‚Eum volo manere, donec sponsus veniat'.*

[50] Alex., Summa lib. III. p. III. inqu. I. tr. I. qu. V. membr. III. 629 ad obi. 6 (p. 995) vgl. Heim 73. Zum *lumen fidei* vgl. v. 4375. 4892.

Das *facere quod in se est* (s. 1274. 1282. Anm. 61) ist geradezu der Anfang des Heilsweges.

An Tugenden finden sich hier *timor, spes, iustitia, misericordia.* Das sind in Konrads Büchlein allegorische Figuren: *Timor Domini* (1539), *Spes* (4377), *Iustitia* (1889), die im folgenden erscheinen; zu *Misericordia* s. sowohl 2567 als auch 4704. 4708. Selbst das *lumen fidei* ließe sich wiedererkennen (4375).

Da nun überdies nach Alexanders Theologie auf den *timor* die *poenitentia* folgt[51] und da die *Poenitentia* aus *Contritio, Confessio, Sanctificatio* besteht (v. 4203/4), läßt sich ohne weiteres denken, daß der Verfasser des Büchleins, der außer den allegorischen Figuren aus der 'Filia Syon' noch *Timor Domini, Spiritualis Disciplina, Iustitia, Contritio, Confessio, Sanctificatio* kennt, Gedankengänge der Tugendlehre des Alexander von Hales in allegorisierende Form gegossen hat.[52] Die grundlegende Reihenfolge der Jungfrauen wäre die der 'Filia Syon'. *Cognitio* und *Oratio* werden, weil nicht zu Tugend und Gnade gehörig, vernachlässigt. *Sapientia* wird vom Verfasser direkt an Reue, Beichte und Buße angeschlossen (durch Überlegungen am 'Elucidarium'); von Alexander stammt, daß der *timor* vor Reue, Beichte und Buße steht und die erste Tugend sein muß. Daraus folgt, daß *Iustitia* (aus Alexander) nur zwischen *Timor* und *Poenitentia* erscheinen kann. Ungeklärt ist die Herkunft der *Spiritualis Disciplina.*[53] Bemerkenswert ist immerhin, daß die Figur *Timor Domini* von den ihr zugehörigen theologischen Erörterungen durch die *Spiritualis Disciplina* getrennt ist: das Kapitel könnte eingeschoben sein.[54]

C. Wortkompositionen im Büchlein

Zwar hält sich die Abschrift in der Handschrift 295 bei der Wiedergabe von Wortkomposita in der weitaus überwiegenden Zahl der Fälle an die getrennte Schreibung, aber getrennte Schreibungen längst eingeführter Komposita, wie z. B. 258 *gemachel schaft,* 1339 *in vart,* 1568 *uber müt,* 2523 *an dacht,* 3477 *Un widerchomleich,* 4296 *un geschaiden,* 4428 *irre tüm* legen die Vermutung nahe,

---

[51] Alex., Summa IV q 56 m 1 a 2 (Ausg. 1481) vgl. SCHMOLL 17, HEIM 103: *Poenitentia concipitur a timore servili, non initiali.*
(lib. IV der 'Summa' ist in der kritischen Ausgabe noch nicht erschienen).

[52] Vgl. auch den Abschnitt: Zum Motiv der Brautschaft.

[53] H.-F. ROSENFELD, Heinrich v. Burgus 'Der Seele Rat' S. XXXIII weist die allegorische Figur *Descipline* im 'Songe de Paradis' des Rauol de Houdenc nach.

[54] Aber noch während der Abfassung vgl. 4489. 4565. Beachte aber 4506. 4617. 1863/4.

daß es sich um eine Schreibergewohnheit handelt. Umgekehrt zeigen sich Zusammenschreibungen in der Hs. 295 bei Neuerungen in der Wortkomposition: 80 *diebscherig*, 90 *lasterspot*, 319 *sigstain*, 475 *gumpeltor*, 476 *helrüden*, 484 *fröwdenreich*, 658 *schatzezlieb*, 968 *ovenhaitzer*, 969 *lasterpube*, 980 *ofengrüft*, 1114 *fliegenman*, 1120 *lugentrager*, 1193 *mynnsenung*, 1790 *gnadenvoricht*, 2213 *hantüch*, 2418 *sündentädel*, 2459 *gnadenvaz*, 3234 *mynngehab*, 3259 *donerstral*, 3512 *aigenbeczaichnung*, 3926 *herphenchlanch*, 4175 *christenwarhait*, 5595 *mynnsenen*, 6366 *mynngevar*, 6390 *christenlerer*.

Sie beweisen die Möglichkeit der Zusammenschreibung.

Ein Hinweis für die Zusammengehörigkeit einer Wortkomposition könnten die durch Analogien entstandenen Hyperformen 4086 *christens gelaub*, 4213 *christens leben*, 4599 *farchten zucht* sein, die zeigen, daß die vorn stehenden Kompositionsteile nicht mehr als echte Genitive aufgefaßt worden sind.

Ebenso scheinen die Formen 398 *hebes glust*, 2294 *hütez gewär* nur als Kompositionen verständlich: *hebe* und *huot* sind Feminina, die (HENZEN § 26) bereits das *-s-* der Wortfuge haben.

Den Beweis für die Vermutung, die – in der Hs. 295 meist getrennt geschriebenen – Wortkompositionen seien vom Verfasser des Büchleins nicht mehr als vorgestellte Genitivattribute verstanden worden, erbringen die Übersetzungen lateinischer Substantive mit Genitivattribut: 5067 *calidum amoris* = 5068 *der lieb hitz*, 5084 *humidum amoris* = 5085 *vewchtung der mynn*, 5130 *Amoris acutum* = 5132 *durchvarung der mynne*, 5144 *Amoris fervidum* = 5147 *der mynn wall*, 5275 *ungentum contritionis* = 5276 *salb der rewen*, 5305 *ungentum graciarum actionis* = 5306 *salb geistleicher dankchung*, 4272 *anime purgacio* = 4276 *der sel lewterung*, 4273 *amoris degustacio* = 4277 *der lieb chostung*. Zwar ließe sich dagegen anführen 4274 *virtutum operacio* = 4278 *tugent würchung* und 5690 *vocem jocunditatis* = 5691 *frewden stymmen*, aber in beiden Fällen handelt es sich um keine exakten Entsprechungen: die Numeri der Genitive stimmen nicht. Sie folgen im Deutschen der üblichen Wortkomposition, die für Zusammensetzungen mit *tugent-* und *frewden-* gut belegt ist. Umgekehrt zeigen die echten Genitivattribute *der mynne* (= *amoris*) gegenüber den Kompositionsformen *mynn-*, daß der Verfasser scharf geschieden hat. Was er im Lateinischen als Genitiv erfaßte, gab er mit dem im Nhd. üblichen Genitivattribut wieder. Damit ist die Existenz substantivischer Kompositionsformen für die Urschrift erwiesen. Für die Verbkomposition gibt es keinen solchen Beweis.

Wenigstens genannt werden sollen die Formen, die bei diesen Voraussetzungen als Trikomposita gelten müssen:
770 *hell charcher pittrichait*, 1909 *jämer hell tal*, 3003 *tugent zaichen öffnung*,

4744 *hof zucht gepieterynn*, 4927 *hertzen mynn trawt*, 5095 *himel liecht glitz*, 6307 *gotez reichez erben*.

D. Zum Motiv der Brautschaft

Im Büchlein von der geistlichen Gemahelschaft herrscht die Vorstellung, daß beim Tod des Gläubigen die Hochzeit stattfindet (1233; 5416 [mit 1245]; 5580); und zwar ist der Tod der Zeitpunkt der Heimholung (1165. 1241. 5417. 5519. 5537. 5577/8. 5651), der als Hochzeitsfest im Jenseits gefeiert wird (5770).[55]

Zur Ehe gehört aber nicht nur die Heimholung, sondern auch die Verlobung; im Büchlein erscheint nun nicht die *Desponsatio* der Jungfrauenweihe als Verlobung, sondern die Taufe.[56] Ausdrücklich stellen dies die Verse 1019–23 fest,

---

[55] Zur Verbreitung der Vorstellung, der Tod sei als Hochzeit zu verstehen, s. Hieronymus (PL 22, 424/5). Honorius August., Eluc. III, 1 (PL 172, 1157A) (= HEIDLAUF, Lucidarius 59). CARL KRAUS, Dt. Ged. des 12. Jhs. VIII, v. 64–94. St. Trudperter HL 134, 23–135, 1. S. Gertrudis, Legatus div. pietatis 507. 509. 532/3. 536. 547. Mechthild v. Magdeb. (ed. MOREL) 119. WEINHOLD, Tochter Syon Anm. zu 3742. PH. STRAUCH, Margaretha Ebner 116. Wahrscheinlich beruht das ganze 'Epithalamium Virginum' des Konrad v. Hirschau (ZfkathTh 25, 1901, 546–554) auf dieser Vorstellung.

Zur Brautschaft der Seele nach dem Tod s. Otfrid II. 9, 7–10. FRIEDR. WILHELM, Denkm. dt. Prosa des 11. und 12. Jhs. S. 31–33. FRIEDR. MAURER, Die religiösen Dicht. des 11. und 12. Jh. II, Nr. 43, Str. 31. Hildegard v. Bingen, Epist. 131 (PL 197. 357), Epist. 139 (PL 197. 369). Mechth. v. Magd. (ed. MOREL) 100. 101. 196. 251. F. VETTER, Die Predigten Taulers DTM 11, S. 57, 2. Auf weitere Belege wird hingewiesen J. SCHMIDT 562; OPPEL 16. 21/2; GEBHARDT 174.

[56] Zur Verbreitung der Vorstellung, die Taufe sei als Verlobung der Seele mit Christus zu verstehen s. Hugo v. St. Viktor (PL 177, 849) *propter quae anima dicitur sponsa: dona gratiarum, quibus subarrhata est in baptismate.* FRIEDR. MAURER, Die religiösen Dicht. II, Nr. 30 ('Die Hochzeit') Str. 19, 5–7:
do bevestente si der guote chneht, so was gewonlich unde reht.
er gap ir sin vingerlin, daz was rehte gemahelin.
eines tages wurden si enein, daz er si wolde holen heim.
Str. 28, 5–10:
die michelen ere die bezeichent noch mere
diu herlichen dinch, diu treffent an daz wenige chint,
daz diu muotir da gebirt unde ez got gemahelet wirt.
so bezeichent daz vingerlin den westerhuot sin,
den daz chint uffe hat, alz ez ze jungist erstat,
unde ouch diu gotes gemahelin iemmir ewich scule sin.
Hildegard v. Bingen (PL 197, 866) *sponsa ... animam, quae Christo in dote sanguinis sui adjuncta est, ... designat.* Innocentius III. (PL 217, 935) *Si quaeratur de parvulo,*

wo der hl. Geist die Mittlerrolle hat. Daß die Gemahelschaft durch die Taufe konstituiert wird, wiederholt der v. 1068; den Zusammenhang zwischen Taufe und Tod im Hinblick auf die Brautschaft stellen die Verse 5664–9 her (vgl. 4157–68). Damit wird deutlich, daß diese Gemahelschaft, da sie ja durch die Taufe geschlossen wird, für alle Christen gilt; eine Christenseele (v. 986) kann die Ehe brechen (963–8).[57]

Nun kennt das Büchlein von der geistlichen Gemahelschaft aber noch eine Hochzeit in der Zeit: die Gnadenhochzeit (5022, vgl. 4638, 4900, 4935, 5016).[58] Der Verfasser des Büchleins trennt zwischen den Bereichen der Hochzeit in der Zeit und der Hochzeit im Jenseits sehr genau; er nennt die Brautschaft, die zur Hochzeit im Jenseits führt, überall *gemahelschaft* (v. 54, 162, 234, 244, 258, 411,

---

utrum Christo per Sacramentum fidei desponsetur, respondebitur, quod ... per fidem Ecclesiae desponsatur. SCHADE, buochlin 539/40: *swie ich bestaetet sî mit dînem mahelvingerlî.* 'Gesta Romanorum' (ed. OESTERLEY) p. 340: *miles est Christus ... uxor est anima per baptismum conjuncta.* p. 377: *in baptismo promisisti nullum virum preter eum accipere.* p. 381: *miles Christus, Uxor eius anima per baptismum desponsata.* p. 490: *Lucretia est anima a deo per baptismum lota et deo coniuncta.* p. 628: *anima ... est Christi sponsa per virtutem baptismi.*
Vgl. A. E. SCHÖNBACH: Altdt. Pred. II. Graz 1888. S. 121.

57 Zu Brautschaft und Sünde s. v. 1129. 4933.
Der Ehebruch ist als Bild im geistl. Schrifttum eingeführt. Alanus de Insulis (PL 210, 748). Innocentius III. (PL 217, 929. 934). WEINHOLD, 'Tochter Syon' 3826–35.

58 Die Gnadenhochzeit ist die Andacht v. 5018. Die Andacht (beachte auch 2499–2505) wird v. 3034–73 im Zusammenhang der Trinitätslehre genau behandelt (desh. Rückverweis 5143). Die Stelle 3034–45 hat eine überraschend genaue Entsprechung im 'St. Trudperter Hohen Lied' 13,4–17 (vgl. auch BIHLMEYER, Seuse 303,21 ff); im 'St. Trudperter Hohen Lied' wird sie als *brûtluofte* eingeführt. Die Wichtigkeit der Andacht (= *Contemplatio* v. 3049/50. 5141. s. 2496/7. 2731. 2910. 3049. 3055. 4997) erhellt aus der Häufigkeit der Zitation (3712, 3769, 3780, 3811, 3900, 3970, 4214, 4260, 4309, 4351, 4477, 4615, 4989, 5035, 5048) und aus der Tatsache, daß die Andacht (4989–5057) das Kernstück des Abschnittes ist, in dem Gott gegenwärtig ist (4938–5489). Sein Rahmen sind die beiden Dialogpartien 4940–4979. 5431–5489.

Der Abschnitt 5062–5201 ist eine Erläuterung des Begriffes Andacht (5059. 5061. 5065. 5069. 5140 (= *Contemplatio* 5141). 5152. 5157. 5164. 5170. 5171. 5179. 5184. 5193. 5200). Es erscheint nicht ausgeschlossen, daß die hochzeitliche Vorstellung eine Übertragung der Hochzeit im Jenseits (s. Anm. 55) ist, wie sie nach der Prälibationslehre (s. Anm. 47) möglich ist. Die Verbindung des Prälibationsgedankens mit der Hochzeitsvorstellung findet sich bei Hugo v. St. Viktor (PL 176, 970) und mehrfach bei Tauler (ed. VETTER DTM 11, 57, 2–6. 14–17. 216, 33–37).

Den Zusammenhang mit der Praelibation verdeutlicht auch die zweite Ausformung der drei *nuptiae spirituales* des Hugo v. St. Viktor (PL 177, 863), (die *Nuptiae per spem*), *in quibus eloquii divini est consolatio ... dulcedinis internae praelibatio.*

Das Zwiegespräch (4940–79. 5431–89) stellt sich zur Prälibation.

513, 777, 963, 1020, 1137, 1150, 5665), die Brautschaft aber, die zur Hochzeit in der Zeit gehört, nennt er *geistleiche gemahelschaft* (v. 4, 7, 14, 1367).

Der Vergleich mit Innozenz' III. Begriff *spirituale coniugium* bietet sich an (PL 217, 930):

spirituale coniugium, quod per animi charitatem contrahitur inter Deum et iustam animam.

Innerhalb der allegorischen Darstellung des Büchleins bestätigt der Vers 4928 den Zusammenhang zwischen der geistlichen Gemahelschaft und der Minne ausdrücklich. Hugo von St. Viktor kennt die Beteiligung der Liebe an den *nuptiis spiritualibus* auch; bei ihm treten aber Glaube und Hoffnung noch dazu.[59]

Das Nebeneinander der *gemahelschaft* durch die Taufe und der *geistleichen gemahelschaft* findet sich auch bei Hugo von St. Viktor (PL 177, 849 et 863); Bedeutung für das Büchlein erhält diese Disposition jedoch erst durch Alexander von Hales (tom. IV. Quaracchi 1948. p. 982):

Notandum quod gratia infunditur aliquando ex virtute sacramenti, aliquando sine sacramento. Dicendum igitur quod gratia sacramentalis in Baptismo non infunditur nisi secundum illam distinctionem (= dispositio secundum habitum) *nec character baptismalis imprimitur; gratia autem, quae datur sine sacramento, numquam infunditur sine actuali consensu.*

Diese Unterscheidung gibt der Verfasser wieder im *verbum sacratum* (4151–4262) und im *verbum inspiratum* (4263–4368); der aktuale Konsens läßt sich für die *geistleiche gemahelschaft* leicht nachweisen: 1260–1387. 1579–1581. 1593/4. 2196–2201. 2630/1.

Die Verkündung der geistlichen Gemahelschaft erfolgt 1360–1368; von da an heißt die siebte Jungfrau *fraw prawt* (1388, 1395, 1421, 1477, 1514 usw.). Die Verbindung zur Minne läßt sich aus der *mynnsenung* der Braut erschließen: 1193, 1265, 1271, 1373, 5429, 5477, 5503; die Tugenden (beachte Anm. 59 zu 4355) kommen als gottgesandte Jungfrauen, um die Braut zur Gnadenhochzeit (5022) vorzubereiten. Die Bildwelt dieser Hochzeit in der Zeit ist im Büchlein: küssen (3904–15, 4986), liebevolles Gespräch (4938–79; 5436–89), umarmen (4980), neigen (4994), drücken (5002), Tanz (5025). Der Verfasser bemüht sich, die Metaphorik von sinnlichen Assoziationen freizuhalten (3906–11; 5000); dem Zeitgeschmack hat er sich nicht ganz entzogen (3898/9).

---

[59] PL 177, 863 'De tribus nuptiis spiritualibus'. *Tres sunt species nuptiarum: prima reconciliationis per fidem ... secundae adoptionis per spem ... tertiae glorificationis perfectae per charitatem* (beachte PL 177, 849).
s. v. 4355 vgl. 'St. Trudperter Hohes Lied' 13, 4–17.

E. Zur Komposition des Werkes

An wesentlichen Stellen des Werkes werden Verse aus dem Hohen Lied zitiert: das vierfache *Revertere* (997) im Zusammenhang mit der Umkehr der sündigen Seele; auf die künftige Schönheit der Braut deuten Reue, Beichte und Buße mit Worten des Hohen Liedes (2229/30, 2275/6, 2278, 2279, 2280); die Zitate der Hoheliedverse aus v. 2275/6, 2279 und 2280 kehren in den Versen 5597/8, 5682 und 5722 wieder. Überdies findet sich die Exegese des vierfachen *Revertere* (Vater 1006, Sohn 1009, Geist 1016, Maria 1038/9) in der Exegese eines *veni quia expectaris* (5616) beim Einzug in das himmlische Reich wieder (Vater 5656, Sohn 5660, Geist 5664, Maria 5674). Somit ergibt sich: in der Anordnung der Hoheliedstellen findet sich bereits eine sinnvolle Gliederung im Hinblick auf die Erfüllung der Brautschaft im Jenseits.

Im Zusammenhang damit ist bemerkenswert, daß die Erzählung der *geistleichen gemahelschaft* (1242–5513) von Erzählungsteilen, die der durch die Taufe begründeten „Gemahelschaft" zugeordnet werden können, eingerahmt ist (983–1241; 5514–5771).

Ebenso rahmen nach dem Eintreffen der *Caritas* (4630–4787) zwei Stücke, in denen noch die *Sapientia* auftritt (4788–91. 4898–4933), die Werbung der drei Jungfrauen *Fides, Spes, Caritas* (4795–4897), und die Gnadenhochzeit ist durch zwei Dialogpartien (4940–4979. 5431–5489) gerahmt.

Eine ähnliche Rahmentechnik läßt sich zwischen den Erzählstücken 5764–5771 und 6379–6402 beobachten: in die Schilderung des ewigen Reiches als eines Hochzeitsfestes ist das ganze Stück mit den vierzehn Gaben der Heiligen eingefügt.

Den weitesten Rahmen aber spannt im Büchlein von der geistlichen Gemahelschaft die Erzählung von den Satansbräuten (1087–1146) – man kann v. 255–1086 dazurechnen – bis zu den Versen 6409–6508. Von den sechs Bräuten des Satans ist noch einmal die Rede (v. 3254–3261), und zwar bei der Einführung des *verbum creatum,* einer Deutung der geschaffenen Welt durch die Weisheit. Der große Mittelteil des Werkes (v. 2648–4368) umfaßt eine Deutung der gesamten Welt durch die Weisheit in sieben Unterabschnitten: Gottheit, Engel, Mensch, geschaffene Welt, Christus, Sakrament und Gnadenwirkung. Aus dieser Anordnung ergibt sich: von den Bräuten des Satans ist am Anfang, in der genauen Mitte des Werkes und am Ende die Rede. Aus all dem Gesagten läßt sich ein streng symmetrischer Aufbau herauslesen.

Eingebettet in den weitesten Rahmen der Gefährdung durch die Welt ist die Schilderung des Lebens und Sterbens des Gerechten: die Erzählungsteile, die der durch die Taufe begründeten *gemahelschaft* zugeordnet werden können. Wiederum darin eingebettet ist das eigentliche Kernstück der Erzählung: die *geistleiche gemahelschaft*. Hierzu gehören die Tugendjungfrauen. Bereits im Abschnitt über die Verarbeitung der Quellen ist die Anordnung der Tugendjungfrauen aus den Quellen besprochen worden. Der Reigen *Timor Domini, Spiritualis Disciplina, Iustitia, Contritio, Confessio, Sanctificatio, Sapientia, Fides, Spes, Caritas,* der das Kommen Gottes in der Gnadenhochzeit vorbereitet, läßt sich aus den Quellen entwickeln. Ebenfalls im Abschnitt über die Verarbeitung der Quellen ist die innere Verwandtschaft von Stücken aus dem 'Elucidarium' mit der Erzählung von der geistlichen Braut besprochen.

Der wichtige Mittelteil des Büchleins von der geistlichen Gemahelschaft, wie auch seines Kerns, der Schilderung der *geistleichen gemahelschaft,* die zur Gnadenhochzeit führt, ist die Lehre der *Sapienta*: die ersten drei Abschnitte über die Gottheit, die Engel und den Menschen sind eindeutig durch die Trinitätsspekulation und den Schöpfungsstand bestimmt. Zwiespältig ist die Lehre von der geschaffenen Welt: es findet sich die Lehre von der Trinität in der Kreatur[60] und eine Schilderung der Sünden. Die letzten drei Abschnitte über Christus, die Sakramente und die geistliche Gnadenwirkung betreffen im weitesten den Gnadenstand.

Aus dem Beginn der Schilderung der *geistleichen gemahelschaft* wird klar, daß der Einzelne die freie Entscheidung für die Frage hat, ob er mit oder ohne Gottes Gnade leben will. Deutlich ausgesprochen wird das 1270; 1272: Die Seele, die in freier Wahl ihren Willen Gott untertan macht, begibt sich auf den Weg des Heils (1268); dadurch, daß Gott seine Gnade allen Menschen darbietet, wird klar, daß er den ersten Schritt getan hat, aber (1286/7):

wie dy ersten gnad got auch geit,
doch an dem willen ez auch leit.

Wenn die Seele ihren Willen der Gnade Gottes anheimstellt, dann erfüllt sich darin das *meritum congrui* (1276; 1284),[61] der erste Grund der Gnade (1277). Die Gnade kann nur wirksam werden, wenn der Wille des Menschen für sie

---

[60] Die Welt gilt als Zeichenträger Gottes besonders im franziskanischen Bereich, s. RUH, Grundlegung 263. 265. 266. RUH, Bonavent. 43/4. Vgl. Vers 3130.

[61] Bonav. 2 d 27 a 2 q 2 concl.: *Meritum autem congrui dicitur in quo est aliqua dispositio congruitatis ... ibi enim est quaedam congruitas, quia facit quod in se est* (s. auch Bonav. 4 d 15 p 1 a 1 q 5. MITZKA 38/9, 48 A 4, 57).
Geschichtl. Überblick: DThC 3, 1138–52; 10, 574–785.
A. M. LANDGRAF: Dogmengesch. der Frühscholastik. 1. Teil. Gnadenlehre Bd. 1. Regensburg 1952. S. 268–280.
Zum Axiom: *facienti quod in se est Deus non denegat gratiam* (v. 1274). LANDGRAF ibid. 249–264. SCHMOLL 120. HEIM 72. 73. 94.

empfänglich ist (1310–12). Das sind, wie aus den Quellen hervorgeht, im wesentlichen Gedanken aus der 'Summa' des Alexander von Hales.

Im siebten Abschnitt der *Sapientia,* dem *verbum inspiratum,* wird die Wirkung der Gnade in vier Stufen dargestellt; eingeschlossen sind die vier Stufen *anime purgacio, illuminacio, amoris degustacio, virtutum operacio* (4272–4).

Beachtlich ist immerhin, daß der Verfasser des Büchleins den Dreischritt des Alexander von Hales *purgare, illuminare, perficere* ('Summa' lib. III. p. III. inqu. I. tract. I. qu. VI De effectibus gratiae. tom. IV. Quaracchi 1948. p. 996–1009) aufgegeben hat; wahrscheinlich geschah es deshalb, weil der Verfasser die Gnade aus dem aktualen Konsens als die geistliche Brautschaft deutet, die die Erweiterung durch *amor* nahelegt. Es besteht jedenfalls kein Zweifel, daß der Verfasser des Büchleins im Bereich der *geistleichen gemahelschaft* von der Gnadenwirkung des *verbum inspiratum* spricht und so seinem eigenen Werk einen Ort im göttlichen Gnadenplan zuweist.

Zur *Purgatio* gehört das Auftreten von Reue, Beichte und Buße (2209–18) mit Wasserbecken, Handtuch und Salbenbüchse, wohl auch schon das Kommen von *Timor Domini* (1539), *Spiritualis Disciplina* (1591) und *Iustitia* (1889).

An die *Illuminatio* hat der Verfasser gedacht, als er die Figur *Timor Domini* mit einer Laterne (1528) und die *Fides* mit einer Kerze (4375) einführte; daß der Auftrag der Weisheit ebenfalls der Erleuchtung dient, erhellt aus der Korrespondenz von 4299 f. mit 4395/6 (vgl. 1556 ff. und 3169 ff.).

Die *amoris degustacio* liegt dem ganzen Abschnitt 4938–5057 zu Grunde, wird aber erst 5445 deutlich ausgesprochen.[62]

Die *virtutum operacio* ist die Folge der vollkommenen Andacht (5034 ff.).

Innerhalb der Lehre der *Sapientia* findet sich noch eine besondere kompositorische Form. Der Abschnitt über die geistliche Minne zum Jesuskind im *verbum incarnatum* ist so eingerahmt: Erlöser (3721), Arzt (3727), Lehrer (3730), Prediger (3731), Bräutigam (3744) und Bräutigam (3974), Prediger (3986), Lehrer (3992), Arzt (4004), Erlöser (4032). Den innersten Rahmen bilden die Bräutigam-Stellen: der Verfasser hat die Verbindung der geistlichen Minne zum Jesuskind mit dem Brautschaftsgedanken nur eben angedeutet.

---

62 Siehe Anm. 47. 58.
Die *degustatio* = *praelibatio* gehört nach Hugo v. St. Viktor (PL 177, 863) zur *secunda species nuptiarum* (s. Anm. 58). Praelibation und Zwiegespräch (1244/5. 4940–4979. 5431–5489) gehören zusammen.

F. Publikum und Verfasser

Es ist bereits im Abschnitt über das Motiv der Brautschaft davon die Rede gewesen, daß kein zwingender Grund besteht, Ausformungen der *gemahelschaft* und der *geistleichen gemahelschaft* ausschließlich in Klöstern oder gar nur in Nonnenklöstern zu suchen (zur Methode vgl. RUPP S. 294–300).

Anspielungen im Büchlein von der geistlichen Gemahelschaft lassen auf eine Laiengemeinde als ursprüngliches Publikum schließen; insbesondere bei der Behandlung des Sakramentes der Priesterschaft (4217–24) und des Sakramentes der Ehe (4225–44) werden Verheiratete (4228, 4231, 4236) und Laien (4218 *ir layen*) angesprochen. Vergleiche aus dem Familienleben (2084, 6177–81, 6201/2), die Erwähnung von *phaffen* (1468/9, 2806, 5823, 6338) und die Anrede *ir sünder* (4015) kommen hinzu.

Das gewichtigste Indiz ist ein Grundthema des Werkes, daß der Sünder auf dem Weg der Sünde umkehren kann (997, 1693, 1896, 2105, 2191, 4013/4, 4534/5), während der, der die Gelübde abgelegt hat, im Fall der Sünde verstoßen ist (2136/7, 2149). So heißt es auch ausdrücklich, man solle nicht überstürzt sich an Gelübde binden (2140–5). Eine Klostergemeinde dürfte so nicht angesprochen worden sein.

Für eine Laiengemeinde spricht schließlich der Appell an die *cristenlewt* (366) und die *christensel* (986), sowie die Ankündigung des Dichters, er dichte sein Werk aus moralischer Absicht (41–3):

> *daz allen lewten mag geczæmen,*
> *die ez geistleich wellent vernemen;*
> *wann der lawtt ist unverstendig vil.*

Über die moralische Grundtendenz des Werkes ist im Abschnitt über die Verarbeitung der Quellen gesprochen worden.

Als Publikum darf man eine Laiengemeinde voraussetzen, der das Werk in der Regel vorgelesen wurde (1173). Dann jedoch sind einige Stellen auffällig, in denen der christlichen Haltung und Verpflichtung (743–52, 1073–78, 2122–28) die eigentlich klösterliche gegenübergestellt wird (739–42, 1079–84, 2129–39; vielleicht noch 3967–70). Dafür gibt es zwei Möglichkeiten der Deutung: entweder wurden neben Laien auch Mitglieder eines Konventes angesprochen – wogegen aber das Thema der Umkehr und insbesondere die oben genannte Stelle 2140–45 spricht –, oder aber war der Verfasser mit dem klösterlichen Leben vertraut.

Es gibt einen wichtigen Hinweis, der die zweite Vermutung wahrscheinlich macht. Aus dem Abschnitt über die Quellen geht hervor, daß die letzten Autoritäten Alexander von Hales, Bonaventura und Albertus Magnus sind; aus dem

Werk ist weiter ersichtlich, daß es nicht in Kreisen des Predigerordens entstanden ist, der nur das Gelübde des Gehorsams kannte; sonst wäre nicht von den drei klösterlichen Gelübden (2130/1) die Rede. Somit ist wahrscheinlich, daß der Verfasser des Büchleins Franziskaner war.

Die spätesten Quellen gehören ins dreizehnte Jahrhundert: diese Beobachtung widerspricht den Schlüssen aus den sprachlichen Befunden nicht, die auf die Mitte des vierzehnten Jahrhunderts weisen. Bedeutsam wäre daran allenfalls, daß ein Zeitgenosse Seuses die mystische Tradition der Franziskaner aufnimmt.[63]

Wien, die mutmaßliche Heimat des Verfassers, hatte schon in der ersten Hälfte des 13. Jahrhunderts einen Franziskanerkonvent,[64] der sich zu den Conventualen rechnete (FRIESS 157): den *Conventus patrum minorum Conventualium ad S. Crucem Vindobonae.*[65]

Daß eine Laiengemeinde mit dem Werk angesprochen werden sollte, ist wahrscheinlich gemacht, und die Beobachtungen zur Sprachschicht des Büchleins können die Laiengemeinde näher präzisieren: die dort zusammengetragenen Indizien lassen es als möglich erscheinen, daß der Text in den herrensprachlichen und – genauer – höfischen Bereich gehört. Beziehungen zwischen den Minoriten und dem Wiener Hof zur Zeit der habsburgischen Herzöge sind gut belegt (FRIESS 93. 139–143, bes. 140/1).

Nun ist der Name des Verfassers bekannt. Der Vers 6525 lautet:

Ich sünder haiz Chünrat.

Über sein Leben und seine Umwelt teilt Konrad fast nichts mit. Möglich ist, daß er selbst eine Umkehr aus der Sünde erlebt hat (1380/1, 4534/5). Ob die auffällige Betonung des Themas der Unkeuschheit (1074, 1079, 2130, 2144, 2532, 3424–45, 3614–31, 3608, 3968, 4228–44, 6073) und der Maria Magdalena (5262, 6124) damit in Zusammenhang steht, wird kaum mehr zu entscheiden sein. Immerhin gibt der Vers 1176 den Hinweis, daß das Büchlein das erste Werk des Verfassers sein könnte.

Diese aus dem Werk erschlossenen Ergebnisse lassen sich auf die verschiedenen im 'Necrologium patrum minorum Conventualium ad S. Crucem Vindobonae' (MGH Necrologia Germ. V. Berlin 1913) genannten Minderbrüder mit dem Namen Konrad anwenden.

---

63 RUH, Grundlegung 269 und Altdt. Mystik 216 weist darauf hin, daß diese Tradition nicht vor Seuse fruchtbar wird.

64 FRIESS 86, 92; GREIDERER 22 et 264, s. auch MAX HEIMBUCHER: Die Orden und Kongregationen der katholischen Kirche. 3. Aufl. Paderborn 1933. Bd I, S. 693.

65 Titel nach MGH Necrologia Germ. V. Berlin 1913: *Necrologium patr. minor. Conventualium ad S. Crucem Vindobon.* und *Liber sepulcrorum patrum minorum ad S. Crucem Vindobonae,* vgl. GREIDERER 266.

Eine völlig gesicherte Identifikation kann sich nicht ergeben, da von keinem der Träger des Namens Konrad überliefert ist, daß er ein deutsches Reimwerk und gar mit dem Titel 'Geistliche Gemahelschaft' hinterlassen habe. Von den genannten Trägern des Namens Konrad aber gibt es nur einen einzigen, der Beziehungen zum Wiener Hof hatte. Die Eintragung seines Todes ist auffallend lang und lautet:[66]

A. d. 1380 ob. p. rev. fr. Chunradus de Wienna Spiczerii, quondam minister Austriae et confessor curie principum Austrie, et fratres tenentur facere anniv. suum, quia conventus multa bona ab ipso recepit, librariam, multos libros et solempnes, edificia multa, picturas solempnes et vitream novam in choro et plura alia.

Die Eintragung seines Begräbnisses[67] gibt noch genauere Angaben:

A. d. 1380 ob. rev. p. fr. Chunradus de Wienna, quondam minister Austriae et confessor curie domini ducis et sue consortis, dominae ducisse, sepultus in capella b. Antonii extra chorum in annuciacione virginis gloriose.

Dieser Konrad Spitzer von Wien war also Beichtvater des Hofes, des Herzogs und der Herzogin[68] und begüterter Kunst- und Bücherfreund. Die *ministri Austriae* (Landmeister) wurden alle drei Jahre vom Provincialkapitel gewählt und traten nach der Amtszeit in die Reihe der gewöhnlichen Brüder zurück (FRIESS 121, 125). Immerhin scheint *Conradus Spizer* (so GREIDERER 269) drei Wahlperioden lang *minister Austriae* gewesen zu sein (Saeculum 96, GREIDERER 269), nämlich von 1356–1365.[69]

---

66 MGH Necrologia Germ. V. Berlin 1913. p. 173.

67 MGH Necrologia Germ. V. Berlin 1913. p. 226, 18.

68 Die Totenbücher des Conventus patr. minorum Convent. ad S. Crucem Vind. (MGH Necr. Germ. V) nennen außerdem nur noch fünf Beichtväter des Hofes im 14. Jh.: *Hainricus de Preysing* (p. 197, 5), *Rapoto de Anaso* (p. 199, 10. 220, 5), *Jacobus de Lincza* (p. 201, 4/5), *Lambert* (p. 220, 4), *Jacobus Parisiensis* (p. 234, 1).

69 FRIESS 217 druckt eine Urkunde (Nr. LXXV im Anhang) vom Jahr 1357, die einen Bruder *Conrad* als *minister* dieses Jahres bestätigt.

Mehr als diese Notizen in Saeculum, den Necrologien, bei GREIDERER und FRIESS scheint über Konrad Spitzer aus Wien nicht vorzuliegen:

Weder Nicolaus Glassberger, Chronica (Analecta Franciscana II. Ad Claras Aquas 1887) noch Placidus Herzog, Cosmographia Franciscano-Austriacae Provinciae (Analecta Franciscana. Ad Claras Aquas 1885. p. 43–213) noch Fortunatus Hueber 'Dreyfache Cronickh von dem dreyfachen Orden deß H. Ordens Stiffters Francisci durch gantz Teuschland beschriben'. München 1686 enthalten einen Hinweis.

Das Niederösterr. Landesarchiv teilt mit: Weder das Archiv des Wiener Minoritenklosters noch die lokalen Urkunden- und Regestenwerke enthalten einen Hinweis auf das Wirken Konrad Spitzers. Untersuchungen zu den Beichtvätern des Wiener Hofes gibt es nicht. Die Durchsicht der weiteren speziellen Literatur der Franziskaner für

Eine völlige Sicherheit bei der Identifikation des Verfassers wird es bei den derzeit vorliegenden Zeugnissen nicht geben können; sollte aber tatsächlich Konrad Spitzer der Verfasser sein, dann ließe sich mit hoher Wahrscheinlichkeit die Entstehungszeit des Büchleins auf einen Zeitraum von 15 Jahren eingrenzen.

Bis 1365 war Konrad Spitzer Landmeister. 1365 starb Herzog Rudolf IV.; seine Nachfolger waren Herzog Albrecht III. (bis 1395) und Herzog Leopold III. (bis 1386), die (bis 1379) das Habsburgerreich gemeinsam regierten. Beide Notizen über Konrad Spitzer nennen den *confessor* nach dem *minister Austriae*; die Begräbnisnotiz stützt die Vermutung, das entspreche der zeitlichen Folge: sie nennt den *dominus dux* und die *domina ducissa,* also wohl das (1380) derzeitige Herrscherpaar. Da bei der Teilung des Habsburgerreiches (1379) Albrecht III. Ober- und Niederösterreich erhielt, dürfte er der in der Begräbnisnotiz genannte *dominus dux* sein; seine Gemahlin – in zweiter Ehe – war Beatrix von Nürnberg.

Das Werk wäre dann am Wiener Hof zwischen 1365 und 1380 entstanden.

VI. DIE PROSAÜBERLIEFERUNG

Aus dem 15. Jahrhundert sind eine ganze Anzahl Prosafassungen des Büchleins von der geistlichen Gemahelschaft überliefert, die hier vorgestellt werden (Kürzel sind aufgelöst):

1. Die Papierhandschrift Melk, Stiftsbibliothek Cod. Mell. 1730 (olim 653, L 82), 1ʳ–87ᵛ

Die Handschrift ist vom Melker Bruder Leonhard Peuger (VL III, S. 862/3. KEIBLINGER S. 491, 492 Anm. 2. KROPFF S. 199–201. Danach trat Peuger 1419 in das Kloster Melk ein. Er war wenigstens bis 1444 in Melk: der Cod. Mell. 1389 olim 72 ist 1444 geschrieben und im Melker Katalog Peuger zugeschrieben. Sein Todesjahr ist unbekannt.) geschrieben (brieflich Prof. K. Ruh und Stiftsbibliothekar Dr. Burkhard Ellegast), ist aber in den Bibliothekskatalogen von 1483, 1517 und 1605 nicht erwähnt; vielleicht gehörte sie zur Bibliothek der Laienbrüder.

Die Mundart ist mittelbairisch-niederösterreichisch (Sproßvokale, *ā* für mhd. *ô*).

Österreich sei unergiebig, da sie sich fast ausschließlich mit den Franziskanern de Observantia beschäftige.

Das Wiener Minoritenkloster läßt offen, daß es noch Notizen geben könne, kann aber wegen Personalmangel keine weiterführenden Auskünfte geben.

Die WZ der Hs. geben zur genaueren Datierung kaum etwas her: 1. Waage Bl. 1–35 nicht bei Briquet. 2. Turm Bl. 36–87. 115 ähnlich Briquet 15865. 3. ? Bl. 100–101. 4. Blüte Bl. 104–110 ähnl. nicht ident. Briquet 6372.

Die Handschrift enthält nur deutsche Texte:

1. 1^{r}–87^{v}. Büchlein von der geistlichen Gemahelschaft
Überschrift:
Das püehel sagt von geistleicher gemähelschaft die tzwischen got und der sel ist und ret in gleichnus von tugenten der junchfrawn
1^{r} Incipit:
Die gemähelschaft die tzwischen got und der sel ist die hat den chünig der höchsten ern von himel her ab pracht das er unser plöde menschait an sich nam . . .
87^{v} Explicit:
Sälig ist er und im geschiecht wol dem die tugent junchfrawn dienn der namm vor gemelt ist und irm rat voligt den pringen sy an die stat des lieben und getrewn prewtigan der ewigen sälichait Amen
(Zur Bewertung des Textes s. S. 65.)

2. 88^{r}–91^{v}. Gebet des Albertus Magnus.
Incipit: *In deinem namen Jesu Christe naigen sich alle chnie*

3. 92^{r}–99^{r}. Passionsbetrachtung.
Inc.: *Unser herr Jesus Christus der sun gots*
auch im Cod. Mell. 1762 (olim 652), 21^{r}–31^{r}.

4. 99^{r}–104^{r}. Epistel auf die Fastenzeit.
Inc.: *In dem namen der heiligen drivaltichait*

5. 104^{r}–107^{r}. Epistel auf Pfingsten.
Inc.: *Der frid gots und die gnad seiner parmhertzichait*

6. 107^{r}–109^{v}. Übersetzung von 1. Cor. 7.

7. 109^{v}–112^{r}. Das athanasianische Glaubensbekenntnis.
Inc.: *Wer pehalten wil wern*
auch im Cod. Mell. 1762 (olim 652), 35^{r}–37^{v}; Cod. Mell. 808 (olim 813), 99^{r}–100^{v}; Cod. Mell. 1389 (olim 72), 247–249. Eine andere Übersetzung im Cod. Mell. 1651 (olim 664); Cod. Mell. 868 (olim 953); Cod. Mell. 570 (olim 140). Nach Schmellers Katalog finden sich Übersetzungen auch im Cgm 300; Cgm 588; Cgm 589.

8. 112^{r}–115^{v}. Das 23. Kapitel aus Johannes von Neumarkt: Buch der Liebkosung (Ausgabe: Joseph Klapper: Joh. v. Neumarkt, Buch der Liebkosung (Vom Mittelalter zur Reformation VI, 1). Berlin 1930).

Das 23. cap. auch im Cod. Mell. 1762 (olim 652), 31^{r}–35^{r}; Cod. Mell. 670 (olim 902), 2^{r} ff.

2. Die Papierhandschrift Melk, Stiftsbibliothek Cod. Mell. 235 (olim 639, L 67), $189^{va}-206^{vb}$

Die Handschrift ist – wie die Melker Hs. 1730 – vom Melker Bruder Leonhard Peuger (s. die Angaben zum Cod. 1730) geschrieben (QUINT, Meister Eckhart Traktate V, 461/2; brieflich Prof. K. Ruh, Stiftsbibl. Dr. B. Ellegast) – s. auch fol. 251va: *sand benedict in unserer regel* –, ist aber in den Bibliothekskatalogen von 1483 und 1517 nicht erwähnt; 1605 erscheint sie unter der Signatur J 124. Vielleicht gehörte sie zur Bibliothek der Laienbrüder (s. Stück 5).

Die Mundart ist mittelbairisch-niederösterreichisch (Sproßvokale, *ā* für mhd. *ô*).

Zur Datierung s. die Existenz der zweiten Fassung von Thomas Peuntners 'Von Liebhabung Gottes': 1433 oder wenig später (VL III, 864–6) und die WZ: 1. Waage Bl. 1–274. 344 nicht bei BRIQUET. 2. Engel Bl. 276–284. 311–2. 319/20. 337–343 BRIQUET 609 (von 1440). 3. Berge mit Kreuz Bl. 286–309. 315/6. 323–30. 332/3 ähnlich BRIQUET 11696. 4. Berge im Kreis m. Kreuz Bl. 331 ähnl. BRIQUET 11 870.

Danach ist die Hs. wahrscheinlich um 1440 in Melk entstanden.

Die Handschrift enthält nur deutsche Texte:

1. $2^{ra}-19^{rb}$. Mönch von Heilsbronn: Traktat von den sechs Namen des Fronleichnams.
Ausgabe: JOH. FRIEDR. LUDW. THEOD. MERZDORF: Der Mönch von Heilsbronn. Berlin 1870. s. VL III, 427–31; V, 690.
Auch Cod. Mell. 1841 (olim 644), 1^r-164^r; Cod. Mell. 981 (olim 861), 106–198.

2. $19^{rb}-39^{rb}$. Heinrich von St. Gallen: Passionstraktat Fassung A (ohne Epilog), am Schluß Erweiterungen (Identif. briefl. Prof. K. Ruh).
Ausgabe: KURT RUH: Der Passionstraktat des Heinrich von St. Gallen. Diss. Zürich. Thayngen 1940.
s. auch Cod. Mell. 970 (olim 347).

3. $39^{rb}-55^{rb}$. Heinrich von St. Gallen: Auslegung über die acht Seligkeiten. (Identifik. briefl. Prof. K. Ruh). s. auch Cod. Mell. 981 (olim 861), 198–274. K. RUH, Zs. für schweiz. Kirchengesch. 47, 1953, S. 219–225. Ausgabe wird in Würzburg vorbereitet.

4. $55^{rb}-57^{va}$. (ohne Titel) Über die sieben Gaben des heiligen Geistes.
Inc.: *Darumb schol man des ersten merckchen das ein wazzer von himel flewst das haist dy lieb*
s. auch St. Florian, XI 123, 107^v-109^r (Identifik. und Angaben durch Prof. K. Ruh, brieflich).

5. $57^{ra}-73^{ra}$. Magister Humbertus (?): Lob der Klostergemeinschaft.
Wenn die Schreibermarginalie, die den Verfassernamen überliefert, stimmt: zu Anfang Übersetzung des cap. XIX der 'Expositio Regulae B. Augustini' (De laudibus communitatis) des Humbertus de Romanis (LThK 5, 533). Druck: J. J. BERTHIER: B. Humberti de Romanis Opera de vita regulari tom. I. Rom 1888. p. 78.

s. auch Cgm 432, 205^{r}–255^{r}; Cgm 3971, 187^{r}–211^{r}.

6. 73ra–81ra. David von Augsburg: Novizentraktat c. I–XX (Anfang und Schluß stimmen genau, auch Beginn des letzten 21. cap. [80vb] = XX.)
s. auch Cod. Mell. 677 (olim 767), 1^{r}–27^{r}; Cod. Mell. 575 (olim 407), 517^{r}–538^{v}. (Identif. brieflich Prof. K. Ruh).

7. 81ra–120rb. Bischof Anselms Gebete für eine Gräfin Mechthild von Plauen.
s. auch Cod. Mell. 1001 (olim 756), 1–110.; teilweise Cod. Mell. 1389 (olim 72), 174–188. (Vielleicht Anselm, Bischof von Ermland (seit 1250), Bruder des Deutschen Ordens, gestorben zwischen 1275 und 1278 (ADB 1, 477/8)).

8. 120rb–160ra. Johannes von Neumarkt: Übersetzung des 'Stimulus amoris'.
Ausgabe: Joseph Klapper: Schriften Johannes v. Neumarkt 3. Teil. Stachel der Liebe (Vom Mittelalter zur Reformation VI, 3). Berlin 1939.
Vollständige Redaktion wie Cgm 640, 790 und Rochester (Klapper S. XXII f.). Kapitel II, 13 steht am Schluß (Klapper S. XXX) (Identifik. und briefl. Angaben Prof. K. Ruh).
s. auch Ruh, Bonaventura dt. 273, ders., Grundlegung 267/8. Text auch Cod. Mell. 970 (olim 347) und (teilweise) Cod. Mell. 570 (olim 140), 185rb–191rb.

9. 160ra–186va. Nutzen des Schweigens, Hüten der Augen, Leiten der Gedanken.
Inc.: *Man schol des ersten merkchen das darumb*
s. auch Cod. Mell. 1765 (olim 283).

10. 186va–189rb. Eckhart: *Von abegescheidenheit.*
Ausgabe: Quint, Meister Eckhart Traktate V, 400–434 (zur Hs. s. 462).

11. 189va–206vb. Büchlein von der geistlichen Gemahelschaft.
Überschrift:
Das püehel sagt von geistleicher gemähelschafft dy tzwischen got und der sel ist und ret in gleichnus von tugenten der junchfrawn
Incipit:
Die gemähelschafft dy tzwischen got und der sel ist dy hat den chünig der höchsten ern her ab von himel pracht das er unser plöde menschait an sich nam
Explicit:
Dar umb wer im sölhe grawssame ding nicht zu hertzen wil lazzen gen wil sein leben von sünten czu puezz nicht chern all sein lebtag der schol an tzweifel wissen das im söleich unglükch nach seim töd werchleich mer chümftig wirt dann hie der syn pegreiffen mag aws der obgenanten schrifft. Da uns der vor pehüett der uns mit seim pittern un unschuldigen töd erlösst hat Amen

(Zur Bewertung des Textes s. S. 66/7)

12. $207^{ra}-225^{rb}$. Vaterunserauslegung.
Weidenhiller Nr. 1 (S. 214).
s. auch Cod. Mell. 867 (olim 18).

13. $225^{rb}-227^{rb}$. Thomas Peuntner: Vaterunsererklärung.
s. auch Weidenhiller 209, 215 und P. R. Rudolf: Thomas Peuntner und seine Betrachtung über das Vaterunser. Wien 1953.

14. $227^{rb}-230^{ra}$. Augustiner-Chorherren-Regel.
s. auch Cod. Mell. 1389 (olim 72), 281–293.

15. $230^{ra}-244^{vb}$. Thomas Peuntner: Von der Liebhabung Gottes, 2. Fassung in 18 cap.
stimmt im Inc. und Expl. zu Cgm 173 vgl. Petzet 313.
Ausgabe: (nach Basel A X 117) Jeanne Ancelet-Hustache: Traité sur l'amour de Dieu, composé vers 1430 par un clerc anonyme de l'université de Vienne. Paris 1926. Zur Verfasserschaftsfrage: Hermann Maschek, ZfBW 53, 1936, S. 361 ff. (diese Angaben von Prof. K. Ruh brieflich). VL III, 864–6; danach 1433 oder wenig später geschrieben.

16. $244^{vb}-246^{va}$. St. Bernhard: Passionspredigt.
Inc.: *O christenleiche sel*
s. auch Cod. Mell. 183 (olim 603), $65^{r}-73^{v}$; Cod. Mell. 1762 (olim 652), $37^{v}-45^{v}$.

17. $246^{va}-249^{vb}$. Heinrich von Friemar: Von viererlei Einsprechen ('De quatuor instinctibus'), Kurzfassung.
s. auch Cod. Mell. 183 (olim 603), $1^{v}-21^{r}$; Cod. Mell. 1569 (olim 615), $123^{v}-131^{v}$; Cod. Mell. 1762 (olim 652), $45^{v}-60^{v}$.
Literatur: Stammler, Kleine Schriften I, 139 Anm. 59 (Mitteil. von Prof. K. Ruh brieflich). VL II, 265/7; V, 344.

18. $250^{ra}-259^{va}$: Von der Hoffart zur Demut.
Inc.: *Welher mensch wärleich wil tugentsam wern*
s. auch Cod. Mell. 1762 (olim 652), $60^{v}-104^{r}$.

19. $259^{va}-266^{va}$. Thomas Peuntner: Unterweisung zur Beichte (Teil der 'Christenlehre', wie Prof. K. Ruh brieflich mitteilt).

Der Text hat den für Thomas Peuntner typischen Vorspruch (VL III, 685). Das Incipit *Wer vom töd der sünten* ... weist Weidenhiller 215 Peuntners Zehn-Gebote-Traktat zu. Ein Beichttraktat wird aber erwähnt VL III, 687.
s. auch Cod. Mell. 1596 (olim 645), $172^{r}-212^{v}$; Cod. Mell. 1752 (olim 651), $1^{r}-37^{v}$; Cgm 764, $1^{r}-27^{r}$; (Prof. K. Ruh trägt brieflich bei:) Cgm 6020, $260^{v}-280^{v}$;

Cgm 394, 229r–253v; weiter R. Rudolf, Thomas Peuntner und seine Betrachtung über das Vaterunser 1–4. Völker 70.

20. 266va–280rb. Johannes von Speyer: Übersetzung des 'Tractatus tripartitus' von Johannes Gerson.
s. auch Cod. Mell. 570 (olim 140), 158–177 (von dort die Verfasserangabe); Cod. Mell. 677 (olim 767), 27r–64v. Der dritte Teil auch im Cod. Mell. 1389 (olim 72), 346–355. VL II, 635 (W. Krogmann).

21. 280rb–293vb. Johannes von Speyer: Übersetzung der Sprüche Salomonis (in 31 cap.).
Inc.: *Hie heben sich an dy gleichnus der sprüch Salomonis*
s. auch Cod. Mell. 570 (olim 140), 198–210 (von dort die Verfasserangabe) s. Kropff S. 295. VL II, 635 (W. Krogmann).

22. 293vb–329ra. Heinrich Seuse: Büchlein der ewigen Weisheit.
Ausgabe: Karl Bihlmeyer: Heinrich Seuse, Deutsche Schriften. Stuttgart 1907.

23. 329ra–335rb. Sprüche der Lehrer.
Inc.: *In der welt ist untrewe lieb.*

24. 335va–345vb. Historie von Unserer Frauen Leben (bricht am Schluß ab, Lage fehlt).
Inc.: *Sand Jeronimus schreibt das zw sand Anna und Joachim tzeiten*
s. auch Cod. Mell. 1569 olim 615, 1r–27v.
Letzter Abschnitt (*Von der regel nach der maria nach irs suns awffart gelebt hat*) auch Cod. Mell. 1752 (olim 651), 37v–40v.

3. Die Papierhandschrift Cgm 775, 172r–264v

Die Handschrift gehörte (f. 1r) *in die gemayn des regelhaus der pitterich*; das Püterich-Regelhaus zu München gehörte den Tertiarierinnen des franziskanischen Ordens (Minges 50). Ein Schreiber, bair. Schreiberdialekt. Gleichmäßige Rubrizierung. Regelmäßige Kustoden. Ein WZ (Briquet 11900, v. J. 1450/1), nur fol. 173 (Gegenüber ausgerissen!) obere Hälfte eines Ochsenkopfwz. (entweder Piccard XII, 67–8 v. J. 1450–52 oder Piccard XII, 177–8 v. J. 1454–6). Die Hs. ist (fol. 1 in der Überschrift) auf 1454 datiert. Bildschmuck zu Text 4.

Die Handschrift weist nur deutsche Texte auf:

1. 1r–160v. Johannes von Indersdorf: Von dreierlei Wesen der Menschen.
Zum Text und zur Verfasserschaftsfrage: Quint, Meister Eckhart, Traktate V, S. 383/4. Quint, Handschriftenfunde (1940) S. 13–15. Zur Datierung: Petzet zu Cgm. 59. Jetzt B. Haage: Der Traktat 'Von dreierlei Wesen der Menschen'. Diss. Heidelberg 1968.

2. 160v–165r. Johannes von Indersdorf: Tobiaslehre.
Inc.: *Man list in dem ersten puech der kunig.*
B. Haage 20–24. 536.

3. 165^r-171^v. Von der Eigenschaft der Klosterperson.
Inc.: *Sand Benedict redt in seiner regel*
s. auch Cgm 385, 133–136^v; Cgm 514, 89–91.
(Es folgen fünf leere ungezählte Blätter.)

4. 172^r-264^v. Büchlein von der geistlichen Gemahelschaft.
Überschrift:
Daz hernach geschriben dicz puechs sagt von geistleicher gemächelschaft die zwischen got und der sele ist und redt in gleichnüz von tugenten der junckfrawen
Incipit:
Die gemachelschaft die zwischen got und der sele ist die hat den kunig der höchsten eren von himel her ab pracht das er unser plode menschait an sich nam
Explicit (f. 263^r; es folgen noch zwei Bilder):
sälig ist der und im geschiecht wol dem solch tugent junckfrawn dient als dy vor nämleich gemelt sind und irm rad volgt den pringent sy furbar zu dem trewen prewtigan der ewigen säligkait Amen das wir in soleichem guten rat erfunden werden darumb so grües wir dy höchsten und edl kunigin der himel mit einem engelischen grües Ave maria gratia plena etc.

4. Die Papierhandschrift Cgm 5942, 237^r-346^v

Die Handschrift stammt aus einem nicht näher bezeichneten Frauenkloster (Hinweise auf fol. 19^r, 31^r, 78^v, 235^r). Erwähnung des Dominicus (f. $9^{r/v}$) weist auf Dominikanerinnen. Bibl. stempel der SB München fol. 1^r u. 346^v.

Die Mundart der Hs. ist spätbairisch.

Zur Datierung können WZ herangezogen werden: Anker im Kreis (fol. 22–183, 331, 334, 337, 343, 344), vgl. BRIQUET 454–462, überhaupt nicht vor 1474. Ochsenkopf mit Kreuz (fol. 5, 6, 141, 142, 143, 144, 146, 203, 204, 220, 223, 224, 229, 230), PICCARD, Ochsenkopfwz XI, 149 (1491–94). Ochsenkopf mit Blume (fol. 185, 188, 190, 191), PICCARD, Ochsenkopfwz XII, 789 (v. 1495).

Die Handschrift enthält:

1. Über 160 Gebete von fol. 1^r–236^v, und zwar die meisten an Maria, Gott, Christus, Dreifaltigkeit, sowie Tagzeiten, Ablaß- und Sakramentsgebete (darin fol. 153^r–159^r S. Bernhards Kurs) und an folgende Heilige: Sebastian (2^v. 4^v), Rochus (4^r), Dominicus ($9^{r/v}$), Lienhart (24^v), Christoferus (25^v. 90^r), Georg (26^v), Maria Magdalena (27^r. 197^r), Ottilia (28^r), Antonius (29^r), Erasmus (91^v–96^v), Wolfgang (99^v), die Apostel (179^r), Johannes Ev. (191^r), Johannes Bapt. (192^r), Dreikönige (195^r), Katharina (199^r), Barbara (202^r), Ursula (207^r).

2. 237^r-346^v. Büchlein von der geistlichen Gemahelschaft.
Überschrift:
Das puechlein sagt von geistlicher gemahelschafftt dy szwischen gott und der sell ist und red in geleichnüß von tugentten der junckfrawen

Incipit:
Dy gemahelschafftt dy zwischn got und der sell ist dy hatt den kung der Ern von himll her ab prach das er unser plode menschaitt
Explicit:
O sallig ist der mensch dem sollch junckfrawen der thugentt dien dy vor gemellt synd und irm vatter föllgen des helff uns gott der vatter der sun und der heillig geist
(Zur Bewertung des Textes s. S. 66.)

5. Die Papierhandschrift UB München 4° Cod. ms. 483, 256ʳ–369ᵛ

Beschreibung: FISCHER-FROMM, PBB (Tüb.) 84, 1962, S. 437–443; KORNRUMPF-VÖLKER 139–146. Die Handschrift stammt aus dem Franziskanerkloster Landshut (*Scriptus G* am Buchrücken), kam 1802 zur UB Landshut (seit 1826 München). Rundstempel der UB Landshut und UB München auf fol. 1ʳ.

Die Mundart der Hs. ist bairisch.

Zur Datierung können WZ herangezogen werden: Die Bll. 1–255 enthalten WZ nach 1467. Der Konvent Landshut ging 1466 von den Conventualen an die Observanten über (MINGES 48). Erst unter den Observanten wurde das Büchlein mit neugeschriebenen Texten zu dem Codex vereinigt.

Der Text des Büchleins nämlich (ab fol. 256ʳ) beginnt mit einer neuen Lage, mit einem neuen Schreiber, mit einem anderen Papier, dessen Erhaltungszustand darauf schließen läßt, daß dieser Text längere Zeit nicht gebunden war. Seine WZ sind: fol. 256–306 Ochsenkopf ohne Ohren mit Stern ähnlich BRIQUET 14647, nicht bei PICCARD; fol. 307–370 Negerkopf ähnlich BRIQUET 15622.

Der Codex hat von fol. 256ᵛ bis 281ʳ 20 Bilder, die noch nicht koloriert sind. Sie entsprechen den Bildern des Cgm 775 genau; bis fol. 286 sind noch weitere Bilder vorgepaust, deren Raumaufteilung der der Bilder im Cgm 775 ebenfalls entspricht. Dann hat der Codex für die Bilder nurmehr freigelassene Blätter, die nicht mitgezählt sind.

Die Handschrift enthält folgende Texte:

1. 1ʳ–168ᵛ. Von den Tugenden.
Inc.: *Deins begirlichen pitten do mit*

2. 169ʳ–217ᵛ. Das Altväterbuch in Prosabearbeitung.
Inc.: *Czwen altveter paten got*
Prof. K. Ruh trägt brieflich bei: RUH, PBB (Tüb.) 82, 425; WERBOW in: Stammler-Gedenk-Heft ZfdPh 86, S. 17. Dazu Heidelberg 959, 149ᵛ–247ᵛ.

3. 218ʳ–255ᵛ. Sammlung aszetischer und mystischer Texte.
ähnl. Samml. Cgm 116, 172, 181, 411, 702.

4. 256ʳ–369ᵛ. Büchlein von der geistlichen Gemahelschaft.
Überschrift fehlt.
Incipit:

Dye gemainschaft die zwischen got und der sel ist die hat denn kunig der höchsten eren von himel her ab pracht das er unnser plode menschayt an sich näm
Explicit:
selig ist und im geschicht wol dem solich tugent junchkfraw dint als dy vor nemlich gemelt sind und irem rat voligt den bringen sy fürbar zu dem getrewen preutgam der ewigen selikayt Amen
Das wir im solichem guten rat erfunden weren Darumb so begrues wir dy hochsten und edelisten kunigin der himel mit einem englischen grus und sprechen Ave maria gracia plena Amen
(Zur Bewertung des Textes s. S. 65.)

6. Fragment aus Rar. 286 (früher 2° Inc. s. a. 192) SB München (= Münchener Fragment)

Im vorderen Deckel der genannten Inkunabel (Bibel) war früher ein Druckbogen eingeklebt, der vier unaufgeschnittene Seiten eines Druckes von Johannes Bämler, Augsburg, aus dem Jahre 1476 oder Anfang 1477 enthält, wahrscheinlich einen Korrekturbogen eines unbekannten Druckes, der vor die bekannten Bämlerdrucke (GKW 5666–8) fällt.

Die Bibel ist in Augsburg gebunden, wahrscheinlich in der Bämlerschen Offizin.[70]

Das Fragment besteht aus vier Druckseiten, deren erste (I) rechts oben, deren zweite (II) rechts unten angeordnet ist. Zwischen I und II fehlen ungefähr 50 Wörter (= 5–6 Zeilen). Auf den beiden letzten Druckseiten (III links unten, IV li. oben) finden sich Holzschnitte, die mit Holzschnitten aus dem Bämlerdruck vom 7. März 1477 (GKW 5666) identisch sind (SCHRAMM Nr. 590 und 592). Zwischen der dritten Druckseite (m. Holzschn. SCHRAMM 590) und IV (m. Holzschn. SCHRAMM 592) gibt es keinen Textverlust (Beweis nach Cod. Mell. 235). Zwischen II und III fehlen etwa 620 Wörter. Daraus folgt, daß der Druckbogen einer Lage angehörte. Vermutlich gehörte auf die Rückseite von II ein Holzschnitt mit 5–6 Zeilen Text; auf der Rückseite von III müßte sich, da kein Textverlust, ein ganzseitiger Holzschnitt befunden haben (Darstellung der Kreuzigung?).

Der erhaltene Text entspricht

dem Cod. Mell. 1730, 53^r 2–53^v 10 (= I); 53^v 19–54^r 24 (= II); 56^v 9–15 (= III u. IV).

dem Cgm 775, 228^r 12–229^v 5 (= I); 229^v 12–230^r 9 (= II); 231^v 18–23 (= III u. IV).

dem GKW 5666, 65^r 12–66^r 7 (= I); 67^r 1–67^v 3 (= II); 72^r–73^v (= III u. IV).

---

[70] Diese Angaben macht ein nicht identifizierbarer verstorbener Bibliothekar der SB München auf dem Vorsatzblatt der Inkunabel aufgrund von Lettervergleichen und der Kenntnis von Eigentümlichkeiten einzelner Offizinen.

7. Inkunabel GKW 5666, HAIN 4036
(mit kolorierten Holzschnitten)

3^r Überschrift:
Hie nach volget ein bůch der kunnst dar durch der weltlich mensch mag geystlich werden und der schlecht unverstendig mensch durch geleichnuß zů klarer verstendtnuß götlicher sacrament und grosser gehaim der cristenheit mag gepracht und gefürt werden Das durch einen hochgelerten doctor und lerer der aller durchleuchtigisten großmächtigisten fürstin und frawen fraw Leonaren Römischen Kaiserin etc. mit höchstem vleiß von latin zů teutsch gepracht und iren kaiserlichen genaden geantwort und geschenckt ist worden
3^r Incipit:
Die gemahelschafft so czwischen got und der sel ist hat den künig der höchsten eren von himel herab pracht
109^v Explicit:
da sy mit ein ander rew und alle unsäld ymmer und ewigklichen haben müssent Das loblich und nuczlich büchlin hat getruckt und volenndet Johannes Bämler zů Augspurg am freitag in der andern vast wochen Anno etc. in dem siben und sibenczigisten jar.
(= 7. März 1477. Zur Bewertung des Textes s. S. 67.)

8. Inkunabel GKW 5667, HAIN 4037
(mit kolorierten Holzschnitten)

3^r Überschrift:
Hye nach volget ein bůch der kunnst dar durch der weltlich mensth mag geystlich werden (usw.)
3^r Incipit:
Die gemahelschafft so zwischen got und der sel ist
109^v Explicit:
da sy mit einander rew und alle unsäld ymmer und ewigklichen haben müssent Das loblich und nuczlich büchlin hat getruckt und volenndet Johannes Bämler zů Augspurg ander mitwoche nach sant Nicolaus tag Anno in dem lxxviij jar
(Zur Bewertung des Textes s. S. 59.)

9. Inkunabel GKW 5668, HAIN 4038
(mit kolorierten Holzschnitten)

3^r Überschrift:
Hie nach volget ein bůch der kunst dar durch der weltlich mensch mag geystlich werden (usw.)

3r Incipit:
Die gemachelschafft so zwischen got und der sel ist
109v Explicit:
da sy mit einander rew und alle unsäld ymmer und ewigklichen haben müssent
Das loblich und nüczlich büchlin hat getruckt und volenndet Johannes Bämler zů Augspurg an sannt Bartolomeus abent Anno etc. Tausent vierhundert und in dem ains und neunczigisten jar.
(Zur Bewertung des Textes s. S. 59.)

10. Inkunabel GKW 5669, HAIN 4039
(mit Holzschnitten)

1r Überschrift:
Ein loblich büchlin von der Gemahelschafft so sich zwischen Got und der sele macht gar nützlich und fruchtperlichen zelessen ist
2r:
Hie nach volget ein bůch der kunst da durch der weltlich mensch mag geystlich werden (usw.)
2r Incipit:
Die gemahelschaffat so tzwischen got unnd der sel ist
95v Explicit:
da sy mit einander reu und alle unsäld ymer und ewigklichen haben müssent
Das loblich und nützlich büchlin hat getruckt Hanns schönsperger zů Augspurg und volendet an sant Ambrosius tag Do man zalt nach Cristi geburt Mcccc und in dem xcvij jar
(Zur Bewertung des Textes s. S. 59.)

11. Die Papierhandschrift UB München 4° Cod. ms. 485, 1r–87r

Beschreibung: FISCHER-FROMM, in: Festschrift f. Herm. Kunisch, 119–21; KORNRUMPF-VÖLKER 149f. Die Handschrift stammt aus dem Franziskanerkloster Landshut (*Scriptus G* am Buchrücken), ist offenbar auch in Landshut gebunden (Landshuter Urkunden als Spiegel), kam 1802 an die UB Landshut und von da 1826 an die UB München. Stempel der UB Landshut (Bl. 2).

Die Mundart ist bairisch.

Die Hs. ist auf das Jahr 1478 festgelegt (Bl. 87r im Postscript). Hs. von einem Schreiber.

Die Handschrift enthält:

1. 1r–87r. Büchlein von der geistlichen Gemahelschaft.

Überschrift:
Hie nach volget ein puech der chünst dar durch der weltlich mensch mag geistleich werden und der schlecht unverstentig mensch durch geleichnuss zu klarer

verständnuss götlicher sacrament und grosser gehaim der cristenhait mag gepracht und gefurt werden dar durch einen hochgelerden doctor und lerer der aller durchleuchtigisten großmächtigisten fürstin und frawen fraw leonaren römischen chaisserin etc. mit höchsten fleiß von latein zu teischt gepracht hat und iren kaisserlichen genaden geantwort und geschenckt ist worden

1ʳ Incipit:

Die gemachelschaft so zwischen got und der sel ist hat den chünig der höchsten eren von himel her ab pracht

87ʳ Explicit:

da sy mit ein ander rew und alle unsäld ymer und ewigchlichen haben muessent Das nüczleich puechlein ist geschriben und vollenndet worden da man zald von cristy unsers lieben herren gepurd vierczechen hundert und in dem acht und sibenczigisten jar an sant margreden tag der heiligen junckfrawen

(Zur Bewertung des Textes s. S. 59.)

2. 88ʳ–106ᵛ. Von dem Tod.

Deutsche Ars moriendi. Streckenweise Übereinstimmung mit der Ars moriendi des Cgm 466 f. 40ᵛ–69ᵛ.

Lit.: R. RUDOLF, Ars moriendi, 1957, S. 87.

3. 107ʳ–159ʳ. Marquard von Lindau: Der Eucharistie-Traktat.

Vollständige Hs. des weitverbreiteten Traktats, v. A. J. HOFMANN nicht erfaßt; gehört zu HOFMANNS Gruppe II a. Ausnahmsweise Übereinstimmung mit Ia gegen IIa punktuell. Ausgabe: ANNELIES JULIA HOFMANN: Der Eucharistie-Traktat Marquards von Lindau (Hermaea, Germanist. Forsch. N. F. 7). Tübingen 1960.

4. 159ᵛ. Neujahrspredigt.

Nach FISCHER-FROMM, PBB (Tüb.) 84, 1962, S. 433 Anm. 2 findet sich dieser Text auch St.B. Nürnberg cent. VI, 43 e 4°, 230ʳ–232ᵛ (nicht 43 c, s. KARIN SCHNEIDER, Die Hss. der StB Nürnberg I, 1965, S. 94). Zu vergleichen ist Hs. Bamberg Q. IV. 17 fol. 372ᵛ (identisch?) und STAMMLER, Spätlese 33 ff. Nr. 15.

12. Die Papierhandschrift StB Nürnberg cent. VII 31, 1ʳ–173ᵛ

Beschreibung: KARIN SCHNEIDER, Die Hss der StB Nürnberg I, 313/4.

Die Hs. stammt aus dem Nürnberger Katharinenkloster und ist von einer Schwester des Klosters um den 22. April 1515 in nürnbergischer Mundart geschrieben.

Sie enthält folgende Texte:

1. 1ʳ–173ᵛ. Büchlein von der geistlichen Gemahelschaft.

Überschrift:

Hie noch volgt ain buch der kunst dar durch der weltlich mensch mag gaistlich werden und der schlecht unverstendlich mensch durch gelaichnuß zu clarer ver-

stentnuß gotlicher sackermendt und großer gehaym der cristenait mag gebraucht und gefurdt werden das durch einen hoch gelerten docter und lerer der aller durch laichstige groß mechtiste furstin und frawen fraw leonoren romische kaißerin etc. mit hochstem flaiß von laittain zu dauß gebracht und iren kaißerlichen genaden geantwordt und geschenckt ist worden
1ᵛ Incipit:
Die gemainschafft so zwischen got und der sell ist hat den kung der grosten und hochsten eren von himel her ab bracht
173ᵛ Explicit:
Do sy mit ain ander rew und allen unsal imer und ewigklych haben mußen do uns got vor behut amen Das loblich und nuczlich buchlain ist vol endt am suntag vor sant jorgen tag als man zalt noch cristus geburdt tausent funff hundert und in dem funfzehendenn jar amen anna scheck
(Zur Bewertung des Textes s. S. 60.)

2. 174ʳ–179ᵛ. Exempel von einer Klausnerin.

13. Die Papierhandschrift Klosterneuburg MS 1153, 79ʳ–208ʳ

Nach Auskünften durch den Herrn Stiftsbibliothekar Dr. Floridus Röhrig ist die Hs. wahrscheinlich im Chorherrenstift Klosterneuburg geschrieben, wohl für das Chorfrauenstift (bis 1568). Sie hat eine – offenbar irreführende – Datierung auf 1475 (fol. 1; vielmehr fällt die Hs. auf die Zeit nach 1497. Beweis s. S. 58) und einen Besitzvermerk des Chorherrenstifts.

Ein Schreiber, Mundart bairisch.

Die Handschrift enthält folgende Stücke:

1. 2–17. Regel des hl. Augustinus in deutscher Übersetzung.

2. 18–45. Ps.-Augustinus: Predigt an die Ordensleute, dt.

3. 45–55. Ps.-Augustinus: Leben der hl. Monika, dt.

4. 55–62. Ps.-Augustinus: Brief an Ordensfrauen, dt.

5. 62–73. Ps.-Augustinus: Anweisung an eine Klosteroberin, dt.

fol. 74–78 leer

6. 79ʳ–208ʳ. Büchlein von der geistlichen Gemahelschaft.

79ʳ
Das puechel wirt genandt ain geystleiche Gemachlschafft etc.
80ʳ Überschrift:
Ein loblichs puechlein von der Gemahelschafft so sich zwischen got und der sele macht gar nuczleich und fruchtperleichen zelesen ist
Hie nach volget ein büch der kunst da durch der weltleich mensch mag geistleich

Stelle (nach GKW 5666)		GKW 5666	GKW 5667	GKW 5668	GKW 5669	UB Mü 485	StB Nürnberg cent. VII 31	Klosterneuburg 1153
1.	3^v 5	*hoffart*	*boßheyt*	*boßheyt*	*boßheit*	*hochfart*	*boßait*	*böshait*
2.	4^r 1	*Gar ein*	*Gar ein*	*Ein*	*Ein*	*Gar ein*	*Gar ain*	*Eyn*
3.	5^r 6	*czier*	*czier*	*cziter*	*zeit*	*zier*		*zeit* (gestr., am Rd. *freyd*)
4.	7^v 23	*geweret*	*gewelet*	*geweret*		*gewerd*	*gewelet*	
5.	10^v 12	*mainen*	*vermainen*	*mainen*	*mainen*	*mainen*	*vermainen*	*mainen*
6.	11^v 21	*vnd von*	*vnd hin von*	*vnd von*	*vñ von*	*vnd vō*	*vnd hin von*	*vnd von*
7.	12^v 10	*es halt*	*es*	*es halt*	*es halt*	*es halt*	*es*	*es halt*
8.	14^v 13	*yemand*	*yemant*	*nyemand*	*niemant*	[fehlt]	*jmant*	*nyemant*
9.	17^r 7	*ofen haisser*	*ofen haisser*	*ofenhaysser*	*ofenheitzer*	*offen haiczer*		*ofenhayczer*
10.	17^v 2	*sölich übel*	*sölich übel*	*sölich*	*solichs*	*sölich übel*		*solchs*
11.	19^r 7	*erschreckt*	*erschrecket nun*	*erschreckt*	*erschrecket seer*	*erschreckt*	*erschreckt nur*	*erschrekht seer*
12.	21^r 7	*herr selber*	*herr selber*	*herr*	*herr*	*herr selber*		*herr*
13.	23^r 7	*im ist*	*im*	*im ist*	*ym ist*	*jm ist*		*ym ist*
14.	23^v 7	*praut ein*	*praut ein*	*praut*	*braut*	*prawt ein*		*praut*
15.	25^v 17	*ding*	*wort*	*ding*	*ding*	*dyng*	*ding*	*ding*
16.	27^r 1	*vngepessert*	*vngepessert*	*vngestrafft*	*vngestrafft*	*vngepessert*	*vngebeßert*	*vngestrafft*
17.	27^r 10	*selber nichcz*	*selber*	*selber nichcz*	*selber nichtz*	*selber nichcz*	*selbert nichtz*	*selb^ nichts*
18.	27^r 11	*gehaben*	*gehalten*	*gehaben*	*gehaben*	*gehaben*	*gehaben*	*gehabñ*
19.	27^r 14	*morgen*	*morgē*	*villeicht morgen wider*	*villeicht morgen der wider*	*morḡ*	*morger*	*villeicht morgñ d^ wider*
20.	27^v 5	*im*	*im*	*vnd jm*	*vñ ym*	*jm*	*ym*	*vnd ym*
21.	38^r 2	*wasser*	*wasser*	*wasser*	*meer*	*wasser*		*mẘr*
22.	47^r 1	*fleiß*	*fleyß*	*fleüß*	*fluß*	*fleiss*		*fluß*

werden und der slecht unverstentig mensch durch geleichnüß zu klarer verstendtnus gotlicher Sacrament und grosser gehaim der cristenhait mag gepracht und [fol. 80v] *gefurt werden das durch ainen hochgelerten doctor und lerer der aller durchleichtigisten fürstin und frawen fraw Leonoren Römischen Kayserinn etc mit höchstem vleis von latein zu dewczsch gepracht und iren kayserleichen genaden geantburt und geschenkht ist worden*
81r Incipit:
Die gemähelschafft so czwischen got und der Seel ist hat den kunig der höchsten eren von hymel herab pracht
208r Explicit:
das ist des menschen Seel in die hell da sy mit einander rew und unsald ymer und ewigkleichen haben muessent etc. Es get layder wenig menschen zu herczen O herr Jesu Christe lass dirs erparmen

A. Die Abhängigkeitsverhältnisse der Prosafassungen

1. Das 'Buch der Kunst'

Es fällt sofort auf, daß sich die Prosaüberlieferung in zwei Gruppen scheidet. Die Drucke und Handschriften mit der Überschrift 'Buch der Kunst' sind offensichtlich jünger, aber das Incipit des Textes weist auf enge Verwandtschaft. Gäbe es nicht die Klosterneuburger Handschrift 1153 mit dem Datum 1475, so wäre die Annahme, daß das 'Buch der Kunst' von 1477 der Hyparchetyp der Redaktion 'Buch der Kunst' sei, das Nächstliegende. So muß aber der Untersuchung der gesamten Prosaüberlieferung die Untersuchung des 'Buches der Kunst' vorausgehen, damit tatsächlich der wichtigste Textzeuge dieses Überlieferungszweiges mit den übrigen Textzeugen verglichen wird.

Zur Argumentation s. Seite 57 mit ihren Beispielen. Die Verwandtschaft zwischen GKW 5669 und der Handschrift Klosterneuburg 1153 zeigen die Beispiele 3, 9, 10, 11, 19, 21, 22 (sowie der gesamte übrige Befund völlig eindeutig). Für die Abhängigkeit sind die Fälle 3 und 22 wichtig: sie bieten Weiterentwicklungen aus Druckfehlern der Auflage GKW 5668 vom Jahre 1491. Damit scheidet die Vermutung aus, Schönsberger habe eine andere Textredaktion dem Druck zu Grunde gelegt. Es ergibt sich: 1153 muß nach 1491 entstanden sein, und da die Hs. mit dem Schönsberger-Druck übereinstimmt, ist die Annahme plausibel, 1153 sei von GKW 5669 abgeschrieben. Die Jahreszahl 1475 im Cod. Klosterneuburg 1153 erscheint damit suspekt.

Damit ist die Schwierigkeit der Datierung des 'Buches der Kunst' behoben. Es ergibt sich: Der führende Text des 'Buches der Kunst' ist der Bämler-Druck GKW 5666[71] (zur Bewertung des Textes s. S. 67).

GKW 5667 und GKW 5668.

Die Textform der Inkunabeln GKW 5667 und 5668 ist gegenüber dem Druck vom 7. März 1477 nicht bewußt verändert. Die Abhängigkeitsverhältnisse können nur aus gelegentlichen Fehlern, Erweiterungen oder Auslassungen bestimmt werden. Dabei ergibt sich: GKW 5667 und GKW 5668 hängen unabhängig voneinander vom GKW 5666 ab. Am Anfang jedoch scheint GKW 5668 auch den GKW 5667 benützt zu haben.[72]

Für Abweichungen des GKW 5667 s. Beispiel 4, 5, 6, 7, 11, 13,15,17,18.

Abweichungen des GKW 5668 s. Beispiel 2, 3, 8, 10, 12, 14, 16, 19, 20, 22.

Schönsbergers Druck GKW 5669.

Wie die Beispiele zeigen (2, 8, 10, 12, 14, 16, 19, 20), hängt Schönsbergers Druck von Bämlers GKW 5668 ab. Er ist allerdings selbständig weiterentwickelt, wie insbesondere Beispiel 3 und 22, aber auch 11, 19, 21 zeigen.

Schon ein Vergleich der ersten Blätter läßt selbständige Änderungen und Erweiterungen erkennen (s. – verglichen auf GKW 5666 – 3^r 19/20, 3^v 9. 10. 11. 12, 4^v 3. 5. 7. 9., 5^r 2. 5, 5^v 2. 18. 19, 6^r 5. 6. 8 usw.), die meist verdeutlichenden Charakter haben: Adverbien, Adjektive, Appositionen, Demonstrativa.

Sachlich ist der Text nur an einer Stelle erweitert: Vor der Erörterung der *knechtlichen* Furcht hat er die natürliche Furcht (Todesfurcht) und die *getzwungne vorcht* erwähnt, die jede Kreatur erfasse, wenn sie gefangen oder mit *etwas unfalß* beladen werde.

Hs. Klosterneuburg 1153.

Daß die Hs. Klosterneuburg 1153 dem Schönsberger-Druck folgt, ist ausgeführt.

UB München 4° Cod. ms. 485.

Der Text folgt dem Bämlerdruck GKW 5666 (alle Beispiele). Die Textgestalt ist zuverlässig, das 'Büchlein' ist mit 94 Federzeichnungen nach Bämlers Holzschnitten (s. Anm. 71) geschmückt (93 koloriert).

---

[71] Die Holzschnitte, die Bämler in allen Drucken verwendete (s. die Monographie v. ALBERT SCHRAMM) und die Schönsberger zum Teil übernahm, z. T. nachschnitzen ließ, sind am Anfang mit den Bildern im Cgm 775 und 4° Cod. ms. 483 UB München verwandt (s. Anm. 73).

[72] Siehe Beispiel 1, sowie – bezogen auf GKW 5666 – f. 3^v3, 7^v10, 8^r10.

StB Nürnberg cent. VII 31.

Der Text geht mit dem GKW 5667 (Beispiel 4, 5, 6, 7, 11), hat aber streckenweise andere Lesarten (Beisp. 15, 17, 18). Nirgends jedoch folgt er den Abweichungen des GKW 5668 noch den Erweiterungen des GKW 5669, so daß – allerdings ex silentio – der Schluß erlaubt ist, daß neben dem GKW 5667 auch der GKW 5666 als Vorlage verwandt ist. Die Lesarten (gemessen an den Blattzahlen des GKW 5666) verteilen sich wie folgt:

bis 25	mit GKW 5667	bis 80	mit 5667
44	5666	91	5666
60	5667	Schluß	5667
68	5666	(zwei Lesarten noch aus 5666)	

Für die Überlieferung des 'Buches der Kunst' ergibt sich folgendes Stemma:

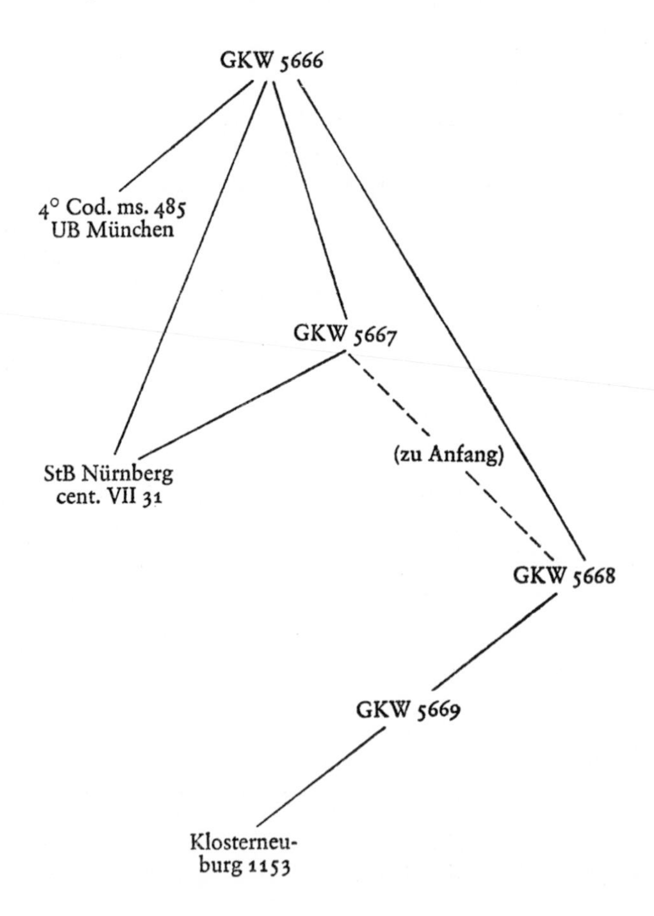

Stelle im Cod. Mell. 1730	Stelle im Cgm 775	Cgm 5942	Cgm 775	4° Cod. ms. 483 UB Mch.	Schottenstift 295	Cod. Mell. 1730	Cod. Mell. 235	Münchener Fragment	GKW 5666
1. 18^{v} 2	192^{v} 2	*rayttumb*	*raytumb*	*raittumb*		*raitung*	*raitung*		*rechnung*
2. 28^{v} 7	204^{r} 14	*und es*	*und es*	*und es*		*es*	*es*		*es*
3. 56^{r} 2	231^{r} 17	*prechenlichaitt*	*prechenhait*	*preilichayt*		*prechen*	*prechen*		*prechen*
4. 63^{r} 5	240^{r} 14	*ligentt*	*ligen*	*ligent*		*lagen*	*lagen*		*lagen*
5. 9^{v} 13	181^{r} 8	*erhöchst*	*erhebst*	*erhebst*	689 *uberhebt*	*überhebst*	*überhebst*		*überhebst*
6. 13^{r} 1	184^{r} 25	*arbait*	*antwurt*	*arbayt*	952 *tumbhait*	*tarhait*	*tarhait*		*torhait*
7. 16^{v} 3	189^{r} 20	*dich nichtt*	*dich nit*	*dich nicht*	1296 *dich an dich nicht*	*dich an dich nicht*	*dich auch an dich nicht*		*dich on dich nit*
8. 28^{v} 4	204^{r} 12	[fehlt]	*durch ſy lannd und leut püest*	*durch ſy landt und leut puezzt*	2058 *lonen oder püssen*	*durch sy lant und püezzt*	*durch ſy lant und püezzt*		*püßt durch die gerechtikeyt land und leutt*
9. 53^{v} 5	229^{v} 1	[fehlt]	*gar lieplichen*	*gar lieblich*	3786 *süzz*	*liepleich*	*liepleich*	*lieplich*	*lieplich*
10. 54^{r} 1	229^{v} 16	[fehlt]	*junckfraw ist*	*junchkfraw ist*	3819 *magd*	*iunchfraw*	*iunchfraw*	*iunckfrau*	*iunckfraw*
11. 50^{v} 13	226^{r} 21	*trüncken vnd assen*	*truncken und assen*	*trunchken und assen*	3597 *trunchen und assen*	*azzen und trunkchen*	*azzen und trunkchen*		*assen und truncken*
12. 53^{v} 1	228^{v} 5	[fehlt]	*väter*	*vätter*	3776 *vater*	*väter in der vor hell*	*väter in der vor hell*	*väter in der vor hell*	*altuätter in der vorhelle*
13. 57^{r} 18	232^{r} 21	*erklüngen*	*erchlungen*	*erchlungen*	4140 *erchlungen*	*erchlang*	*erchlang*		*erklang*
14. 60^{r} 6	236^{r} 1	*vnd das ist*	*und das ist*	*und das ist*	4322 *und ist*	*das ist*	[fehlt]		*das ist*
15. 60^{v} 11	236^{v} 20	*triualltige*	*drivaltige*	[fehlt]		*driuächtige*	*driuächtige*		*triuache*
16. 77^{r} 6	253^{v} 1	*dar zw wan dy ist dir gar nücz und gutt darzw*	*darzu*	*darzu dy ist dir nücz und gut darzu*		*dar zw die ist dir nutz und guet dar zw*	*wann dy ist dir nutz und guet Dar zw*		*die ist dir nücz und gůt Darczů*
17. 70^{r} 13	246^{v} 8	[fehlt]	*Er naigt zu ir sein antlucz*	*Er naigt zu ir sein antlicz*		*Er naigt zw ir sein antlicz*	*Er naigt zw ir sein antlitz*		*Er naigt zu ir sein antlücz*
18. 41^{r} 1	216^{r} 12	*lattern*	*latern*	*lucern*		*lucern*	*lucern*		*luceren*
19. 76^{r} 3	252^{v} 9	[fehlt]	[fehlt]	*und was stetikayt sy haben*		*und was stätichait sy halten*	*und was ir stätichait sey*		*und was ir stätigkeit sey*

Stelle im Cod. Mell. 1730		Stelle im Cgm 775	Cgm 5942	Cgm 775	4° Cod. ms. 483 UB Mch.	Schottenstift 295	Cod. Mell. 1730	Cod. Mell. 235	Münchener Fragment	GKW 5666
20.	18v 18	192v 15	*menschen leben*	*menschen leben*	*menschen leben*		*leben*	*menschen leben*		*menschen leben*
21.	29r 16	204v 14	*und dar an kain sundlichs werk thwnn*	*und chain sundtlich werch daran thuen*	*und chain sundleichs werch dar an tun*		[fehlt]	[fehlt]		*und dhein sündtlich werck daran thůn*
22.	20v 21	196r 6	*hilft*	*hilft*	*hilft*		*ſtewert*	*stewert*		*hilfft*
23.	34v 2	209v 3	*erfrischett*	*erfrischt*	*erfrischet*		*erlust*	*erlusst*		*erfrischet*
24.	24r 2	200r 7	*ging do trug*	*gieng Da trueg*			*gieng trueg*	*gie Da trueg*		
25.	46r 19	222v 23	*wolltten*	*wolten*	*wolten*		*pegunden*	*wolten*		*wolten*
26.	37v 19	212r 2	*ynderisten*	*jnderisten*	*nideristen*		*nydristen*	[fehlt]		*nidersten*
27.	47r 7	223v 5	*vppiklich wetrogen vnd wetrübtt*	*üppicklich betrüebt*	*vppiklich petrubt*	3392 *uppichleich petrübtt*	*vppiklich wetrogen und wettrübtt*	*üppichleich petruebt*		*yppigklich betrogen*
28.	48v 3	224v 6	*dy zeitt noch dy stund noch den tag eurs ends*	*die zeit noch die stund noch den tag ewrs endcz*	*dy czeit noch dy stund noch den tag ewrs ends*		*die czeit noch den tag ewers ends*	*die czeit des tods*		*die czeit des todes*
29.	61v 18	238v 4	*weschaydne*	*beschawende*	*peschaidne*		*peschaidne*	*nutze*		*nücze*
30.	53r 24	228v 6		[fehlt]			[fehlt]	*und wie mit chlägleicher stym sy nach im ruefften das er chäm und ſy von irr vänkchnus ledigt*	*und wie ſy mit kläglicher stymm nach im gerüfft haben daz er zů jn käm und ſy von irer gefängknüß erledigte*	*und wie sy mit kläglicher stymm nach im gerüfft haben dz er zů jn käm und sy von irer gefängknuß erledigte*
31.	53v 5	229v 1		*er*			*er*	*er sey grüesst und*	*er sy grůßt und*	*er ſy grůßt und*

Stelle im Cod. Mell. 1730	Stelle im Cgm 775	Cgm 5942	Cgm 775	4° Cod. ms. 483 UB Mch.	Schotten-stift 295	Cod. Mell. 1730	Cod. Mell. 235	Münchener Fragment	GKW 5666
32. 53^{v} 19/20	229^{v} 12/13		*Auch merck und sich an*			*Auch merkch und siech an*	*Auch siech an*	*Auch merck und sich an*	*Du solt auch mercken und ansehen*
33. 53^{r} 13	228^{r} 22		*vnser veint*			*unserer veint*	*der veint*	*der veint*	*der sünd*
34. 53^{r} 15/16	228^{r} 23/4		*vnd hat in im frid genad vnd rat*		3757 *frid, gnad und rat*	*und hat in im frid gnad und rat*	[fehlt]	*in der frid und der genad*	*in fröwden und genaden*
35. 53^{r} 18	228^{r} 25		*an der spiegelschaw*			*an der spiegel ſchaw*	*an des spiegels schawung*	*an der ſpiegel schaw*	*in der spiegel-schawe*
36. 53^{v} 4	228^{v} 8		*junkfrawn*			*iunchfrawn*	*iunchfrawn und*	*wirdigen iunckfrauen und*	*iunckfrawen vnd*
37. 53^{r} 10/11	228^{r} 18/9		*an dem sy allen trost vindt vnd trawrn vberwint*			*an dem sy allen trast vint und trawern über wint* [illegible]	*von dem ſy trösst wirt und von trawrichait genomen*	*Mit dem wirt ſy getröst und von traurigkeyt genommen*	*mit dem sy getröstet wirt vnd von traurigkeyt genommen*
38. 53^{v} 3	228^{v} 7		*der engel Gabriel*			*der engel gabriel*	*der heilig engel sand Gabriel*	*der heylig erczengel sant Gabriel*	*der heylig erczengel sant Gabriel*
39. 53^{v} 7	229^{v} 2		*magt*		3784 *magt*	*magt weis*	*magt weis*	*in magtumbs weiß*	*in magtumbs weiß*

2. Die Filiation der ersten Prosafassung

Der Bämlerdruck GKW 5666 ist als Archetyp des 'Buches der Kunst' erkannt; er muß demnach mit den fünf vollständigen Textzeugen der ersten Prosafassung, den Cod. Mell. 235 und 1730, den Cgm 775 und 5942, sowie dem 4° Cod. ms. 483 UB München verglichen werden. Zu ihnen tritt das Münchener Fragment.

Die Seiten 61 bis 63 geben paradigmatische Lesarten (Kürzel aufgelöst).

Die Überlieferung scheidet sich in zwei Gruppen. Die Cgm 775 und 5942 gehen mit dem 4°Cod. ms. 483; die Cod. Mell. 1730 und 235 gehen mit dem GKW 5666 (und dem Münchener Fragment); Beispiele 1–4.

Diese beiden Überlieferungsstränge beruhen auf Abschriften des Archetyps der Prosafassung *B. Das ergibt sich aus dem Vergleich der Prosafassungen mit den Lesarten der Reimfassung. In den Beispielen 5–10 werden Lesarten der für den Cgm 775, den Cgm 5942 und den 4° Cod. ms. 483 gemeinsamen Vorlage *C greifbar; in den Beispielen 11–14 Lesarten der für die Cod. Mell. 1730 und 235, sowie GKW 5666 und Münchener Fragment gemeinsamen Vorlage *E. Das Beispiel 15 zeigt, daß 483 für keinen anderen Textzeugen Vorlage war; die Beispiele 16 für Cgm 775 und 17 für Cgm 5942 dasselbe.

Die Beispiele 18 und 19 belegen Lesarten der für die Cgm 775 und 5942 gemeinsamen Vorlage *D, einer Abschrift von *C wie 4° Cod. ms. 483.

Die Beispiele 20 und 21 beweisen, daß Cod. Mell. 1730 nicht die Vorlage für GKW 5666 war. Die Beispiele 22 und 23 beweisen die Abhängigkeit des Cod. Mell. 235 von Cod. Mell. 1730. Beispiel 24 und 25 zeigen, daß der Cod. Mell. 235 nicht allein vom Cod. Mell. 1730 abhängig ist (s. auch Beispiel 20). Beispiel 26 zeigt, daß GKW 5666 und Cod. Mell. 1730 nicht vom Cod. Mell. 235 abhängig sind, Beispiel 27, daß GKW 5666 nicht Vorlage für Cod. Mell. 235 ist (und außerdem, daß der Cod. Mell. 235 die beste Tradition von *E haben kann; die Übereinstimmung der Sprachformel zwischen Cgm 5942 und Cod. Mell. 1730 ist zufällig und punktuell).

Die Beispiele 28 und 29 weisen auf eine gemeinsame Vorlage von GKW 5666 und Cod. Mell. 235, die Zwischenstufe *F (Daß Cod. Mell. 235 außerdem streckenweise von Cod. Mell. 1730 abhängig ist, ist mit Beispiel 22/3 gezeigt). Auch das Münchener Fragment weist gemeinsame Lesarten mit Cod. Mell. 235 und GKW 5666 auf, s. Beispiel 30 und 31.

Es ist nicht von Cod. Mell. 235 abhängig (Beispiel 32) und nicht von GKW 5666 (Beispiel 33), wie auch GKW 5666 nicht vom Münchener Fragment abhängig ist (Beispiele 34–6). Die Gemeinsamkeiten von Cod. Mell. 235, GKW 5666 und Münchener Fragment weisen somit auf *F.

Da GKW 5666 und Münchener Fragment nicht voneinander abhängen (Beisp. 33–6), weisen gemeinsame Lesarten (Beisp. 37–9) auf deren gemeinsame Vorlage *G.

3. Der erschlossene Archetyp der Prosafassung *B

Die beiden erschlossenen Abschriften *C und *E gehen auf eine gemeinsame Vorlage zurück: den Archetyp der Prosafassung *B. Eine Feststellung läßt sich für ihn treffen: er kam aus Niederösterreich, wie Seite 61, Beisp. 6 zeigt. Nur in Niederösterreich fiel *â* und *ô* zusammen. Das wurde in Altbayern nicht verstanden, daher kam es in *C zur Verschreibung *arbait*. Dieselbe Beobachtung ergibt sich aus Seite 61, Beisp. 8: überdies wurde auch in Augsburg (GKW 5666) die Stelle mißdeutet. Daß *B Bilder hatte, ist nicht sicher; für *C läßt es sich nachweisen: Cgm 775 und 4° Cod. ms. 483 haben, soweit 483 Bilder hat, genau die gleiche Bildanordnung. Da nun auch Bämlers Drucke Bilder haben, die eine gewisse Verwandtschaft mit den Bildern der Cgm 775 und 4° Cod. ms. 483 haben,[73] wäre die eine Möglichkeit: auch *B hatte Bilder, die über *E, *F, *G an Bämler kamen. Es ist jedoch auch möglich, daß Bämler die Bilder aus einer Handschrift der Filiation von *C entlehnte.

4. Bewertung der Handschriften der Prosaüberlieferung

Die Prosaüberlieferung der ersten Prosafassung gliedert sich nach Maßgabe des Stemmas auf S. 66.

Die dem Archetyp *B nächststehenden Handschriften sind der 4° Cod. ms. 483 UB München und der Cod. Mell. 1730.

Der Text im 4° Cod. ms. 483 UB München ist nicht besonders gut, teilweise nachlässig geschrieben.[74]

Der Text des Cod. Mell. 1730 ist nun einerseits textlich am besten von allen Prosatexten erhalten, andererseits stammt er aus dem niederösterreichischen Sprachraum wie der Archetyp *B: Aus diesen Gründen muß der Text des Cod. Mell. 1730 als der führende Prosatext angesehen werden.

Eine entsprechend sorgfältige Abschrift aus der Tradition von *C bietet der Cgm 775; allerdings hängt er von dem nicht immer zuverlässigen Text *D ab

[73] Gleiche Sujets, aber spiegelverkehrte Anordnung der ersten Bilder Bämlers. Die Holzstöcke hatten die gleiche Anordnung wie die Buchmalereien.

[74] Die zweite Jungfrau (entsprechend v. 415–490) fehlt völlig; allerdings macht Frl. G. Kornrumpf (UB München) auf einen Blattverlust an dieser Stelle aufmerksam.

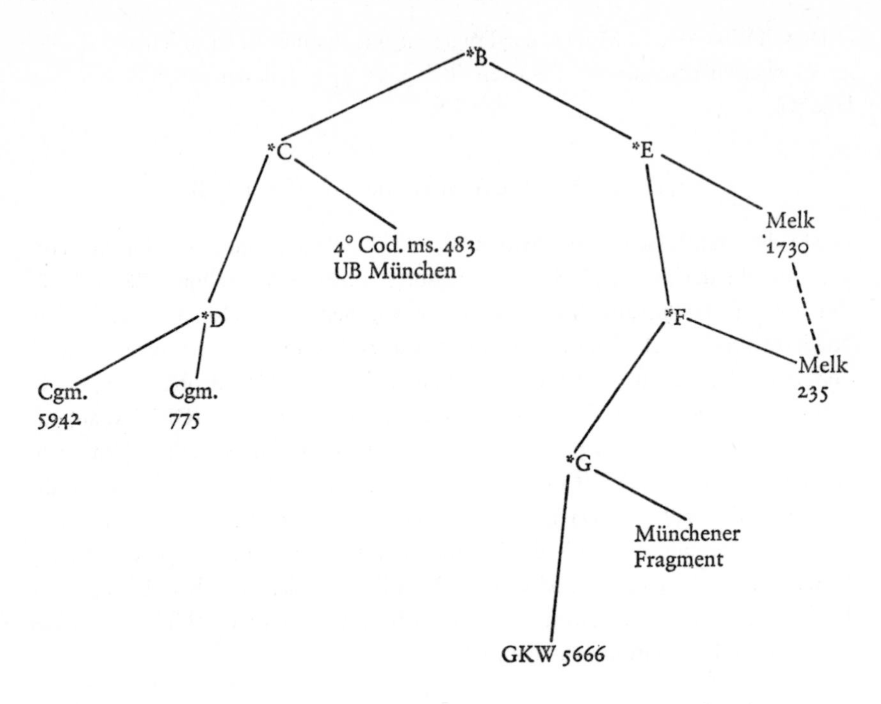

(Beispiel 18, 19, 26) und hat auch eigene Lesarten (Beisp. 6, 29), die aber immer sinnvoll auf den Kontext abgestimmt sind.

Der Text aus dem Cgm 5942 ist eine nachlässige Abschrift mit sinnentstellenden Auslassungen und Fehlern.

Für die Tradition von *F erlaubt erst das Auftauchen des Münchener Fragments genauere Aussagen, da sowohl der Cod. Mell. 235 (Beispiel 32, 34, 36) als auch der GKW 5666 (Beispiel 32, 33, 34, 36) eigene Redaktionen mit Eingriffen in den Textbestand bieten.

Danach ist bereits der erschlossene Text *F redaktionell von seiner Vorlage *E verschieden (Beispiel 19, 28, 29, 30, 31, 36). Für *F läßt sich außerdem eine für Melk 235 und GKW 5666 gemeinsame Umstellung eines Abschnittes bei der Schilderung des Paradieses reklamieren, sowie die Einfügung des Gleichnisses vom Vogel und dem Stein (nach Seuses 'Büchlein der Ewigen Weisheit' cap. XI. BIHLM. 239, 12–20) zum Ausdruck für die Länge der Qual der Verdammten am Ende des Büchleins.

Der Text des Cod. Mell. 235 ist außerordentlich schwer zu fassen: z. T. hängt er vom Text, den der Cod. Mell. 1730 bietet, ab (Beisp. 21, 22, 23), zum großen Teil hat er Lesarten seiner Hauptvorlage *F (Beispiel 19, 27, 28, 29, 30, 31, 36), z. T. bietet er eine selbständige Textredaktion (Beispiele 32, 34, 35, 38). Der

Text ist überlegt und sinnvoll redigiert. Das Münchner Fragment bietet im wesentlichen den Text seiner Vorlage *G (Beispiele 37, 38, 39), die wiederum offenbar nicht wesentlich von ihrer Vorlage *F verschieden war.

Auch der GKW 5666 bietet redaktionelle Eingriffe,[75] auch mit sachlichen Erweiterungen, die aber nur im Falle der Passion Christi, wo Bämler mit Hilfe seiner Holzschnitte den Text zu einer Art Stationenweg umgestaltet hat, aus dem Vergleich mit dem Münchner Fragment dem Text GKW 5666 eindeutig zuerkannt werden können. Soweit die Textredaktion des GKW 5666 nicht am Münchner Fragment nachgeprüft werden kann, kann sie auf der erschlossenen Vorlage *G beruhen, ja sogar auf *F. Der Cod. Mell. 235 gibt streckenweise keine Anhaltspunkte für seine Hauptvorlage *F, dort nämlich, wo er dem Cod. Mell. 1730 folgt oder eine Eigenredaktion bietet.

Die übrige Überlieferung des 'Buches der Kunst' (s. S. 59/60) ist, da sie direkt vom GKW 5666 abhängig ist, für die Textgestalt des Archetyps der Prosafassung *B ohne Belang. Als führende Handschrift wird der Cod. Mell. 1730 den Untersuchungen zum Archetyp der Prosafassung *B zu Grunde gelegt; die Parallelstelle aus der zuverlässigsten Handschrift der Tradition von *C, dem Cgm 775, wird angegeben.

B. Untersuchungen zum Archetyp der Prosafassung *B

1. Formale Unterschiede zwischen der Reimfassung und der Prosafassung

Der Text der Prosafassung ist streckenweise so stark gekürzt, daß ein Vergleich oft nicht möglich erscheint. Die Kürzungen stehen jedoch unter einheitlichen Gesichtspunkten.[76]

Für die Stellen, die die Existenz des Teufels zu stark betonen, fehlen Entsprechungen in der Prosafassung: v. 79–100, 105–144, 1107–1126, 1132–1146, 1920–1923.

Fast alle lateinischen Worte, Zitate und Sentenzen sind fortgefallen; nur der Vers 1405 und die *Verba* (2719–2725) sind bewahrt. Die Verse 5274–79 und 5304–11 sind genauso weggelassen wie die Erwähnung des Begriffes *congrui meritum* (1270–88).

Vielleicht ist ebenso bedeutsam das Weglassen der Verse 2478–87, 2758–99,

---

75 Über die Manier Bämlers zu Eingriffen in die Textgestalt s. SCHRAMM 1.

76 Auf Kürzungen, die Appositionen, Gleichnisse, Nebensätze usw. betreffen, wird hier verzichtet, wo es um die allgemeine Charakterisierung der Prosafassung geht.

wo von der Rolle der Contemplation innerhalb der trinitarischen Spekulation die Rede ist.

Einen Eingriff in den Aufbau des Werkes bedeutet das Weglassen von v. 983–1072 (Umkehrgedanke, die Definition der Gemahelschaft der Taufe), weniger wesentlich erscheint die Weglassung 4653–60.

Charakteristische Äußerungen des Verfassers Konrad fallen mit 1151–60 und 6515–30 weg; seine Ermahnungen werden 2617–47, 5856–59, 5896–5930, 5935–44, 5946–52, 5957–60, 5965–74, 5976–6018, 6025–28, 6039–88 vernachlässigt.

Welche Schlüsse läßt das Verwischen der ursprünglichen Form, das Weglassen lateinischer Worte und mancher von franziskanischer Geisteshaltung geprägter Erörterungen zu, dem man insgesamt überlegtes Vorgehen nicht absprechen kann? Verändert das Weglassen der moralischen Exkurse das Gesicht der Dichtung? Und was bedeutet das Weglassen der Vergleiche aus dem Familienleben 6177–81, 6201/2 und das Weglassen des Begriffes *phaffen* (1468/9, 2804–11, 5812–23, 6338–50), sowie das Weglassen der Erwähnung schöner Frauen (1469)? Steht die Auslassung 2140–51, wo vor der überstürzten Bindung an Gelübde gewarnt wird, und die Auslassung des Rates, der vor maßlosem Fasten warnt (2536–51), damit in Zusammenhang?

Möglicherweise geben die Veränderungen einen Hinweis. Im Vorbeigehen soll erwähnt werden, daß die Braut in der Reimfassung mit *ir*, in der Prosafassung mit *du* angeredet wird.

Überraschend ist, daß sich in der Prosafassung eine andere Formulierung der zehn Gebote (2082–2103) findet.[77] Wesentlicher für die Fragestellung ist jedoch die Veränderung, die die Formulierung des Sakraments der Ehe (4225–44) erfahren hat (Melk 1730, 58^{r} 21 – 59^{r} 9, vgl. Cgm 775, 234$^{r/v}$):

Die sechst heilichait ist die ee der chanschafft die got selber im paradeis hat auff gesetzt. Nicht das man durch fleischleiche pöse lieb dar in gee sunder das

---

[77] Melk 1730, 29^{r} 8–23, vgl. Cgm 775, 204^{v}:

Dar umb merkch hie die tzehen / pot Das ist hab lieb got deinen / prewtigan für alle ding ob allen / dingen und in allen dingen von gantzer / sel und von aller deiner chraft. Du / scholt pey dem namn gots nicht va- / lsch swern noch eitleich in deinn / mund nemen. den veyrtag scholtu / halten. vater und mueter hab in ern. / du scholt nyembt tötten. Du scholt / nichts steln noch rawben. Pis ni- / cht unchewsch Du scholt nicht / valscher tzewg sein. und peger auch / nicht frömder ding deins nachsten. / wann wes du wild über haben sein / das tue auch nicht eim andern

Das alte zweite Gebot ist ausgefallen; das neunte und zehnte ist noch nicht getrennt; somit sind es nur neun Gebote. Der Cod. Mell. 235 läßt die Gebote überhaupt aus, der GKW 5666 stellt wie Cod. Mell. 1730, trennt aber das letzte in 9 und 10, nennt im neunten die Frau, im zehnten das Gut.

got gelobt wert von ir paider frucht. wann sy dar umb nicht sicher sind des himels das sy in der chanschafft sind. und nach irer fleischleichen pösen pegier leben sunder ir weg ist in zu der hell als wol peraitt ob sy anders mit ein ander leben dann die natur gearnt hat und nach der vorcht gots als den die aws der ee in dem unarnleich leben. wann die stat und tzeit ist uns dar umb nicht verlihen das wir sünten und unrecht tuen sunder das wir wider pöse pegier in tägleichem streit stenn wann da mit wirt grazzer lan verdient. wann die fümff synn unsers leibs sind uns dar umb nicht verlihen das wir reden sehen hören smekchen und greiffen nach dem als es uns enkegen lawfft sunder allain zu slechter nötturfft unsers leibs und der sel und zu nutz und füdrung unserm nachsten lawter durch got. Dar umb sehen sich dy vast für das sy in die ee genn durch got und nicht czu irm in gang der hell. wan er wirt nicht leicht ledig der mit pöser lieb gevangen wirt er sey in der ee oder aws der ee

Ebenso ist die Veränderung der Formulierungen beim Sakrament des Priesteramtes bemerkenswert (v. 4217–24; Melk 1730, 57ᵛ 9–14, vgl. Cgm 775, 233ᵛ): *Die dritt ist priesterleiche und geistleiche ardnung die da got sunder schüllen ern mit irn rainn und heiligen leben und gueten ebenpilden da von ander ainfaltig menschen pessert wern und zu got tzogen*

Die Perspektive hat sich in der Prosafassung gewandelt; nicht mehr Laien (4218) und Eheleute (4228, 4231, 4236 usw.) werden angeredet: es wird über Eheleute gesprochen, und wer angeredet wird, das läßt sich vermuten. Ein Begriff nämlich, der in der Reimfassung überhaupt nicht vorkommt, taucht in der Prosafassung auf: *ebenpild.*

Daß er auf den geistlichen Stand bezogen werden kann, zeigt das abgedruckte Sakrament des Priesteramtes. Die Stellen, an denen der neue Begriff *ebenpild* auftaucht, sind folgende:

(Melk 1730, 8ᵛ 4–8, Cgm 775, 180ᵛ; entspricht v. 569)
Das sehent ander swester drey, das sind die liebhaber gots die mann pitten und rüeffen in predigen in gueter ler und ebenpild und in irm andächtigem gepet

(Melk 1730, 22ᵛ 4–17, Cgm 775, 198ʳ; entspricht v. 1722)
sunder fleizz dich in tzucht und in gueten siten (*C und GKW 5666: *und ebenpilden*) *und in allem deim pär und in der würchung deins leibs schol nicht gesehen werden das einn andern erger sunder das tzym deim hailant zu seinn ern und zu deim nutz. Nicht verwirff des herren tzucht noch vertzag so du von im gestrafft wirst. Nicht gedenkch wie ander menschen sein sunder was ebenpild sy von dir nemen. Nicht verlews das mit deim pösen ebenpild umb das dein prewtigan gestarben ist*

(Melk 1730, 37ʳ 3–10, Cgm 775, 211ʳ/ᵛ; entspricht v. 2574)
sunder sy leit auch geistleich an des hertzen mitleiden so ainer seinn nachsten

in truebsal oder in chumernus und irrung seins lebens siecht sunder ser sel und im da ze staten chümbt mit rat und ler mit tröstleicher unterweisung mit gueten ebenpilden

(Melk 1730, 46r 14–16, Cgm 775, 222v; entspricht v. 3326)

des frewten sich die affen. Aber wenig warn die da pey ebenpild namen und sich an die sprechund stym cherten

(Melk 1730, 54v 12/3, Cgm 775, 230r; entspricht v. 3902)

so trag es umb mit gueten ebenpilden

Der Schluß liegt nahe, daß das Werk für den Klostergebrauch umgeschrieben worden ist.

Den hauptsächlichen Beweis führen die Stellen über Ehe und Priesterschaft. Hinzu tritt die Weglassung wesentlicher Stellen, wo vom Teufel die Rede ist, sowie insbesondere die Weglassung des Umkehrgedankens und der Gemahelschaft aus der Taufe (983–1072) und der Stellen, die vor überschneller Bindung an Gelübde (2140–51) und unvernünftigem Fasten (2536–51) warnen.

Ein guter Teil der moralischen Einflechtungen ist weggefallen. Sie sind durch erbauliche Zitate ersetzt.

Melk 1730, 24v, Cgm 775, 200v (entspricht: nach v. 1855)
wird die Furcht mit Worten der Propheten, des Hieronymus, Augustin, Jesaia paraphrasiert.

Melk 1730, 30r, Cgm 775, 205r (entspr.: nach 2178)
zur Gerechtigkeit Zitate aus den Propheten, Hieronymus, Johannes, Salomon, Ecclesiasticus.

Melk 1730, 34r, Cgm 775, 209r (entspr.: nach 2431)
zur Beichte Zitat aus Augustin.

Melk 1730, 34v/35r, Cgm 775, 209v (entspr.: nach 2449)
zum Gebet Zitate aus Hieronymus, den Propheten, Isidor, Augustin.

Melk 1730, 35v/36r, Cgm 775, 210r/v (entspr.: nach 2498)
zum schweigenden Gebet Ezechiel, Könige, Augustin, Jesaia.

Melk 1730, 36r/v, Cgm 775, 210v/211r (entspr.: nach 2563)
zur Kasteiung Augustin, Moses, Salomon, Daniel, Propheten.

Melk 1730, 37v, Cgm 775, 211v/212r (entspr.: nach 2617)
zur Barmherzigkeit Christus, Propheten, Hieronymus, Ambrosius.

Melk 1730, 39r/v, Cgm 775, 214r (entspr.: nach 2755)
zur Dreieinigkeit Augustin, Athanasius.

Melk 1730, 84v/85r, Cgm 775, 260v/261r (entspr.: nach 6350)
zur ewigen Seligkeit: Bernhard, Augustin.

Noch etwas ist wichtig: Melk 1730, 56r/v, Cgm 775, 231r ff. Erweiterungen zur Passion Christi; in der Reimfassung sind nämlich der Passion und dem Tod

Christi nur zehn Verse (4042–51) gewidmet. Gemeinsame Erweiterungen im Cod. Mell. 235 und dem Münchener Fragment weisen auf *F, der GKW 5666 erweitert noch mehr. Auch im Cgm 5942 wird an dieser Stelle spontan erweitert.

2. Schlüsse auf die Datierung der Prosafassung

Durch sprachliche Kriterien steht fest, daß der Archetyp der Prosafassung aus Niederösterreich kam: das zeigt der für den Archetyp nachgewiesene Zusammenfall von *â* und *ô*. Aus dem formalen Vergleich zwischen Reim- und Prosafassung ließ sich zeigen, daß die Prosafassung für den Klostergebrauch umgeschrieben worden ist.

Demnach wird als Entstehungsort der Prosafassung ein niederösterreichisches Kloster anzunehmen sein.

Nun stammen die Prosafassungen alle aus dem 15. Jahrhundert, und die räumlich dem Archetyp am nächsten stehenden Handschriften, Cod. Mell. 235 und 1730, sind von Leonhard Peuger, der von 1419 an in Melk war, geschrieben. Melk war aber ab 1418 das Zentrum der Klosterreform, die Albrecht V. nach dem Basler Konzil allgemein in Österreich einführte: dort lebten Benediktiner der Melker Observanz.

Benediktiner der Melker Observanz waren von 1418 an auch im Wiener Schottenstift; vor 1418 kann der Codex 295, der die Reimfassung überliefert, nicht im Schottenstift gewesen sein (Anm. 8). Die Überlieferung auch der Reimfassung beruht auf dem Sammeleifer der Benediktiner Melker Observanz.

Die Vermutung liegt nahe, daß die Umsetzung des Reimwerks in einen Prosatraktat aus dem Reformgedanken der Benediktiner Melker Observanz[78] verstanden werden muß. Damit erklärte sich auch die Aufgabe spezifisch franziskanischer Gedankengänge.

Mit dieser Annahme ergäbe sich als *terminus ante quem non* für die Prosafassung das Jahr 1418.

3. Sprachliche Verwandtschaft zwischen Reim- und Prosafassung

Soweit ein Reimwerk mit einem Prosatraktat überhaupt verglichen werden kann und soweit die vielen und andauernden Kürzungen berücksichtigt werden,

---

[78] Für die literarische Tätigkeit in Melk s. GRABMANN, Kulturwerte S. 18: „Im Benediktinerorden wurde die von den Klöstern Kastl, Melk und Bursfeld ausgehende Reformbewegung der fruchtbare Boden, aus dem auch die Blüten und Früchte mystischer Schriften hervorsproßten.“

ist die sprachliche Verwandtschaft der beiden Fassungen außerordentlich eng. So finden sich die jeweils beiden Reimworte von 158 Reimpaaren in der Prosafassung und überdies mehr als hundert wörtliche Übereinstimmungen über jeweils einen Vers.

Die Textstelle, die den Versen 1200–1250 entspricht, hat in der Prosafassung die größte Dichte an Reimworten, nämlich

Melk 1730	Cgm 775			
15^{r}, 21. 23	187^{v}, 11. 12	*perait*	*stätichait*	(1207/8)
15^{v}, 3. 4	15. 16	*wol*	*scholtu*	(1212/3)
6. 7	17. 18	*pergert*	*ert*	(1216/7)
8. 9	19. 20	*unwirdig*	*gert*	(1218/9)
15. 16	25. 26	*tan*	*haben*	(1226/7)
17. 18	187^{v}, 26/188^{r}, 1	*pesten*	*gen*	(1228/9)
22. 23	188^{r}, 4	*ern*	*gern*	(1235/4)
16^{r}, 9. 10	6	*junchfrawn*	*trawn*	(1246/7)

Als Beispiele für die wörtlichen Übereinstimmungen über jeweils einen Vers[79] stehen die ersten zehn:

Melk 1730	Cgm 775		
1^{r}, 12/13	172^{r}, 6/7	*auff das unser sel sein gemähel wurd*	(12)
1^{v}, 16	172^{v}, 7/8	*Ein reicher haher chünig sant*	(49)
2^{r}, 18	173^{v}, 5	*das wil ich euch als wider geben*	(103)
3^{v}, 13/14	175^{r}, 10	*Sein gehaim ein chewsche gemähelschafft*	(234)
4^{v}, 7/8	176^{r}, 5/6	*wir erchennen sein tugent nicht*	(278)
4^{v}, 9	176^{r}, 6/7	*werff wir den stain hin*	(280)
4^{v}, 12	176^{r}, 8	*swimbt er ob so ist er guet*	(285)
5^{v}, 7/8	177^{r}, 2/3	*Die ersten wellen im nicht glawben*[80]	(354)
5^{v}, 9/10	177^{r}, 4/5	*Die dritten wellen got versuehen*	(357)
6^{v}, 6/7	177^{v}, 12	*ob sy den herren nemen wolt*	(417)

[79] Überdies sind als ganze Reimzeilen noch im Prosatext enthalten die Verse: 519, 521, 523, 537, 545, 569, 677, 684, 838, 861, 871, 894, 1295, 1318, 1328, 1330, 1388, 1399, 1418, 1446, 1620, 1802, 1852, 1890, 1897, 1902, 1962, 1964, 2011, 2015, 2066, 2230, 2259, 2340, 2344, 2372, 2397, 2437, 2753, 2755, 2873, 2883, 2901, 2904, 2988, 3021, 3200, 3202, 3227, 3300, 3336, 3359, 3368, 3398, 3489, 3526, 3597, 3757, 3927, 4169, 4277, 4278, 4287, 4303, 4435, 4453, 4458, 4572, 4575, 4622, 4661, 4720, 4773, 4836, 4851, 4865, 4870, 4938, 4949, 5018, 5048, 5065, 5082, 5186, 5329, 5340, 5364, 5423, 5468, 5564, 5623, 5624, 5632, 5654, 5782, 6210, 6409, 6421.

[80] *im* ist im Cod. Mell. 1730 hineinkorrigiert. Auch Cgm 775 und GKW 5666 haben den genauen Wortlaut.

Die Verse 17, 18, 29, 36, 44, 53, 61, 66, 67, 98, 162, 197, 198, 223, 227–9, 232–6, 239, 245, 261, 275, 353, 364, 401/2, 427, 500 sind nur geringfügig verändert. Die Dichte der wörtlichen wie der beinahe wörtlichen Übereinstimmungen nimmt aber gegen Ende immer mehr ab: von Vers 5780 an ist die Verwandtschaft kaum mehr zu erkennen.

Dennoch erscheint eine Übersetzung ins Lateinische und eine Rückübersetzung ins Deutsche ausgeschlossen. Das allenfalls hätte Bämlers Titelangabe *mit höchstem vleiß von latin zů teutsch gepracht* anzeigen können.

4. Wortschatzverschiedenheiten zwischen Reimfassung und Prosafassung

In den Wortschatzverschiedenheiten zwischen der Reimfassung und der Prosafassung läßt sich die Entwicklung des niederösterreichischen Dialekts zwischen der Mitte des 14. Jhs. und vermutlich etwa 1425 augenfällig machen. Der Wechsel vom höfischen zum klösterlichen Bereich spielt jedoch eine Rolle (vgl. Anm. 32).

Es ist dabei zu beachten, daß Reimwörter möglicherweise schon zur Abfassungszeit veraltet waren oder daß es sich überhaupt um literarische Lehnwörter handelt. (Zuerst steht das Wort aus der Hs. 295 des Wiener Schottenstifts mit Versangabe, dann das aus der Hs. Melk 1730, in interessanten Fällen überdies das aus Cgm 775.)

55	*magt*	*junchfrawn*	
185	*unleidleich*	*unträgleich*	
241	*fuder waich*	*fuder cham*	
242	*taugen*	*haimleich*	
271	*vernemen*	*merckchen*	
272	*mag getzemen*	*zü gehört*	
284	*wag*	*wazzer*	
331	*ausetzigen*	*awssetzig*	(775 u. 483) *ausmerckig*
338	*gecht*	*sprecht*	
359	*zehant*	*als pald*	
361	*enphie*	*nam*	
402	*tümbhait*	*tarhait*	
405	*awfen*	*awfen*	(775) *awlen*
441	*pispel*	*gleichnus*	
683	*bedarf*	*peger*	
687	*ölmynn*	*törinn*	
701	*qual*	*wetagen*	

974	*sein entwelt*	*an sein*	
1101	*verbidert*	*versmächt*	
1190	*erchomen*	*erschreckt*	
1192	*twach*	*wasch*	
1232	*peiten*	*warten*	
1248	*maiczogen und leren*	*lern und tziehen*	
1252	*nämen ürlawb*	*von dann schieden*	
1331	*siecher*	*chrankcher*	
1343	*füdert*	*hilft*	
1430	*gehüg*	*gedächtnus*	
1453	*antwurt*	*raitung*	(775) *raytumb*
1536	*winsteren*	*tenken*	
1537	*zesem*	*rechten*	
1600	*swind*	*starkch*	
1602	*schier*	*pald*	
1885	*gymme*	*edelm gestain*	
1894	*meiner gepot phlegen*	*meine pot pewarn*	
1945	*wenchet*	*cher*	
2010	*weist*	*füert*	
2033	*peschaiden*	*genant*	
2064	*erváchten*	*erparn*	(775) *erfarn*
2083	*mynn*	*hab lieb*	
2207	*acht*	*gestalt*	
2221	*getzempt*	*gevallen wirst*	
2275	*trewtynn*	*frewntinn*	
2329	*parmung*	*parmhertzichait*	
2406	*becharung*	*versuechung*	
2414	*hantwehel*	*hanttuech*	
2444	*maint*	*pedewt*	
2576	*ewenchristen*	*nachsten*	
2586	*gesert*	*petruebt und gelaidigt*	
2884	*auzzer acht*	*an mazz*	
2903	*gnaschaft*	*genasschaft*	(775) *geleichait*
2933	*entspart*	*aufftan*	
2943	*geschaft*	*schepphung*	
3204	*doch torst ich ew ains verjehen*	*doch wolt ich dir gern die ding sagen*	

3226 *lachen*	*grueb*	
3229 *mynichleiche*	*liepleiche*	
3240 *lützel*	*wenig*	
3291 *hail*	*nutz*	
3349 *sigen*	*vieln* (vgl. aber 4476)	
3364 *namen sy luczel war*	*sy wenig achten*	
3413 *grosser ludem sanch*	*grassem ludem*	(775) *grossem schall*
3518 *anger*	*haid*	
3813 *mynnichleich getan*	*liepleich gestalt*	
3964 *gaben*	*oppher*	
4170 *vestenung*	*vestigung*	
4406 *widerwinden*	*wider ab gen*	
4416 *erliezzen*	*auff tuen noch entsliezzen*	
4476 *vil*	*sayg* (vgl. aber 3349)	
4487 *nam war dez pesmes*	*sach die gerten*	
4590 *verebent*	*veraint*	
4690 *diemüt*	*diemuetichait*	
4700 *mazz*	*mässichait*	
4734 *hellung*	*ainhelung*	
4793 *aufpaz*	*höher*	
4800 *tawgen*	*haimleichait*	
4925 *ungehab*	*ungemach*	
5003 *entnukcht*	*entsläfft*	
5008 *augen*	*gesicht*	
5083 *frumt*	*nutz ist*	
5261 *czart*	*lieb*	
5545 *lag*	*irrung*	
5572 *jungsten*	*lesten*	
5622 *vaiget*	*an vicht*	
5627 *vicht an*	*an weigt*	
5655 *gesellschaft*	*gemain*	
6195 *gehellung*	*ainträchtichait*	
6460 *frumm*	*nutz*	
6487 *unsälden*	*unsälden*	(775) *grawsamchait*

Die Fälle 331, 405, 1453, 2064, 2903, 3413, 6487 zeigen Weiterentwicklungen des Cgm 775; beim Übergang in einen anderen Dialektbereich (Altbayern) mußten einzelne Wörter ersetzt werden.

5. Vorstellung der Prosafassung

Zum Vergleich der Reim- und der Prosafassung wird im Textteil der Anfang der Prosafassung so weit abgedruckt, daß die Einleitung und die Behandlung der ersten und zweiten Jungfrau vollständig verglichen werden können. Der Abdruck geschieht nach der besten Handschrift der Prosafassung Cod. Mell. 1730, 1^r-7^r (entspricht Cgm 775, 172^r-179^r). Im Apparat erscheinen neben den sehr geringfügigen Korrekturen des Cod. Mell. 1730 noch die Lesarten des Bämlerdruckes vom 7. März 1477 (GKW 5666), so daß auch der Charakter der Veränderungen im 'Buch der Kunst' gegenüber der Melker Prosafassung genügend deutlich zum Ausdruck kommt.

VII. DIE ÜBERLIEFERUNGSGESCHICHTE

A. Das Stemma der gesamten Überlieferung

Die Abhängigkeitsverhältnisse der Textzeugen untereinander sind in den Abschnitten: Der Umfang der Urschrift und: Die Abhängigkeitsverhältnisse der Prosafassungen geklärt.

Die Hs. 295 des Wiener Schottenstiftes war nicht die direkte Vorlage des Prosaarchetyps *B, da die Prosafassung einerseits bei der Schilderung der vierzehn Gaben der Seligen Einzelheiten aus der Quelle, dem 'Elucidarium' des Honorius Augustodunensis, bewahrt hat, während sie in der Hs. 295 fehlen. Andererseits gibt die Prosafassung an Stellen, die als Korruptelen der Hs. 295 erkannt sind, oft sinnvolle Zusätze.

Wenn die Urschrift des Büchleins *A genannt wird, möglichst wenige Textzeugen voraussetzt (beachte Anm. 35), dann ergibt sich für die Überlieferung des Büchleins von der geistlichen Gemahelschaft folgendes Stemma:

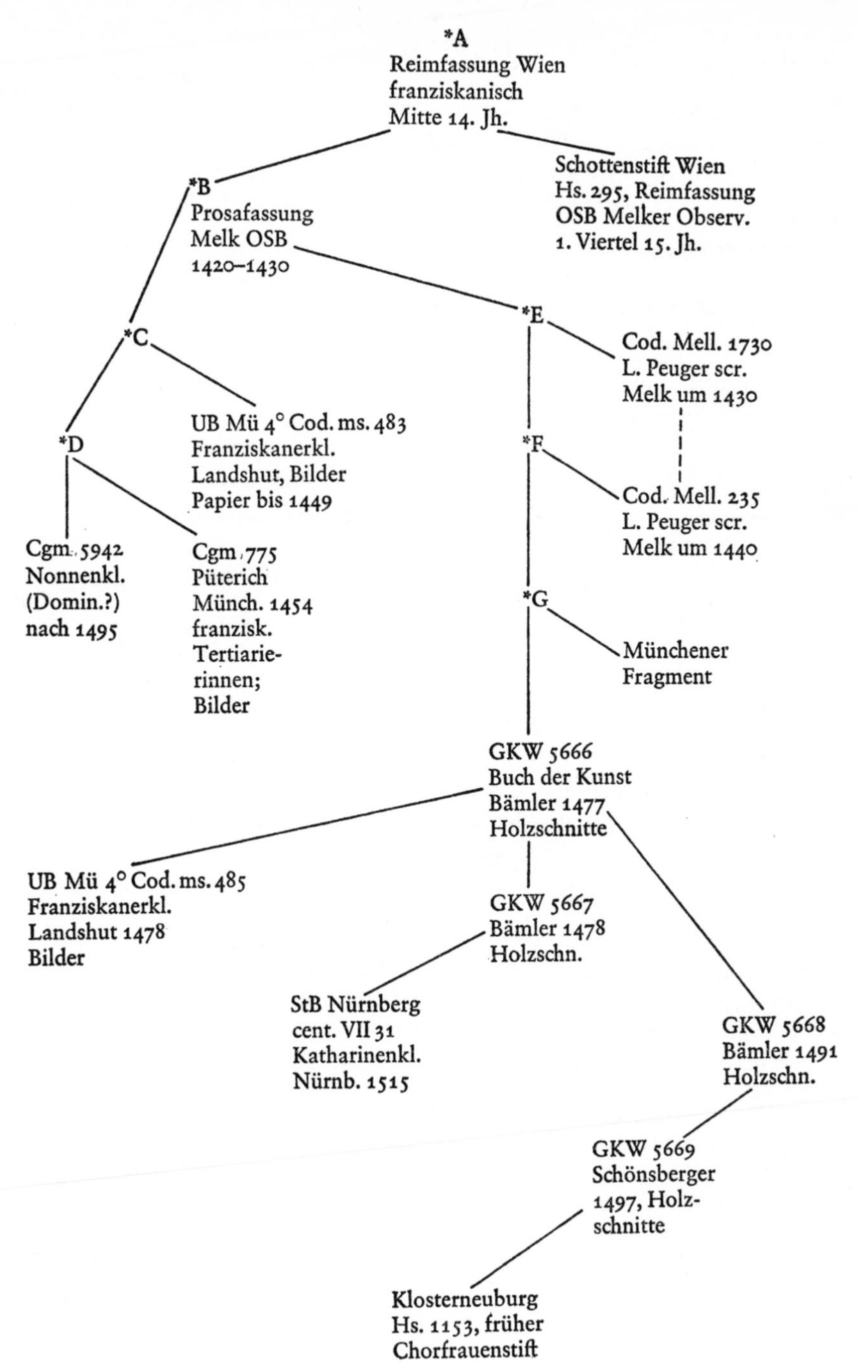
*A
Reimfassung Wien
franziskanisch
Mitte 14. Jh.
Schottenstift Wien
Hs. 295, Reimfassung
OSB Melker Observ.
1. Viertel 15. Jh.
*B
Prosafassung
Melk OSB
1420–1430
*C
UB Mü 4° Cod. ms. 483
Franziskanerkl.
Landshut, Bilder
Papier bis 1449
*D
Cgm 5942
Nonnenkl.
(Domin.?)
nach 1495
Cgm 775
Püterich
Münch. 1454
franzisk.
Tertiarie-
rinnen;
Bilder
*E
Cod. Mell. 1730
L. Peuger scr.
Melk um 1430
*F
Cod. Mell. 235
L. Peuger scr.
Melk um 1440
*G
Münchener
Fragment
GKW 5666
Buch der Kunst
Bämler 1477
Holzschnitte
UB Mü 4° Cod. ms. 485
Franziskanerkl.
Landshut 1478
Bilder
GKW 5667
Bämler 1478
Holzschn.
StB Nürnberg
cent. VII 31
Katharinenkl.
Nürnb. 1515
GKW 5668
Bämler 1491
Holzschn.
GKW 5669
Schönsberger
1497, Holz-
schnitte
Klosterneuburg
Hs. 1153, früher
Chorfrauenstift

B. Die Reimfassung

Das Büchlein von der geistlichen Gemahelschaft scheint – den Indizien nach – um die Mitte des vierzehnten Jahrhunderts von einem Wiener Minoriten verfaßt worden zu sein. Der Verfasser, dessen Name Konrad überliefert ist, scheint das Werk unter dem Einfluß des Wiener Hofes geschaffen zu haben. Von den in den Nekrologien der Wiener Minoriten aufgeführten Trägern des Namens Konrad kommt für die Verfasserschaft am ehesten in Frage der 1380 gestorbene Konrad Spitzer. Konrad Spitzer war – offenbar zwischen 1365 und 1380 – Beichtvater des Wiener Hofes. Er hinterließ als Kunst- und Bücherfreund dem Conventualkonvent zum Hl. Kreuz, dem er angehörte, bei seinem Tode namhafte Bücher- und Kunstschätze.

Die Urschrift des Büchleins von der geistlichen Gemahelschaft oder eine der Urschrift sehr nahe stehende Abschrift scheint kurz nach 1418 – dem Jahr der Reform der österreichischen Klöster durch die Benediktinermönche der Melker Observanz – in die Hand dieser reformierten Benediktiner geraten zu sein.[81]

Sei es, daß die reformierten Benediktiner in Wien, die nun – ebenfalls 1418 – ins Wiener Schottenstift eingezogen waren, noch eine zeitgenössische Abschrift aufkaufen konnten; sei es, daß sie sich selbst eine Abschrift des Büchleins machten; sei es, daß sie aus Melk dafür, daß sie das Büchlein von der geistlichen Gemahelschaft in Wien besorgt hatten, eine Abschrift bekamen: diese Abschrift ist die Hs. 295 des Wiener Schottenstifts.[82] Ob ein Tafelbild um 1400 aus dem Stift Kremsmünster – zwei Frauen, die der Maria das Kind baden – auf dem literarischen Einfluß des Büchleins beruht (v. 3860–3959) und damit dessen Überlieferung erhellt, mag dahingestellt bleiben: immerhin handelt es sich um benediktinische Tradition.[83]

---

81 Zu Verbindungen zwischen Melk und Wien s. KEIBLINGER I, 483: 1401 Nicolaus Seyringer (Abt 1418) Rektor der Universität Wien. 497/8: Verbindungen Seyringers vor allem zu Nikolaus v. Dinkelsbühl. 1122 (Nachtrag): Doctores Wienenses hielten in Melk Vorlesungen.

82 Nicht einmal die Möglichkeit ist völlig auszuschließen, daß die Hs. 295 durch die Bücherschenkung des Joh. Polzmacher an das Schottenstift kam. Da in Polzmachers Bücherschenkung jedes einzelne Buch genannt ist, könnte das *liber erudicionis principum in papiro* (s. Anm. 9) dafür in Frage kommen. Es ist nämlich sehr wahrscheinlich, daß die ersten 72 Blätter der Hs. 295 ursprünglich selbständig waren. Mit den *principes* kann nach Ausweis der Urkunden der Wiener Hof gemeint sein.

83 Geburt Christi, aus Stift Kremsmünster, Österreich, gegen 1400. Nußholz 41 : 29,5 cm. Wien, Museum ma. Kunst in der österr. Galerie. Abb. bei ALFRED STANGE, Deutsche Gotische Malerei (Die blauen Bücher) 50. Literarisch findet sich das Motiv in ‚Der Saelden Hort' DTM 26, v. 1529–1640; beachte aber Bonaventura, De quinque festivitatibus II, 3.

C. Die Melker Prosafassung

Mit Sicherheit in Niederösterreich und vermutlich in Melk, dem Zentrum der Klosterreform (s. Anm. 78), wurde in den Jahren nach 1418 das für eine höfisch-herrensprachliche Laiengemeinde in franziskanischem Geist geschriebene Büchlein, das ursprünglich einen belehrenden Zug hatte, zum erbaulichen Klostertraktat umgeschrieben. Eine Abschrift (*C) wurde offenbar für Altbayern gemacht. Deren Abkömmlinge treten zunächst im franziskanischen Bereich auf: der 4° Cod. ms. 483 UB München im Franziskanerkloster Landshut, der Cgm 775 im Münchner Püterich-Regelhaus (franzisk. Tertiarierinnen).

Eine zweite Abschrift vom Archetyp der Prosafassung, die erschlossene Zwischenstufe *E, scheint in Melk geblieben zu sein. Von ihr hängt der Cod. Mell. 1730 ab und die Hauptvorlage des Cod. Mell. 235, die erschlossene Zwischenstufe *F, die redaktionell stark bearbeitet ist. Auch *F scheint in Melk gewesen zu sein, da Leonhard Peuger bei der Redaktion des Cod. Mell. 235 mit ihr gearbeitet hat.

Der Cod. Mell. 235 scheint als Prachthandschrift für bedeutende deutschsprachige geistliche Texte angelegt worden zu sein. Wichtig ist, daß die in der Hs. überlieferten Texte auch sonst in Melk gut überliefert sind; es handelt sich also nicht um ein zufälliges Zusammenkommen, sondern um eine bewußte Auswahl, die Texte berücksichtigte, die für den Melker Konvent eine Bedeutung hatten.

Möglicherweise stimmt die Notiz Johannes Bämlers, derzufolge das Büchlein der Kaiserin Eleonore (geb. 1437, gest. 1467, verheiratet mit Friedrich III. seit 1452) zum Geschenk gemacht worden ist. Es ist nicht unwahrscheinlich, daß der Konvent in Melk der Kaiserin ein Geschenk machte. KEIBLINGER erwähnt Eleonore mehrfach (S. 576, 601, 617, 637, 638), vor allem mit Vermittlungsversuchen im Kampf zwischen Kaiser Friedrich III. und seinem Bruder Albrecht VI. dem Verschwender.[84]

D. Die Bämlerschen Drucke

Ohne Zweifel gehen das Münchener Fragment und der Druck des 'Buches der Kunst' vom 7. März 1477 (GKW 5666), die beide aus der Offizin des Augsburger

[84] Selbst die 'Annales Mellicenses' (MGH A Bd. IX. Hannover 1851. p. 520) erwähnen sie (1462):
Duce Alberto in sua curia existente imperator urbem clam ingrediens intrat castrum, ibique erat imperatrix et infantulus Maximilianus.

Druckers Johannes Bämler stammen, auf die Melker Handschriftentradition zurück. Es scheint augenfällig zu sein, daß der Benediktinerkonvent St. Ulrich in Augsburg den Text aus dem Kloster Melk an die Offizin Bämlers vermittelt hat,[85] wahrscheinlich die erschlossene Druckvorlage *G. Die Verbindungen zwischen dem Kloster Melk und dem Kloster St. Ulrich in Augsburg lassen sich seit 1421 kontinuierlich nachweisen.[86] Sie gipfeln in der Konföderation Melks mit St. Ulrich vom 8. Sept. 1474 (KEIBLINGER 646 Anm. 1).

Was Johannes Bämler über die Textgeschichte im Konvent St. Ulrich erfahren hat, scheint er in der Überschrift des 'Buches der Kunst' wiedergegeben zu haben:

1. daß ein hochgelehrter Doktor und Lehrer das Werk übertragen hat. Das ist möglich, da das Kloster berühmte Gelehrte als Ordensbrüder hatte (Johann v. Speyer, Martin v. Senging, Johann Schlitpacher, Konrad v. Geissenfeld u. a.).

2. daß es aus dem Lateinischen übertragen ist. Diese Notiz ist zweifelsfrei unrichtig (vgl. den Abschnitt: Sprachliche Verwandtschaft zwischen Reim- und Prosafassung). Sie kann auf dem Mißverständnis beruhen, demzufolge eine Übertragung eben üblicherweise aus dem Lateinischen erfolgte.

3. daß das Buch der Kaiserin Eleonore geschenkt wurde. Diese Notiz läßt sich nicht widerlegen. Eine Erklärung dafür, daß erst Bämler zehn Jahre nach dem Tod der Eleonore auf die Dedikation aufmerksam macht, bietet die klösterliche Bescheidenheit, auf die die Benediktiner Melker Observanz insbesondere verpflichtet waren (KEIBLINGER 490. 496. 565).

Ob Bämler die Holzschnitte nach Buchmalereien der erschlossenen Zwischenstufe *C und deren Tradition (s. Anm. 71. 73) gefertigt hat oder ob der Archetyp der Prosafassung *B selbst Bilder hatte, die über *E, *F, *G an Bämler kamen, ist schwer zu entscheiden: Wie die Bibliothek des Stiftes Melk zeigt, hatte Melk im 15. Jahrhundert geübte Buchmaler.

Die Bämlersche Druckredaktion ist für Laien gedacht. Für ihre Beliebtheit sprechen die vier Druckauflagen im 15. Jahrhundert. Auch in Klöstern wurde das Büchlein gern gelesen, wie einige Abschriften von den Drucken zeigen. Die letzte Spur lebendiger Tradition, die Abschrift in der Hs. StB Nürnberg cent. VII 31, findet sich 1515: kurz vor den Stürmen der Reformation.

---

85 Zu Verbindungen Bämlers mit St. Ulrich s. auch SCHRAMM 23: Im Jahre 1483 verließ eine kleine Schrift über Augsburgs Ursprung und das Gotteshaus Sankt Ulrich und Afra die Bämlersche Presse.

86 ZELLER 176/7. KEIBLINGER I, 529. 533. 537. 538. 641. 644. 646; vgl. auch S. 499 Anm. 3.

VIII. DIE GRUNDSÄTZE DER EDITION

A. Die Textgrundlage

Trotz der verhältnismäßig breit gestreuten Überlieferung muß sich die Edition des Büchleins von der geistlichen Gemahelschaft allein auf die Reimfassung der Hs. 295 des Wiener Schottenstiftes stützen. Die Veränderungen, die der Text bei der Umsetzung in Prosa erfahren hat, sind so groß, daß die Prosafassung bei den größeren Lücken und Verschreibungen der Handschrift 295 nicht herangezogen werden kann; die wenigen kleineren Konjekturen sind immer mit der Prosafassung verglichen, soweit das möglich war.

So ist der Text lediglich nach der einen Handschrift ediert: das hauptsächliche Problem ist, wie das Verhältnis der Urschrift zur Hs. 295 des Wiener Schottenstifts betrachtet werden soll hinsichtlich der graphischen Wiedergabe und der sprachlichen Formen.

B. Die graphische Form des Textes

Von Schreiber- oder Korrektorenhand angebrachte Korrekturen, die den Wortschatz, die Syntax und die Formenlehre betreffen, finden sich im Drucktext nur dann, wenn sie tatsächliche Versehen des Schreibers zu verbessern suchen. Im Druck bewahrt sind jedoch alte Worte, Formen und Bedeutungen, selbst wenn sie in der Handschrift ersetzt worden sind.[87] Verständnishilfen und Erweiterungen finden sich im Apparat.

Die diakritischen Zeichen sind berücksichtigt, soweit sie lautliche Bedeutung haben können.[88] Das heißt im vorliegenden Fall, daß die diakritischen Punkte über *y*, sowie den Diphthongen *eu, ev* und *ew* und *au, av* und *aw* nicht berücksichtigt sind; die diakritischen Punkte über *a, e, i, o* und *u* sind jedoch wiedergegeben, über *i* in der Form *ıͤ*. Ebenso sind die Zeichen *ů* und *eͣ* beibehalten. Einzelne Punkte und Punkte über Konsonanten sind nur in der Zusammenfassung erwähnt.

---

[87] Großenteils bleiben z. B. die meist sinnlosen und unnötigen Eingriffe des Korrektors Y unberücksichtigt.

[88] Vgl. Punkt 2 der „Grundsätze für die Herausgabe und Anweisungen zur Druckeinrichtung der deutschen Texte des Mittelalters". Neue Fass. in: DTM 38, Berlin 1934. Zu den vielfältigen Funktionen der diakritischen Zeichen s. Anm. 24. KÖCK 111. 201–203 u. ö. STREBL 57. 77. 129.

Abkürzungen sind aufgelöst, unter Berücksichtigung des bairischen Lautstandes.

Im Druck erscheint grundsätzlich *j* und *v* für *i* und *u* der Hs. in konsonantischer Stellung, umgekehrt sind alle *v* und *w* für monophthongisches *u* als *u* wiedergegeben; entsprechendes gilt für *j* und *i*. Die Diphthonge *av* und *ev* sind als *au* und *eu* wiedergegeben.

Die Großbuchstaben, die sich nicht selten in der Hs. am Anfang eines Verses finden, sind im Druck nur dann beibehalten, wenn sie die syntaktische Form des Textes verdeutlichen: sie erscheinen nur am Satzbeginn.

Die Einteilungen der in der Hs. durch Initialen gekennzeichneten Abschnitte sind beibehalten; über die Absätze und Unterabsätze der Handschrift siehe die Zusammenfassung. Die substantivischen Wortkomposita sind – entgegen dem üblichen Gebrauch der Handschrift – zusammengeschrieben, da wahrscheinlich der Verfasser die Komposita anders beurteilte als der Schreiber der Hs. 295 (siehe den Abschnitt: Wortkompositionen im Büchlein). Die Wortkomposita *darczu, dawider, darnach, damit, daran* usw. sind – nach der Mehrzahl der Schreibungen in der Hs. – vereinheitlicht zusammengeschrieben. Pro- und Enklise der Hs. sind aufgelöst.

Die Einrichtung der Vers- und Blattzählung, sowie die Interpunktion folgt den Grundsätzen der Deutschen Texte des Mittelalters; nur ist entgegen der Empfehlung des Grundsatzes 9 der DTM jeder Nebensatz durch Satzzeichen vom Hauptsatz getrennt.

Für den Teilabdruck des Prosatextes aus der Hs. Melk 1730 gilt lediglich: Kürzel sind aufgelöst. Im Druck erscheint *j* und *v* für *i* und *u* der Handschrift in konsonantischer Stellung, umgekehrt sind alle *v* und *w* für monophthongisches *u* als *u* wiedergegeben; entsprechendes gilt für *j* und *i*. Das gilt auch für die Worte und Textstellen in der Zusammenfassung, sofern nicht ausdrücklich die graphische Form hervorgehoben werden soll.

C. Der Sprachstand des Textes

Die Textgestalt des Drucks folgt dem überlieferten Sprachstand des einzigen Textzeugen. Es ist in der Zusammenfassung dargelegt worden, wie sich der zeitliche Unterschied zwischen der erschlossenen Vorlage, der vorliegenden Abschrift und der Korrektur der letzten Hand in der Handschrift bemerkbar macht. Die Schwierigkeit für den Editor besteht darin: Wie werden die Korrekturen beurteilt, die einen späteren Lautstand des Bairischen repräsentieren?

Bei den reinen Lautformen ist es nicht immer möglich, zwischen Korrekturen von Schreibfehlern und dem Ausgleich von altertümlichen Dialektformen zu unterscheiden; außerdem handelt es sich meist nur um einzelne übergeschriebene oder eingefügte Buchstaben, die nicht auf bestimmte Hände festgelegt werden können. Es kann sich genau so gut um mechanische Übernahmen aus der Vorlage und sofortige Korrektur durch den Schreiber wie um die Schreiberform und eine spätere Korrektur handeln. Die der Überlieferung angemessene Form ist hier der Abdruck der jüngeren Sprachform im fortlaufenden Text.

Bei Eingriffen späterer Hände hinsichtlich des Wortschatzes und der Syntax, sowie bei Bedeutungswandel ist die Entscheidung für die jeweils ältere überlieferte Form gefallen; hier finden sich die jüngeren Formen im Apparat. Bei Eingriffen, die lediglich die Schreibweise betreffen, erscheinen die jeweils jüngeren Formen im Text;[89] die älteren Formen finden sich im Apparat.

D. Der Apparat

Der Apparat hat, da nur ein Textzeuge für das Reimwerk vorliegt, nicht die Aufgabe, Varianten für Lesarten mitzuteilen. Der Apparat hat zeitliche Dimension für Text- und Sprachgeschichte.

Es sind sämtliche Einfügungen, Nachträge, Streichungen, Rasuren und Überschreibungen der Handschrift mitgeteilt, solche, die Fehler des Schreibers beseitigen, solche, die den Charakter der Abschrift für die Hs. 295 sicherstellen, solche, die einen neuen Lautstand repräsentieren, solche, die den allmählichen Verlust des Verständnisses für alte Formen verraten.

Soweit die Eingriffe in den Text einzelnen Händen mit Sicherheit zugewiesen werden können, werden die Hände bezeichnet, und zwar in folgender Weise: für Eingriffe des Schreibers (*S*), des Rubrikators (*R*), des Korrektors X (*X*), des Korrektors Y (*Y*). Wo der zweite Schreiber in Partien des ersten hineinkorrigiert, steht (*zweite Hand*). Für die Einrichtung des Apparates sind die Punkte 17 und 18 der Grundsätze der DTM befolgt: Im Apparat erscheinen (nach 17) die Kompositionsteile von substantivischen Wortkompositionen, die im Text zusammengeschrieben werden, getrennt. Das erste Wort eines Verses erscheint (nach 17) im Apparat mit Majuskel.

Grundsätzlich erscheint im Apparat das Lemma des Textes zuerst, und zwar nicht in normalisierter Schreibweise, sondern im graphischen Bild und in der

---

[89] Anders beurteilt sind die Fälle, wo die alten Formen unkorrigiert stehen geblieben sind:
407, 1151, 1156, 2065, 2086, 2336, 2372, 2389, 2434, 2444, 2478, 3053, 3065, 3679, 3802, 4050, 4296, 4486, 5267, 5268, 5541 u. a. Sie sind im Druck bewahrt.

Lautform der Handschrift, da die Edition auf die Probleme spätbairischer Texte besonderen Wert legt und sehr häufig mit Besserungen und graphischen Änderungen zu tun hat, die nur für diesen Dialektbereich eine Rolle spielen. Aus drucktechnischen Gründen konnten lediglich die Kürzel für *ra* in Zeile 1120, für *is* in Zeile 1427 und für *er* in Zeile 4463 nicht wiedergegeben werden.

Nachträge erscheinen mit dem Zusatz *nachgetr.*, über Streichungen mit dem Zeichen *für*. Das Zeichen *aus* bezeichnet eine für den Text verworfene überschriebene Lautform, das Zeichen *auf* steht bei sicher erkannten mechanischen Übernahmen aus der Vorlage und sofortiger Korrektur durch den Schreiber; die Zeichen *zu*, *ers. d.* (= *ersetzt durch*) bezeichnen Veränderungen von grammatischen Formen, Semantik und Wortschatz, die nicht in den Text übernommen sind. Nicht in den Text aufgenommene Wörter (Nachträge, Streichungen, Doppelschreibungen) erscheinen mit dem vorausgehenden Lemma unter der Bezeichnung *nach*, in besonderen Fällen (am Versbeginn, bei Doppeldeutigkeit) wird auch das folgende Lemma mit der Bezeichnung *vor* benützt.

Lemmata ohne Interpretament sind im Text durch Konjektur verändert.

Nicht berücksichtigt sind vereinzelte überzählige Nasalstriche und R-Häkchen, sowie die wenigen Eingriffe in den Text, die Kürzel auflösen, also z. B.

2900 *erliechten* aus *e͡ liechtē*
3533 *Vnd* aus *Vn̄*
3837 *vnglawbn̄* aus *unglawbn̄*

Der Apparat des Prosaabdruckes zeigt, neben wenigen Korrekturen des Cod. Mell. 1730, hauptsächlich die Lesarten des Bämlerschen 'Buches der Kunst' von 1477, so daß auch bei der Prosafassung die Textgestaltung im Laufe der Zeit herausgehoben ist.

ZWEITER ABSCHNITT

EDITION DES BÜCHLEINS VON DER GEISTLICHEN GEMAHELSCHAFT NACH DER HS. SCHOTTENSTIFT WIEN 295

[ERSTER TEIL: DIE SECHS JUNGFRAUEN]

Adducentur regi virgines.
Mein geist wegert des,
daz ich ettwaz sprech von der wirtschaft
geis*t*licher gemachelschaft,
5 die czwischen got ist und der sel;
darczu was mein will snell.
Die gemachelschaft ist so werd,
daz ir der hohist chunich gert,
der von hymel her nider chom
10 und ünser natur an sich näm
und trueg grosser arbeitt pürd,
daz unser sel sein gemæhel würd.
Der weyssag daz vor in dem geist sach
und von der selben gemæchelschaft sprach:
15 Dem chünig werden magt geleittet.
Ein sælig sel, dy sich beraittet
und sich schon mit tugent cziertt,
daz si dez fursten gemæchel wiͤrt;
der von genaden hat gerucht,
20 daz er sey geladen hat und gesücht,
darczu sein poten nach iͤr gesantt,
nach hewt ladet und manet,
und tüt sein mynn chundt
durch aller christenlerer mund.
25 Selig ist, die in czu lieb enphächt,
unselig ymmer, die in versmæcht.
Der ist laider gar cze vil
(alz ich hernach beschaiden wil),
die den hochen chünig nicht wellent,
30 seinem scherigen sich gesellentt,
die den fursten nicht nement,
dem laidigen hocher geczement,
dem lasterbeͣrn volantt,

der laster geitt und schantt.
35 Die aber nach dem fürsten gent
und an seiner lieb bestentt,
denn wil er sich selben geben
mit vollem hail in frewden leben.
Von der geistleich aynung
40 wil ich reden durich pezzrung;
daz allen lewten mag geczæmen,
die ez geistleich wellent vernemen,
wann der lawtt ist unverstendig vil.
Dovon wer geistleich reden wil,
45 der bedarff darczu wol,
daz er mit geleichnus reden schol.
Also hab ich hie gedacht:
meyn will werd von got volpracht.

Ein reicher hocher chünig sant
50 poten und prieff in seine lantt.
Die poten warn weis und redhafft,
verbegen an ires herren ritterschafftt,
die scholden chunden ein grosse wirtschafftt
und darczu dez chunigez gemächelschafft.
55 Alz vil si möchten magt pryngen:
den müstz allen wol gelyngen.
Dye den chünig czu lieb haben wolten
all fürstyn werden scholten
und enpfahen fürstleiche er,
60 frewd und er haben ymmer mer,
all besiczen seines reichez thron,
furstleicher eren tragen ein chron.
Die aber versmæchten sein gepot
wurden cze hön und cze spott,
65 die müsten ewicleich enpern
seiner wirtschaft, seines reichez eren.
fol. 1v Der chünich hett einen pösen chnecht,
der waz seinem herren nie gerecht,
der waz ein übermütiger schalkch,
70 ein ungetrewer lasterpalkch,
den der chünich von seinem reich

mit seinen gesellen stiez læsterleich.
Darumb der schalk mit seinen genozzen
trueg allen den neid vil grossen,
75 die czu dem reich geladen warn.
Swo er daz mocht under varen
und wider raten: wo er chund,
waz er girig czu aller stund;
wann sein hochfart het in geswacht,
80 czu einem diebscherigen gemacht,
einem hocher den, der in dem reich
eyn furstt waz. Der tet geleich
eynem donerstrol, der nyder fellt
und der tieff sich geseltt,
85 der von der höch viel in den see,
da ym ymmer ist ach und wee.
Dovon dy pös geselschafft
wider riett dez chünigs potschaft;
seiner poten rat und sein gepot
90 prachten si czu lasterspot.
Swo der schalch macht geraten
czu laster und czu schaden dez chünigs poten,
darczue was der pös berait:
dy pracht der pös in manig arbeit,
95 mit ungetrewem rat in nat,
und verriett etleich in den tott.
Die poten warn unverczait
cze tragen nat und arbait
durich ires herren potschaft;
100 dez gehaiz gab in chraft.
Er sprach: 'Vart hin, seyt hochgemüt.
Verliest ir leib oder güt,
daz wil ich ew allez wider geben:
in meinem reich fürsten leben.'
105 Der schalk trüg umb daz
den poten neid und haz.
Der chunig verhengt, daz der scherig
vol list und pöser cherig
seiner potschaft wider sprach
110 (und seinen poten laid geschach)

und vil magt an sich chert,
der der chünig czu lieb begert.
Er sprach: ‘Ich chünich der höchsten eren
pin wiͤrdig, daz man mein schol gern.
115 Swer meinen hocher für mich nymptt,
meinem reich der nicht geczymptt.
Swer mich versmæcht durch den chnecht,
der hat an meinem erib nichtt recht:
der schol enpfohen dez hocher miet,
120 der ym tieff darumb riet,
daz sein charicher wurd vol;
dez galgenstul der nemen schol.
Der schol mitt dem ungetrewen
den charicher dulden mit todesrewen.
125 Darnach der ungetrew wirbet,
daz sein gemæchel mit ym stirbet,
mittsamptt ym unselig und verschampt,
von meiner gerechticheit verdampt.
129 Darumb er meiner gemæchel gertt:
fol. 2r daz sein chlagschar werd gemert.
Swer ym dez nach volgen wil,
der nymptt schaden und schantten vil.
Swer aber den schalk durch mich versmæcht
und cze lieb mich enphæcht,
135 dem wil ich geben mich selben cze lon
und darczu meines reiches chron,
und wil dem geben den undertan,
den selben schalk, und swaz ich han,
und wil in dergeczen der arbait
140 und aller widerweͣrticheit,
die er durich mich hat erliten
und wider den pösen schalk gestriten.
Wol ym, der den schalk versmæcht,
in meinen poten mich enpfæcht.’

145 Dez chunigs poten iͤr rais namen:
in ein fromd land si chamen
und erpaisten auff einer haid.
Under den poten waz der laidig schalk

.... aber ünder in,
150 eylt vast czu einer stat hyn;
vor der stat auff einer haid
funden die poten siben maid.
Die magt die fromden gest enphyngen.
Sy danchten in und ir red anfiengen:
155 ‘Wir sein chömen in daz lant
von dem höchsten chünig gesantt.
Der ist edel und reich,
dem sint all fursten nicht geleich;
ir aller er und reichtum ist clain
160 und gar cze nichte gen ym ain.
Naigt ewer oren gen diser potschafft:
Er gert ewer czu gemæchelschaft.
Wiͤr wellen ew sein gewizz brieff czaigen.
Welt iͤr ew seinem willen naigen,
165 er wil ew sich selben geben und sein reich,
in dem ist all gnad völlicleich,
uberfluzzig aller gnuchtsam
mit öl, mit milich, mit hönigsam.
In dem reich ist untodlicheit
170 und ware frewdenselicheit.
Dem chünig schult ir ew all ergeben,
so mugt ir seͣlichleich leben.’
Dawider der laidig schalk sprach:
‘Ir magt, nicht voligt der red nach.
175 Swer dem chunig noch volgen wil,
der müs leiden arbeit vil:
der mus vil not tragen,
er müs wainen und clagen,
er müs offt trawren phlegen
180 und müs frewden sich verbegen,
der mus recht sich selben hazzen,
vil lustleicher ding lassen,
all wollust ym encziechen,
fol. 2v geporn frewntt offt fliechen!
185 Seine pot unleidleich sind.
Dovon west: Meine chindt,
die laz ich mit frewden leben,

den wil ich lustleich wolust geben,
den mach ich die weltt hold
190 und gib in silber und goldt,
denn wil ich geben churczweil vil,
rayen, tanczen, saittenspil.
Dovon, ir magt, voligt miͤr nach:
daz ist ewer frum und gemach.
195 Der poten rat nicht gelaubt,
der ew meiner gab beraubt.'
Dawider dez chünigs poten yachen:
'Poswicht, dein rat mus uns versmahen.
Daz du uns getarst wider sagen,
200 dez müstu besewften und hoch chlagen.
Du poswicht chanst nur ligen,
nur verraten und triͤgen.
Sag, lugner, waz hastu cze geben?
Du macht dich selber nicht überheben
205 angst, yamer, nat, unseͣlicheit
und ewiger leidung pittercheitt.
Deinem herren getarst du widersagen;
dez müstu todesschaden tragen.
Unseͣliger schalkch gar geschampt,
210 den dein ungetrewer rat unczæmpt,
daz er dir volget nach,
der ist unselig und swach;
der hat sein wirdicheit verlorn,
alle selicheit verchorn,
215 der müs an ent den schaden clagen,
der hell charcher mit dir tragen.
Darnach strebt dein ungetrew,
swie ez mer deiner unselden rew.
Du hast geyehen, lugner,
220 unsers herren diͤnst sey swer,
sein yoch mue und arbeit pring;
und gycht er selb: Mein purd ist ring,
mein yoch süezz; der hilff geitt,
chron und sig an seinem streitt.
225 Dem herren cze dienen ist ein wiͤrd,
dez willen fleizz ist ein hoche gecziͤrd,

dez arbeit ein hochste reicheit,
dez geharsam ein selicheit,
dez frid ist ein sicherheit,
230 dez huld ein furstleiche wirdicheitt,
dez mynn ein suezzer prunn,
dez angesicht ein frewdenwunn,
dez gnad ein andachtige wiͤrtschafft,
dez gehaym ein chewsch gemachelschafft,
235 dez gepot ein rechticheit,
des gelaub ein unbetrogne worheit.
Dem wider spricht dein falsche untrew;
daz ist, schalk, dein selbs rew.
Pey des gewalt sei gepoten diͤr,
240 daz du schaidest von uns schiͤr.'
Von dem pot der schalkch fuder waich
und czu den mægden taugen slaich
und wider riet iͤr potschaft
244 und dez chunigs gemæhelschaft.
fol. 3r Sechs der magt volgten ym nach;
die sibend seim rat wider sprach.
Die däwcht dez schalches rat entwicht;
dem wolt si weise voligen nicht.

Dye poten griffen ir red an,
250 alls si heten vor getan,
und pegunden fragen weisleich
ydleych magt pesunderleich,
ob sy den herren nemen wolt.
Ydleichew antwürt geben scholt.

255 Die erst sprach: 'Ich chen sein nicht.
Die potschaft ist mir enwicht.
Ich enwais, was ich gelauben schol.
Die gemachelschaft fügt mir nycht wol.'
'Ja werleych' die poten jahen,
260 'dem edlen chunig müz versmahen,
das ir gecht, ewch sey unerchant,
dez ze herren jehen weite lant,
dez ere, dez fürstentumb, dez nam

in enden der welt ist lobsam,
265 den man in allen zungen hört nennen:
den welt ir tumme nicht erchennen.
Ir wisst wol und welt nicht;
davon ewch unweisleich geschiecht.
Der pös schalch hat ewch petrogen,
270 der hat ewch in daz ör gelogen.
Ein pispel schult ir vernemen,
daz ewr unweishait mag getzemen:
Pey einem wazzer giengen viͤr frawen
chürtzweilen und schawen,
275 die funden einen gar edelen stain.
Under in sprach di ain:
„Zwe schol üns der stain? er ist uns enwicht.
Wir erchennen sein tugent nicht.“
Die ander sprach under in:
280 „Werffen wir den stain hin.
Wir müzzent müe und arbait phlegen;
dez stains schullen wir uns verwegen.“
Die dritt awch tümbez sinnes phlag,
die sprach: „Werffen wir in in den wag.
285 Swimpt er ob, so ist er güt,
an tugent, ob er dez nicht tüt.“
Die viͤrd sprach under in:
„Werleich ir seit an sin.
Ir gecht, ir chent nicht den stain,
290 dem ürchund geit all weisen gemain,
der patriarchen, der weissagen,
die des stains nicht wolden gedagen.
Darnach ward lob der edel gimme
gepredigt von der zwelff potten stymme.
295 D*ie* gymme edel und güt
gechawft ward umb der marterer plüt.
All peychtiger mit grozzer arbait
erstriten der gymme wiͤrdichait.
All heilig magt mit chüschem leben
300 wolten nach der gymme streben.
fol. 3v Noch hewt lewt weis/an irem müt
erchawffent die gymm mit leib, mit güt.

Dew ist dew reich, die edel gymm,
von der gicht die gotezstymm,
305 daz sey vant ein weyser chawffman;
swas er het und ie gwan
gab er und chawfft die margariten.
Nü seyt ir so tumb an ewren siten,
daz ewch die gymm nicht gevelt,
310 daz irs von ewch werffen welt,
der edelhait nicht ist geleich.
Swer die hat, der ist ymer reich.
Die gymm edel und zart
von dem perig gesniten wart
315 an hende mit dem stain:
Ich Jesum Christum main,
der an werch menschleycher art
von einer magt geporen wart,
der ein sigstain ist genant,
320 von dez chreften wiͤrt sig erchant.
Wer dez hüttet und phligt
seinen veinden er an gesigt,
der durch sleht aller veint getzelt."
„Sprecht, wer den nützen stain vergelt."
325 „Der stain ist, mit dem Barlaam
zü Josaffat dem chünig cham,
von dem er predigt und sait
grozz tugentwiͤrdichait.
Der macht töden erchükchen ir leben,
330 plinten ir sehen wider geben,
behaft, chrümp, ausetzigen
würten hilf nicht verczigen.
All siechtümb leib und sel gemain
macht vertrieben der edel stain.
335 Daz werleich genuͦg pewärt ist,
als man hört, siͤcht und list.
Ewr syn ist tümb und entwicht,
daz ir gecht, ir chent sein nicht,
dem man so grozze urchund geit.
340 Grozze troghait ew an leit,
daz ir den stain so güt,

der tewerer ist denn als gůt
durch ewr tragchait welt werffen hin.
Ir tumbe jecht awch an sin,
345 ir welt den stain bas bewäeren.
Das müs meinen müt pesweren.
Er ist offt bewert so wol,
daz niemant daran mistrawn schol.“
Pey den vier frawen betzaihent sind
350 viͤrlay lewt, liebe chind;
die vindent den reichen stain:
Jesum Christum ich damit main.
Die drey wellent sich dez perawben.
Dy ersten wellent nicht gelawben,
355 die anderen wellent vor trochait
durch got nicht haben arbait,
die dritten wellent got versuechen,
sein chrafft, sein güt unrüchen
zehant, so ers nicht gewert,
360 dez oft ir tümbs pet gert.
Awer die vierd den stain enphie
und von iren handen nymmer lie
und sträfft die drey mit weysshayt,
alz ich vor han gesait.
365 Pey der frawn verstet bedewt
recht güt cristenlewt:
die straffent und manent sündër,
fol. 4r wan in ist iͤr / verdampnüz swer.
Die wolten si mit got verslichten,
370 an christenleichem leben verrichten.
Wie es doch oft lützel frumpt,
in selben doch iz zů hail chümpt,
wann ir lön sich domit mert,
wie die sünder nicht werent pechert.
375 Geschiecht ez awer, daz ist gůt:
ir paider hail got also tüt.
Daz pispel sey d*er* maid gesait:
daz ströff sey grozzer tumhait,
die gicht, sy erchen dez herren nicht;
380 ir tumber ungelawb ist enwicht.

Pey der magt petzaihunt sind
all ungelawbig lewt, liebe chind:
chetzer, juden und haiden,
die von christengelawben sind geschaiden.
385 Die habent Jesum Christum vercharen
und sind ewichleich verlaren.
Awch pey der magt petzaichunt sind,
der synne von poshait *sind* plint,
got nicht erchennen wellent
390 und dem tieffel sich gesellent,
die daran sind petärt,
daz gotez willen angehort:
an christenleicher rëch*t*ichait,
an geistleicher verstentichait.
395 Awer an weltleychen sinnen,
wie man güt mag gewinnen,
wie man behüt schätzezflust,
wie man leb nach hebesglust,
wie man der welt willen tü,
400 haben si ze vil sinnen zü.
Der selben lewt weishait
ist vor got ein tümbhait;
die übel chunnen tün und nicht wol,
die sind falscher gesicht vol,
405 alls fledermäwz und awfen sind,
dez nachtes gesehent, des tags plint.
Die habent daz ewig liech verloren
und des tödes nacht erchoren,
die hat der pös schalch petrogen
410 und von gotez lieb gezogen,
von Jesu Christi gemachelschaft
zü seiner lasterweren geselschaft.
Der ersten magt wil ich gedagen
und von der andern fürbaz sägen.

415 Zu der andern magt dy poten sich cherten
und der selben antwurt gerten:
ob sy den herren nemen wolt,
darüber si antwürt geben scholt.

Sy jach: 'Den herren naem ich geren,
420 möcht ich meiner gespiln enperen;
die han ich lieb und sy mich holt.
Ob ich von der schaiden wolt?
Daz möcht ich getün nicht schier.
Wurd dez frist gegeben mir,
425 daz ich ir möecht entwenkhen,
so wolt ich mich der red bedenken.'
Dawider die poten jahen:
'Ewr antwürt müz de*m* chunig versmahen:
die ist unweys und tümb,
430 gar unendhaft und chrümp.
Der chünig so edel ist und so her,
gar wirdig, daz man sein ger,
das man sich dez gnaden naig
und sich ym gar danchnäm zaig;
435 dez ir petrögne magt an ewerm müt
fol. 4v nicht pedenchet / nach tüt:
durch ewr spilen ir frist gert.
Ir seyt dez herren unwert.
Der pös schalch hat ew petrogen
440 und ew in daz ör gelogen.
Ein pispel scholt ir vernemen,
daz ewr tumbhait chan getzemen:
Aynen affen zü aine*r* stunden
ein jäger jagt mit grymmigen hunden.
445 Der aff lieff vor, einem wazzer nach;
in dem wazzer er sein pild sach.
Der äff seiner flucht vergass
und pey dem wazzer nider saz
und spilt gen seinez pildez schein
450 (der ein spilgessell scholt sein),
piz der jäger ungewarnet cham
und in pey seinem chragen nam;
und pegan mördleych würgen in
und warff in den rüden hin:
455 die grymmigen ruden im nicht vertrügen,
die zangten und nůgen.
Den äffen geräw sein äffenspil.

Der selben affen ist laider vil.'
Pey dem selben affen sind uns pedewt
460 und versten dapey gëmleich üpig lewt,
die gar petrogen an irem müt
lawffent nach der welt flüet;
denn nach der gewiss jeger gat,
der uns den töd pedewt sait,
465 mit den grymmigen tyefelhunden,
die nach volgent zü allen stunden.
Die sehent in der welt ir pild:
lewt iͤrs mütes fräwel wild,
an üppichait iͤr genos:
470 von d*en* iͤr uppichait wirt groz,
daz si sich sundenspilz vermessen,
dez jägers mit sampt der hund vergessen,
piz in die fluchtzeit entsleyffet
und der töd si sust pegreyffet.
475 So wernt die selben gumpeltoren
den helrüden geben verlorn.
Der selben affen tumbhait
sey der tumben magt gesait,
die den herren verchiesen wil
480 durch ir gumpe*l* gemleych spil.
Die tumb magt beczaihent hie
*v*ol tumbhait alle, die
durch üppichait got verchiesent,
daz si daz ewig fröwdenreich verliesent.
485 Die sich dem schalch gesellent
und dez waren prewtigans nicht wellent,
die sind all betrögen torn,
ewichleych dem hail verlorn.
Der anderen magt wil ich gedagen,
490 von der dritten fürbas sagen.

Dez chüniges poten fürbaz cherten,
der dritten magt antwürt gerten:
ob si den edelen herren nemen wold,
dez antwurt sy in also geben scholt.
495 Die jüngchfraw antwürt: 'Daz tät ich gern;

ich enwil noch mag enpern
fol. 5r lieber frewnt, / die mir sint geporn:
daz mag ym nach ew sein czorn.
Dew angeporn frewntschafft
500 irret mich der gemæchelschaft.'
Dy poten yachen: 'Ir seit unwert
dez, der ewerer lieb begert;
wer den wil, der müs in ainen
ob allen herczenlieb mainen,
505 mer den chind oder weib,
mer den sein selbes leib,
michel lieber und vester
den vater, müter, prüder, swester.
511 Aber der payde, sel, leib und leben
512 cze nemen tüt und cze geben,
509 der frewnt geit und nympt,
510 wenn seiner ornung geczymptt:
513 dez gemæchelschaft seit ir unbert,
wan ir frewnt für in cze haben gert.
515 Der pös schalk hat ew betrogen,
von dem hern czu sich geczogen.
Eyn pispel schult ir vernemen,
dez mag ew tu*m*ber magt geczemen.
Drey swester auf ein wazzer sassen,
520 die sich tumber lieb vermassen,
gaben an einander ir trew,
daz si wolten an hinder rew
pey einander besten,
wie ez in müst ergen,
525 czu ungeluk oder cze hail:
si verbage*n* sich todezürtail.
Auf ein czebroch*enz* schiffel si gie*n*gen,
ir hent vast czusam viengen
und flussen auf dem wog hin;
530 daz w*a*sser gieng auf czu yn
und warn hart dem tod nahent.
Drey ander swester daz sachen,
der schiffel gancz waz und güt:
denn gieng der dreier schad cze müt

535 und begunden czu in varn
und mit ganczen treuen si pewarn,
manten, paten und rüften,
daz si wachten und nichtt slieffen.
Mit einander si undergiengen,
540 pet nach mänung si enpfingen;
ir idleiche wolten si ausczìechen,
aber die tumben wolten fliechen:
vast si sich czusam slussen
uncz si sterbund underflussen.
545 Daz waz den dryn weisen laid,
chlagten der tumben unbeisheit.
Die weisen furen weisleich hin,
die tumben sturben an synn.'
Die czaichung ich ew peschaid:
550 die vodern drey unbeisen maid,
die durch ir tumbheit lieb aid
urstunden in todes schaden laid,
got genærret lewt mainent,
die sich mit falscher lieb verainent
555 und sich frewntent also czesampt,
fol. 5v daz si mit der lieb berdent verdampt;
der schiffel chranch ist auf dem wog,
ungebarnt dez todez *p*flag.
Daz schiffel ir chranch leben czaigett,
560 daz sich ir sel hailhort naiget,
der werlt unden in sich væcht,
ir lieb ir frewntschaft enphächt
und also czu grunt gesenchet
ebiges todez unden schenchet;
565 wan leibezfrew*n*tschaft pringt val
und behalt offt in irsal,
daz man sich gotes verbigt,
e man der frewntschaft unph*l*igt.
Daz sehnt ander swester drey,
570 geistleich lewt, der lieb frey,
die si gotes gnaden iret.
Die bedenchent, waz den gewirret,
die mit der lieb bechumert sint

(ez sein vater, muter, weib, chind),
575 und entleident in daran,
wellent in raten dovon
(und pringt in oft herczenqual)
und sprechent, ez sei ein iͤrsal:
wer sölich frewnt mag *e*rchiesen
580 und wellent ir sel durch si verliesen,
durch iͤr frewnt suntleych leben.
Si jehent, in hab ez got gegeben,
ez sey gotez ordnung.
Dowider gicht der güten züng:
585 'Got nie gepat und wold,
daz man durch frew*n*d sunden schold.
Darumb straffet got dez erst Adam,
daz er daz obs von Evan nam
und iren willen tät wider got,
590 prach durch sey gotez gepot;
darumb er den flüch enphie,
den er uns, seinen chinden, lie.
Daz ist uns noch allen chunt:
alle schrift, aller lerer mund
595 sagent uns, wir schullen got ainen
ob allen lieb liepleich maynen,
aller frewntschaft wider ringen,
dy uns von seiner lieb müg pringen.
Den ist der rat unvernommen,
600 dy valsche lieb hat uber chomen:
die wernt geschaiden von got.'
Die red sey der magt ze spot,
die gicht, sy müz durch frewntschaft
enperen dez chunigz gemachelschaft,
605 der frewnt geit und awch nympt,
wenn seiner ordnung getzympt.
Die magt pedewtet alle die,
dy frewnd habent awf erden hie;
durch dy frewnt si got verchiesent,
610 unweisleych iͤr sel verliesent,
vol falschleicher lieb prinnent,
sünd pegend, pös güt gewinnent.

Dy selben lewt ubel pesynent,
den pesten frewnt sie ze veint gewinent.
615 Dy hat der pos schalk betroge*n*,
von gotez frewntschaft gezogen,
pracht in grozzer iͤrsal
in dez ewigen todez val.
Der driten magt wil ich gedagen
620 und furbas von der viͤrden sagen.

Des chunigez poten fürbas cherten,
fol. 6r der viͤrden / magt antwürt gerten:
ob si den chunig ze lieb wold.
Si jach, wie si daz tün schold,
625 wenn sy genüg erbes hiet;
wer ir ze schaiden davon riet?
Sy sprach: 'Mein erib laz ich nicht
(ewr gehais ist miͤr enwicht),
sust möcht ich den herren nemen.'
630 Si jahen: 'Ir mügt ym nicht getzemen,
seyd iͤr eribs iͤrrung jecht,
durch schatzeslieb den chunig recht,
der ze nemen tüt und ze geben
ere, güt, hail und leben;
635 von dez reychen gnäden gab
ewr leben ist und all ewr hab.
Sünder dez tügentreychen gaben
chain creatur chan icht gehaben,
der gemain all gescheft speist,
640 nach seiner milt ze tisch weist:
alle tier, vogel, fisch
weist sein miltichait ze tisch;
dez reichait ist so gar getziͤrt,
daz sein geben nicht eitel wiͤrt.
645 Dez miltichait nicht ab nympt,
dew ew ze niezzen nicht getzympt,
wann iͤr dez tugent missetrawt,
ewrs hertzen vest awf in nicht pawt,
der in der wüst nach ym beist
650 fünf tüsent mensch, die er speist

von fünf praten und von zwain fischen.
Ir schult ersewften und erhischen,
daz ir den chunig güt und reychen
durch eribschaft versmächt habt tumbleychen,
655 der ewchz doch geben hat;
wenn er wil, nympt oder lät.
Der pöz schalch hat ew petrogen,
mit schatzezlieb zü sich getzögen.
Eyn pispel schult iͤr vernemen,
660 daz ewr tumbhait chan getzemen:
Eyn tochter het ain armes weib,
der paider güt und leib
waren eins reichen chunigez aigen,
den sein güt chund naigen,
665 daz er der töchter zü gemachel gert,
die er von grossen gnaden ert:
sant ir poten, er wolt sey
ym nemen, reichen, machen frey.
Dez potschaft die tumb maid
670 durch iͤr erib wider said.
Si jach: „Mein *h*ab wol leit:
mein müter miͤr ein chüe geit
oder doch gewiz ein gais;
die geit mir milch, als ich wais.
675 Si wil mir ainen akcher geben
(so mag ich pratez gewiz leben),
darzü von erib ein haimbesen.
Ich träw an durst wol genesen:
prat und milich han ich genüg,
680 trinchen geit mir ein wazzerchrüg
fol. 6v aws einem chalten / prunn
dez mir noch nie ist zerunnen.
Ich bedarf nichtes mer,
hab ym der chunig sein reich, sein er.
685 Ich wil mich seins reichs verwegen,
hie meins haimbesen phlegen.“
Die poten jahen: „Ir ölmynn
an tugent, sunder an sinn!
Wie swaches eribs iͤr ew uberhebt

690 und soleych antwürt dem chunig gebt,
under dez gnäden iͤr lebt
und doch dez willen wider strebt!
Seid ir den herren habt vercharen,
habt ir daz swach erib verloren:
695 der chünig wil seinen amptman,
der ewr frävel püssen chan,
ungewarent senten schier.
So wert auch geschaiden iͤr
von dem erb und werdet dem charcher
700 geben in ymmer wernder swär;
in dem ist hunger, turst und qual
und allvaltiger trübsal.“'
Der magd iͤr tumbhait also ergie.
Pey der schullen wir merchen hie
705 der armen müter welt chind,
die iͤrer swachen erb so fro sind,
daz si iͤrs herren götez nicht achtent,
nür näch schetzezerb trachtent
und versmachent daz gotezreich
710 durch der welt erb so tumbleich,
daz in got nympt doch, wenn er wil,
sein sy lützel oder vil.
So dez amptman, der töd, chumpt,
chain perednung in frümpt.
715 Die durch der welt zergänkchleich güt
übermütig an *irem* müt
got versmachent und sein reich,
die wernt gepüsset ewikchleich
in der hell charcher,
720 der vol übels ist gar lasterwër,
allez prestenz und nöt vol;
ein erb der erben werden schol
den, dy durch der welt eribtail
verchiesent, verliesent gnad und hail.
725 Daz pispel sey gesait
ze stroffung der tümben maid,
die durch schatzes*lieb* iͤrn prewtigan
versmachen wil und chan.

Pey der tumben maid hie
730 schol man versten alle die,
die durch schatzezeribtail
got verchiessent und iͤr hail,
die dez reichs ewiger eren
durch schatzezlieb wellent enperen,
735 awf chranch gruntfest iͤr haws pawent,
dem allergewaltigen nicht trawent,
der helfen mag, wil und chan:
daz ist unweisleich getän.
739 Wer got wil gevallen wol,
fol. 7r durch / sein lieb versmachen sol
der welt er, reych und güt:
der ist volchomleych gemüt.
Wer zů dem rät ist ze chrankch,
der temper also seinen gedanch,
745 daz er der welt gütez und eren
nür ze notdurft well pegeren
nach seiner gestalt mit rechten synnen,
daz er nicht unrecht well gewynnen,
noch wider hail versparen güt:
750 peschaidenleych der mensch tüt;
der mag nutzen rechtez eribtail
allso nach dem ewigen hail.
Wer awer den rat wil volpringen,
daz er sich nimpt von allen dingen,
755 von weltsorgen, von güt, von eren,
dy geis*t*leych irrung mügen meren:
volchomenleich der mensch witzet,
in geystleicher peschaiden hitzet,
in geistleicher frewdrüe sitzet,
760 in der welt sündenglüt nicht switzet;
volchomleych der mensch synnet,
gnad hie und dort gewynnet.
Wer awer die sind, die gütez gerent,
unrecht gewynne*nt*, haldent und merent,
765 geittig nach güt und nach eren,
dy müssen gotez reich enperen;
die hat der laidig schalch petrogen,

vast von got zü sich getzogen.
Dy werent gegeben, als ich vor sait,
770 der hellcharcherpittrichait.
Der viͤrden magd wil ich gedagen
und von der funften fürbas sagen.

Dez chunigez poten fürbaz cherten,
der fünften magd antwürt pegerten:
775 ob si den chunig wold ze lieb neme*n*.
Sy jach: 'Daz möcht miͤr getzemen,
doch iͤrret mich d*er* gemachelschaft,
daz ich zü lieber wirtschaft
lang und oft geladen pin:
780 dar müs ich chomen und laisten hin.'
Dawider die poten jahen:
'Ewr antwürt müs dem chunig versmächen,
daz ir durch wirtschaft von ym chert,
dhainer wollust für in gert,
785 der mer ze geben hät allain
denn aller welt fürsten gemain
wollust frewdenreicher eren.
Wer dez wollustleychen nicht wil geren,
der schol der wirtschaft nicht enphan,
790 alz ir tumbe habt getan.
Ir seyt dez heren fürsten zwar
unwirdig verwarffen gar.
Ein pispel scholt iͤr vernemen,
fol. 7^{v} daz ür tumbhait mag getzemen:
795 Ein miltreyche furstinn
voll aller tugent und sinn
perait ein wirtschaft so groz,
der nie wirtschaft wart genoz:
noch der chunig Aswerus macht,
800 noch der chunig Herodez swacht,
noch all, dy fü*r*sten ye
gelaisten chunden, erfunden hie.
All, dy zü der wirtschaft chomen,
fürstleych gesidelt und chlaider namen,
805 fürstenleych namen, furstleich er,

furstleych reichait nach iͤrer ger,
wollust, frewden, chürtzweil, spil
uber aller synn achtnung vil:
in der phlag si hohe wiͤrd
810 ob aller maisterscheft gecziͤrd,
der sich gold, silber, edel gestain
siglas mochten genozzen chlain.
Waz cziͤr und edel mocht gesein,
daz müst pey iͤrer reichait schein
815 swach sein und ze nicht
und unwiͤrdig an gesicht;
der frewden er und wollust
uber aller hertzen glust
uberfluzz und ubervieng,
820 durch schuzz und durich gieng.
Die wirtschaft schol sich nymmer enden
nach an irer ardnung verwenden.
Die selb reich tugentfraw
gieng auf eins hohen perges schaw
825 und begund mueterleich rüeffen,
daz all gemain czu ir lieffen,
die ir wirtschaft enpfahen wolten:
mit gerung czu ir chomen scholten.
Si ruefft und verdrazz sey nicht dez:
830 „Transite ad me omnes,
qui me concupiscitis!“
Si rueff: „Chompt czu mir, seyt gewis:
die mein gerent, wil ich enpfahen
und mir nyempt lan versmahen.
835 Chompt czu miͤr, iͤr wert gewert
alles, des ewr hertz gert.“
An dem weg, do di scholden
durich varen, die chomen wolden,
daselbs waz ein erlose gastgebynn,
840 ein trewlose petriegerinn,
dy aws zu dem weg gieng
und all, dy durchfüren, enphieng:
di began sy zü ir laden
in wirtschaft noch ir schaden.

845 Si waz so laz nicht, daz lutzel waren,
dy weisleich chunden fürvaren
und ir böse wirtschaft versmähen:
so wol chunt sy ir gehais wehen;
und waren vil an zal,
850 dy zü ir cherten uberal.
Den gab si gift in honigz weis,
ir gift in trinkchen und in speis,
gab todeztrunkchenhait iren gesten,
854 daz sy sich schadens nicht verwesten
fol. 8r und petrogen also sturben:
also vil der lewt verdurben.
Dy hiez die gastgebinn pegraben
und sprach: „Dy lebunden schullen in haben,
daz dy toten lazzent ze miet."
860 Also si volkchs vil verriet.
Daz waz der tugentfurstynn laid:
ir verlorn gest si chlait,
ir poten si in daz gasthaws sant,
hiez gepieten und mant,
865 daz nympt der trügnerynn nach chert:
„Wer ir wirtschaft gert,
der muz an zweiffel sterben,
mit sampt der äfferynn verderben."
All petragt sy der potschaft.
870 Si jahen: „Dy lustleich wirtschaft
hat uns ewr frawn gehais benomen;
wir wellen noch mügen von ir chomen:
wir wellen in der wirtschaft peleiben,
dyweil wir zeit mügen vertreiben.
875 Phantloz haben wir uns verwegen,
wir wellen ir awf ein phant phlegen."
Die tumben peliben, die weisen awz giengen
und dy gehaissen wirtschaft enphiengen.'
Die fraw ist götleich parmung,
880 zü der wir haben hoffnung,
dy uns müterleich pegnadet
zü dem himelreych ladet:
reich, arm, jung und alt,

starkch, chranch, lewt aller gestalt
885 gerücht sy zü iͤrer wirtschaft laden.
Eyn gastgebynn tüt uns schaden,
die dy posen welt zaigt
und uns zu irer wollust naigt
und in der wollustleychen weis
890 geit uns gift zu trinkchen und todezspeis,
in der wir mit todsunden sterben,
oft an leib, an sel verderben.
Wir sehend und horen all zeit,
wie posez end dy welt geit,
895 wie die sel ir gäb müz gelten;
und vindet man dapey selten,
die sey versmachen und von iͤr cheren
und ir trugenhait enperen.
Ein todleych gift ir wollust,
900 ir gehais ein lebensflust,
ir frewd ein irrsal,
ir glukch ein ungewiser val.
Si gicht: 'Waz meiner gest sterbent
und von meiner gifft verderbent,
905 der leib wil ich in dy erd pegraben,
der tiͤvel schol ir sel ze phant haben;
daz fliechen nicht dy lemptigen
meiner gehais unverczigen;
den ich der toten erb wil geben:
910 gewissen tod nach dem leben.'
Dapey flewcht niemant dy trügnerynn,
eyn uberwerte lugnerynn,
uberwert von aller geschrift,
fol. 8v dy uns mit wollus*t*leycher / gift
915 dy ymmer werund frewd laidet,
von der ewigen wirtschaft schaidet.
Gesait sey d*e*r magt daz pispel,
die zu der wirtschaft snel
versmähen wolt daz chünigesreich:
920 der sind all tumben geleych,
die durch der welt wollust
sich verbegent der sele flust,

gotez reich wellent enperen,
von got zü dem tiͤvel cheren:
925 die hat der pös petrogen,
von dem himelreych gezogen.
Der fünften magd wil ich gedagen,
fürbas von der sechsten sagen.

Dez chunigz poten fürbas cherten,
930 der sechsten magt antwürt gereten:
ob si iͤren herren, den chunig, wold?
Antwurt si dez geben schold.
Dew jach, dez möcht nicht geschehen;
si hiet ainem die lieb verjehen,
935 der wer ir lieber denn er,
von dem schied sy nymmer mer.
Si wolt seins reichs und sein enperen,
e daz sy von dem wolt cheren;
si wold awf gelukch pey ym pestan,
940 ob es ir ubel müst ergan.
Die poten jahen: 'Ir tumbe maid,
unwirdig aller wirdichait:
daz ir so fröleich wider jecht
des chunigez frewntschaft durch einen chnecht,
945 der ew lieber ist denn er.
Ew geczimpt nicht wirdichait und er!
Ir welt eins püben pübinn sein,
dez tüt ewr tumbe perednung schein,
wann ew der poz schalch hat petrogen,
950 mit pöser lieb zü sich getzogen.
Ein pispel schult ir vernemen,
daz ewr tumbhait mag getzemen:
Eyn haher chunig vol dyemüt
gerücht von seiner freyen güt
955 sein aigne dyrn zu gemahel geren,
der er gedacht zu grozzen eren.
Ob sy in mit trewen hald
und zu hertzenlieb haben wold,
so wolt er ir seins reychs tron
960 mit gewalt chunigchleicher chron

mit ym selben geben ze lon,
sey ymmer haben in wernder schon.
Gemächelschaft si ym gelobt;
dy frävel prawt nach laster tobt:
965 ir eren gelübt sy schier vergaz
und getorst ze prechen daz,
also daz si den chunig lie
und seinen ovenhaitzer enphie.
Ze lieb sy den lasterpuben nam;
970 darumb ward ir der chunig gram
fol. 9r und jach: „Seyd sy soleyche / missetat
an miͤr, irem hern, begangen hat,
meinen puben fur mich erbelt,
sol si meines reichz sein entwelt,
975 von meinem erbtail verstozsen
in den ofen mit irem genossen,
der dez ofen haiczer ist.“
Die lasterbær hawt an der frist
mit irem lasterbaren puben wart
980 in der ofengrüfft verspart
und wart der ofenchamer gebert,
der si mit dem puben gert.'

Der hoch chunig ist Jesus Christ,
der ein furst aller fursten ist,
985 der seiner armen diern gert,
einer christensel, die er ert,
daz er poten nach iͤr sant
und nach sendet in alle lant:
sein le*rer*, daz si wider cher,
990 er geb ir gnad, frewd und er.
Noch der lieben er selber cham,
der menschen claider an sich nam,
daz er iͤr wurd geleicher,
ainer natur cze lieb czimleicher.
995 Dem lieben waz nach der mynn so gach,
daz er iͤr lieff ruffund nach:
'Revertere, revertere, revertere, revertere sonamitis!'
Er rüfft viͤrstund, alz ich lis.

Sunamitis versmæchte widercher,
1000 daz ist gots des vater ger,
der dich czu wiͤrden beschaffen hat,
gepildet nach seiner trinitat.
Daz pild hastu geswachet,
mit sünden widerczæm gemachet:
1005 dovon mit tugenden widercher,
daz ist gotes, dez vater, ger,
daz wider chæm dez pildes schein,
und sein gmæchel mügest sein.
'Cher nach wider', gotz sun diͤr rüeffet,
1010 mit clagunder stym wüffet:
'Ich han durch dich den tod erliten,
mit nöten dein mynn erstriten.
Cher wider Sunamitis!
Ich enphoch dich, wis gar gewis!'
1015 Cher wider czum drittenmal!
Der heilig geist, güt vol,
der wider ladet, rüffet dich.
Er gicht: 'Ich han gegeben mich
in der tauff ein morgengab,
1020 daz die gemæchelschaft stat hab
czwischen dir und dem prewtigan,
dem ich dich gemæchelt han,
der aus von dem vater gieng,
mit meiner ordnung enphieng
1025 deiner natur ainigung
durch deiner mynn gemainung.
Pistu von dem lieben chert,
mit sünden warden dez unbert:
gerstu, ich wil dich wider laden
1030 mit gaben geistleicher gnaden,
czu des mynn wider pringen.
Cher wider, hab gedingen!
Verwiderstu widerchern,
so mustu ymmer dez enpern
1035 und von dez genaden geschaiden wesen,
an den du nicht macht genesen.'
fol. 9v Cher wider, dich wegnadet

gotes müter, di dich ladet;
Maria, muter, magt vil rain
1040 mit aller himilischen gemain
gert deines wider chömen,
daz dein stym werd vernomen;
und dein antlücz, liebleich cze sehen,
daz ez mynnicleich müg prechen
1045 in deines lieben angesicht.
Cher wider, sawm dich nicht!
Also gerucht wider laden
got sein sel cze genaden,
die von im suntleich ist gechert,
1050 der er czu lieb nach den sünden gert:
ob si wider wolt chern,
so wolt ers enphohen gern
mit aller himlischn schar
und gecziͤr Maria der clar.

1055 Welich sel also bechumert ist,
daz si iren lieben Jesum Christ
durch sundenglust getar verchiesen,
die wil læsterleich verliesen
iren gnadenreichen prewtigan
1060 durch den lasterbarn sathan,
der der hell ofenhaiczer ist;
mit dem müs die an endezfrist
in dem ofen cze prewtstul siczen,
in der hell grufft erhiczen,
1065 verstozzen von dem himelreich,
von allen gnaden ewichleich,
daz si verwarffen hat iren got,
dem si in der tauff gemæchelt wart,
und den puben czu sich versport,
1070 der nie warhafft erfunden wart,
der sei hart ubel hat betrogen,
von gotez lieb czu sich geczogen.
Czu versten pei der magt ist pedewt:
schul wiͤr nemen unchewsch lewt,
1075 die durch unchewsch glust

und der sunden smähe wollust
iren waren preutigan verchiesent,
all gnad und hail verliesent,
oder die glüb der cheusch haben getan
1080 und bestent nicht daran:
die von posheit uberwunden
*p*rechent, darczu si sich habent gepunden,
dy von der cheusch also schaident,
got und frumen leuten sich laident;
1085 dy sint læsterleich betrogen,
von got czu dem teufel geczogen.

Nu han ich, alz ich chund, beschaiden
von den sechss tummen maiden,
wie die iren lieben preutigan
1090 tumleich verbarffen han:
die erst lie sich dez berauben
iren plinten ungelauben;
dy yach, si chant sein nicht
(dy perednung waz enbicht);
1095 dy ander wolt von im cheren,
die nicht irer gespilen macht enperen;
die dritt wolt im ab gestan,
dy geporn freu*n*t nit wolt lan;
fol. 10r die vierd ym damit entran,
1100 daz si erib wolt han;
die fünft verbidert sein gemachelschaft
durch pegerte wirtschaft;
die sechst wolt den chunig hassen,
e si den haitzer wolt lassen.
1105 Als ich vor gesagt han:
dy gehorent all satan an.
Die dem chunig sind abgestanden,
dy haissent all töchter der schanden,
von Babilon genant:
1110 dy schullen pesitzen daz schandenlant,
in dem pur*c*graff ist satan,
der schandentöchter prewtigan,
den awch Weltzebuch nennet man;

der süntgifigen fliegenman,
1115 der awch gehaissen ist Lucifer,
daz spricht zu dewtsch ein liechtrager:
der hiess vil pas Luciper,
daz as vil spricht sam ein liechtverlieser;
der haist nü pas nügifer,
1120 daz spricht ze dewtsch ein lugentrager,
der untrew funden hat und liegen,
der fälschleych hart kan trigen,
der gelogen hat den maiden,
daz sy von irem prewtigan sind geschaiden:
1125 als er noch hewt geren tüt
allen tumben an irem müt.
Der schandenfurst in dem lant,
daz ubels vol ist und schant,
die schandentöchter gemächelt hat
1130 mit todleycher ungetat:
die ym mit sündenlieb nach volgent,
sich lasterleich pesolgent,
daz chain sichtig unflat
söleich unsawber schand hat.
1135 Welich an dez schalchez rät pestend,
unwiderchomenleich ym nach gent
und an seiner gemachelschaft wernt erfunden,
dy sol er an dez endez stunden
haimfüren yn sein lant,
1140 in dem jamer ist und schant,
not und allez übels vil.
Von dem hinvaren ich sagen wil
an dez püches ende,
so ich mein red gar vollende;
1145 auch dez landes und die vart
wirt an dez püchs ende gespart:
wann ich der magt wil gedagen
und von der sibenden fürbas sagen,
dew den chunig gern nympt
1150 und dez gemahelschaft getzimpt.
Von der magt han ich gedach
fol. 10v ze reden in geystleycher acht:

von tugenten in der möss,
daz ich ein geistleiche strazz
1155 geben wolt geistl*eich*em leben
(ob mir got walt weisshat geben)
von anegang der gnaden,
so got ein sel wil ynnen laden;
darnach wie ers mit tugendensynnen
1160 chan leren und erlewchten ynnen,
die sich nach ym schullen synen,
ym nach volgen in ainem mynnen;
wie got die sel hie begaben mag,
mit gnaden peraiten awff den tag,
1165 daz er sy füren wil in sein reich,
do si mit ym veraint ist ewychleych,
ymmer schol sicher wesen.
Als ich davan hab gelesen,
han ich geistleich cze sagen gedacht;
1170 mein fürsatz werd von dem volbracht,
dem ich daran diͤnen wil.
Wer wisse zů den dingen vil
und daz püchel här lesen,
der schol gütig gen mir wesen,
1175 ob ym misvelet mein syn:
wann ich unversücht daran pin;
nür als vil mir dy schrift sait,
gar unwissund der warhait.
Davon reden mein andacht sey:
1180 nü gerüch mir got wesen pey.

[2. TEIL: DIE SIEBTE, WEISE JUNGFRAU]

Dez chunigez poten fürbaz cherten,
der sibenten magt antwurt gerten:
ob sy den chunig höchster eren
ze hertzenlieb wold geren.
1185 'Eya geren' sprach dy weis magt.
'Ir habt mir von dem lieben gesagt
so vil tugent, reichait und eren,

daz ich dez lieben nicht mag enberen.
Doch han ich soleych er vernomen,
1190 daz ich arme pin erchomen,
daz ich darczů pin ze swäch,
daz ich seiner chnecht füzz twach.
Doch ein mynnsenung mich rürt,
die mir der förcht pein enphürt,
1195 daz ich an seiner güt gedinge;
ob ich mynnent nach ym ringe:
ich wert dez hertzenlieben gewert,
der mein, seiner dyrn, gert.
Dem gib ich hewt meinen willen,
1200 den wil ich von allen sachen stillen,
die mich von dem lieben schaiden,
fol. 11r nicht nachvolgen den tumben maiden,
die sich mit berednung wolden swachen
und dez lieben unwirdig machen.
1205 Ich wil in geren, ich beger seiner eren;
ich wil noch mag sein nicht enperen:
sagt dem lieben, ich sey perait
mich ym ze geben mit stätichait.'
Dez chunigez poten jahen geleich:
1210 'Dew magt antwürt dyemütichleych;
die geczimpt dem chunig und dem reich.
Die getzimpt werleich dem chunig wol.
Ein pispel die lieb vernemen schol:
Chunig David einer frawen gert,
1215 die waz wol dez chunigez wert,
do er ir zů gemahel gert.
Den chünig sy mit irer dymüt ert;
si sprach: „Ich pin dez nicht wert,
dez der chünig an mich gert:
1220 ich, sein dirn, pin ze swach,
daz ich seiner diener füzz twäch."
Von der dymüt geschach
ir früm, ir er und ir gmäch,
daz sy dez reichs tron enphieng
1225 und in dez chunigz pett gieng.
Also habt ir junchfraw getän,

des müst ir ymer dankch han.
Welt ir an der red pesten,
so scholt ir in daz pett gen,
1230 in die haimleich ewrs prewtigan,
dem ir ewch gebt undertan;
dez schult ir mit züchten peiten,
ewch zů der hochczeit peraiten.'
Si jah: 'Daz tün ich allczeit geren,
1235 waz mir der chunig pewt der eren.'
Die poten jachen: 'Er wil ew senden
sein junchfräwen, die an euch wenden,
waz ym an ewch miss vallen mag;
die ew peraiten an den tag,
1240 daz er ewch in sein reich
haimfüren wil sälichleich.
Doch wil er dez nicht lan:
er well ewer gehaim han
in dem ellend tawentleich,
1245 awer voll hochczeit in dem reich.
Wartet zu ewch der junchfrawen,
den schult ir sicherleich getrawen:
die schullen ew maiczogen und leren,
wol peraiten zů den eren.
1250 Daz ingesind ew lieb wesen schol,
fol. 11v daz chan dez chunigz hofsit wol.'
Die poten nämen ürlawb von ir;
sy jahen: 'Die junchfrawn choment schier,
die ew maitzogent und lernent,
1255 die ewch tröstent und erent.
Die junchkfrawen schullen ew wilchomen wesen,
so mugt ir wol mit hail genesen.'
Si jachen, daz sy wartet ir:
gar trewleich sy chamen schiͤr.

1260 Der red syn wil ich pedewten
durch pësrung geistleichen lewten.
Die poten güt lerer zaigent,
die mit dem gotezwart naigent
zu got die erwelten sel,

1265 daz sy mit mynnsenung snel
zü gotez dienst cherent
und dez zu hertzenlieb gerent.
Der hail vöcht sich alsus an,
daz sy sich gewent undertan
1270 mit freyer wol gotez willen;
die pegint ein mynsenung stillen,
daz si mit freyer wal iren willen
von süntsachen anhebent ze stillen
und hebent als sy mugen an,
1275 got mit dem willen under tan.
Daz ist meritum congrui genant,
ein erster grunt der gnaden gesant
von got, der alle gnad geit,
an dem anvang und end leit.
1280 Wer dez manung gehorsamet,
daz er der sunden gernung zamet
und tüt, daz er mag und chan,
geit got seinen willen undertan:
für meritum congrui ich daz han,
1285 den grunt, damit sich daz hail hebet an.
Wie dy ersten gnad got auch geit,
doch an dem willen ez auch leit:
der müs sich gotez gnaden naigen
und gehorsam erczaigen.
1290 Wil dem gotez manung versmahen,
er mag nimmer gnad enphahen:
er müz got genaigt sein.
Davon spricht sant Augustin:
Der dich mensch, sein hantgetat,
1295 an dich peschaffen hat,
der wil dich an dich nicht rechten,
wil im dein wil widervechten.
Von dem gicht awch alsus
fol. 12r ein gůter lerer Chrisostinus:
1300 Erd an sam frucht nicht,
sam an erd sam ist enwicht;
freyer will an gnad alsam
und an erd dez willen gnaden samen.

Der sam gotez gnaden mainet,
1305 dy erd den willen; dy zway veraynet
miteinander pringent frucht,
geistleicher frucht genücht:
frucht chumpt von in paiden,
nicht awer, so sy sind geschaiden.
1310 Da verstet ir nü pey,
daz gnad an frucht sey,
der mensch geb seinen willen darczů.
Was awch ein mensch tüe:
er mag an gnad nicht volpringen.
1315 Doch hab wir vesten gedingen;
wer recht von got gnaden gert,
er werd ir sicherleich gewert.
Wer sy awer von ym treibt,
pey dem menschen gnad nicht pleibt:
1320 wen ein lieber frewnt haimsücht
und dez chünft unrücht,
daz er slewsset rigel für,
wenn er chlokchet an seiner tür
und wolt geren chommen in:
1325 der müz vertriben schaiden hin.
Alssam got zu geleicher weis:
Wer nicht wolt enphahen speis
gar hüngrig in der nöt,
der tat ym selben den tod;
1330 welich siech den artzt van ym treibt,
nicht wunder, ob er siecher pleibt:
also gotez gnad uns haimsüchet.
Wer dy gotezgnad unrüchet,
der müz ir eitel pesten;
1335 dy sunn mag nyndert ingen,
man müs ir etwo auf sliessen.
Gotez gnad wil nicht in fliessen,
ir werde menschenmüt entspart,
dew gunst geb ir invart:
1340 so ist gotez gnad berait.
Davon sey ew gnüg gesait.
Zü der gnaden invart

füdert wol daz gotezwart;
daz gotezwart ist ein prünn
1345 voller genaden und wünn:
pey der hailflyssenden twahel
wirt oft funden gotez gemähel:
fol. 12v sy ym und er ir.
In genesi lesen wiͤr,
1350 daz man ainen herren, Isaakch genant,
pey einem prunn ein gemähel vant;
die hiez Rebeka, dy iren prewtigan
pey einem prünn wart sichtig an:
si sich pey einem prunn funden.
1355 Er ir awch chunt nach den stunden.
Uns urchund dy zaichnung geit,
was hails an dem gotezwart leit:
got vindet sein gmahel oft dapey,
die vindet in und er sey.
1360 Wenn daz geistleich geschicht,
daz got ein erwelte sel an siͤcht
mit den ynnern genaden,
sey zů sich gerüchet laden,
und si ym iren willen geit:
1365 an der selben lieben zeit
wirt dy sel von got enphangen,
ein geistleich gemahelschaft angevangen
zwischen der lieben und dem mynnichleichen.
Der lieb chan sich nicht geleichen,
1370 dew ist rain und so wert,
daz ir der hochst furst gert.
So der sel ist geschehen so wol,
wirt sy mynsenung vol
nach got, der ze tröst ir sendet
1375 tugentjunchfräwen und wendet
mit den, waz ym misvelt an ir;
nach der gehais priͤnnt ir gir,
wann ein mensch, zü got pechert,
tugent wünschet und gert.
1380 Also vächt sich der sel hail an,
alz ich pest wissen chan.

Nicht lenger schol werden dew sag:
ich fürcht, die new prawt petrag,
ir gieriger mut werd ir penomen,
1385 ir schullen dy junchfräwen chomen;
an die mocht sy nicht peleiben:
Wie scholt sy die zeit vertreiben?

Do die new prawt also wartunt sas,
irs lieben herren nicht vergas,
1390 ein fraw für ir hawstür cham,
der chunft sey gehe frays nam:
fol. 13r die trüg ein helle herpusawn
und pusawent in zů der frawn.
Do dy wart helle plasent,
1395 do wart die new prawt ynne glosent
und so gächleich erhischet,
daz ir ein jemerschray entwischet
und schray: 'Ach und we!
Dez dans hört ich nie më!'
1400 Nach dem schray sy unlang lag;
und nicht wunder, daz sy erschrakch!
Von der pusawn drey don giengen,
dew ören und müt durch giengen.
Die pusawn donet alsus:
1405 'Ve, ve, ve in terra habitantibus!'
Die pusawen pedewt sprach:
'We, we, we und ach
den, die wonent in erd!'
Daz erst we pedewtet werd:
1410 daz pedewtet den gewissen tod,
allen menschen ein fraysam nöt;
die gechostet habent daz leben,
mugen dem tod nicht wider streben:
die geporen daz leben enphiengen,
1415 in pürgelschaft dez todez gie*n*gen,
die mugen allen nicht vermeiden,
sy müssent dez tödez ach leiden
und wissen doch nicht, wann oder wie,
mit welhem end dört oder hie:

1420 ob sy hewt oder morgen.
Daz ist der newn prawt ze sorgen,
daz sy mit sorgen yrem prewtigan
stätichleich sey undertan.
Darumb schol ir dönen zue
1425 die pusawn spat und früe,
die sy mant und warnt gewiz:
'Memento homo, qui cinis es et in cinerem reverteris!
Gedench mensch, daz du von erden
chomen pist und darczů müst werden!'
1430 Die gehüg dich manen schol,
daz du den leib nicht habest ze wol,
der in hart smächer weis
werden müs der würmen speis:
den schal man in gotez dienst arbaiten,
1435 damit in güt arbait laiten,
daz er gewan sünd meiden,
geistleicher arbait joch leiden
an peten, an vasten, an wac*h*en
fol. 13v und an allen güten sachen.
1440 Darczů die püsawn frumpt,
von der gehüg dez todez chumpt:
die den leib an sünden töttet
und aller tugent sach nöttet.
Die frümpt den anvang der rechtichait.
1445 Von dem andern don werd nü gesait:
Der ander dan der pusawn
erwekchen möcht dy newen frawen.
Die stym dönet den anderen achen,
dovon ir hertz müs erchrachen;
1450 doch die stym donet ir ze früm:
'Surgite mortui et ite ad judicium!
Stet auf, ir toten, für gericht get,
da ir ze antwurt stet
von allem ewrem leben,
1455 daz ew auf erd ist geben:
Ob es güt oder übel gewesen sey,
darnach want ewch urtail pey.'
Der richter streng und gerecht,

dem ist der herr sam der chnecht,
1460 alt und jung, arm und reich:
vor dem richter ain recht ist geleich,
der den armen nicht unrüchet
noch dez reichen gab süchet,
vor dem chain perednung frumpt
1465 noch chain pet zestaten chumpt,
vor dem nicht frumpt edel noch gewalt,
noch der syn hie manigvalt,
noch der phaffen tieff*e* chunst,
noch der schonen frawen gunst:
1470 vor dem r*i*chter nicht sölichs frumpt,
dann dem seyn ger*i*cht zestaten chumpt.
Vor dem richter wir all wissen
eins jetleichen menschen gewissen,
seins lebens end und anvanch,
1475 werich, wart und gedankch;
da chain haimleich ist verporgen,
darczů die new prawt schol sargen,
daz si tag, nacht, spät und früe
nicht ubels vor dez augen tüe,
1480 dem nicht chan verporgen sein:
daz sol ir tün sargenpein,
ob si icht ubels begangen hab,
dez sol sy hie chomen ab
fol. 14r nach recht und nach gnaden:
1485 so bewärt sy chunftigen schaden.
Sawmpt si sich dar in dem leben,
so müs si dört antwürt geben
nach recht und nach gnaden nicht,
allz aller lerer urchund gicht.
1490 Dez gerichtez sol die prawt gedenchen,
das mag iren müt von sunden wenchen,
ir hertz zü tugenten lenkchen
und ir rewzaher schenkchen.
Die ist dy ander pusawenstymm.
1495 Die dritt donet mit fraysem grymm.
Die jamerstymm der drytten püsawen
geit hertzenschrikch der frawen;

doch ist ir der stym warnung früm:
'Ite meledicti in ignem eternum!
1500 Get ir verfluechten in daz fewr,
in dem ew alle labung ist tewr;
get in den trüben hellrast,
der ymmer werund ist untrast;
get in den ymmer werunden val,
1505 in das gruntlaz jamertal,
in dem die unsäligen sterben ymmer
und mügen doch ersterben nymmer!'
Davon ich chürtzleich sagen wil,
wann sagt ich lang und vil,
1510 so wer döch pey der warhait mein sag
alz ein troph pey dez meres wag:
so gros ist da die jamernot,
da ymmer lebt noch stirbet der tod.
So daz die new prawt gedënchkt,
1515 wirt irer sünden gerung gechrenkcht,
ir müt zu tugenten gelenkcht
und mit zähertrankch getrenkcht.

Do also die pusawn erhal
und die prawt warff in unmachtval,
1520 die *fraw* chlokt an ir tür:
fol. 14v die unmächtig prawt / plikcht her für,
wann si clokcht sprechend also:
'Sto ad hostium et pulso.'
Si sprach: 'Tüt auf, ich chlokch an.'
1525 Sy waz so ernsthaft getan,
daz erchömen die prawt geswaig
und in unmacht nider saig;
doch in irer hand ein luceren sy ersach:
von dem liecht ir ein trost geschach,
1530 wann si in dem liecht erchant,
daz ir die fraw wer gesant
von irem lieben prewtigan.
Davon sy trostezmocht gewan,
stünd auf und die frawen enphieng,
1535 dy ernsthaft zü ir in gieng,

trüg in der *w*insteren hant dy pusawn,
in der zesem ein luczeren zü der frawen;
sprach sy: 'Ich pin ewch ze hail her gesant,
Timor Domini pin ich genant.
1540 Ich pin gehaissen Gotezvorcht,
dy ye an seinen erwelten worcht
anvankch der gerechtichait
und der waren weisshait.
Ze urchund trag ich dy luczeren,
1545 der niemant erwelter mag enperen.
Daz liecht ist Congnicio genant,
daz ew pey mir ist gesant;
Congnicio spricht erchant*n*üzz,
von got ein erster pot vil gewis.
1550 Daz liecht an und mit mir chumpt
und gar vil erwelten frumpt
anvang menschenhails,
me*i*dung sündenmails,
ein masterinn der unweisen jugent,
1555 ein lererin aller tugent
ist Congnicio: ein liecht,
in dem ein mensch sich selben siecht
und wirt got darnach sechent,
wenn ym gegen der spiegel preh*e*t
1560 in der geistleychen weishait;
von dem hernach wirt gesait.
Ich, Gotezforcht, sey ew erchant,
fol. 15r mit den zwain ew gesant,
mit der pusawn, mit der luczern:
1565 der mugt ir paider nicht enperen.
Die pusawen schol ew von släff wekchen,
in sündensicherhait erschreken;
für träkchait und ubermüt
ist ew die pusawn nütz und güt.
1570 So sol ew die lutzeren laiten,
Congnicio den weg peraiten,
der zü ewrem lieben get;
auf dem wëg sicherleich pestet.
Fraw prawt, ich pin ew nicht eitel chomen:

1575 ir habt nütze gab von mir vernomen,
die schult ir nützen nach hail,
so wirt ew dez gnad wolfail,
dez ir gert, den ir sücht.
Ob ir meiner gab nicht unrücht,
1580 so choment ew mein swestern all
nach mir mit gnadenschall.'
Zu der prawt *w*inster hant si sas,
die irer sorgen nicht vergas.

Nach der frawn waz ingegangen
1585 ein junchfraw, dy chund wol prangen
(recht als sy ir töchter wär)
an ir seiten gar hofpër;
die trug in irer hant einen pesem
und sas zü der prawt zesem.
1590 Dew sprach: 'Mein nam sey ew pechant:
Spiritualis Disciplina pin ich genant;
daz spricht dewtsch Geistleich Zücht.
Mein chünft pringt ew gnadenfrucht,
ob ir miͤr welt volgen näch.'
1595 'Ich tün gern' die fraw jach.
'Daz ist güt, doch wisset, fraw,
daz ich ew so gachs nicht getraw:
ich wil den zuchtpesem
hie legen an ewr zesem,
1600 der ewch swind sleg tüt,
habt ir nicht ewr zücht hüt.'
Schier ungew*a*rent tët sy ein släg
der frawn, daz sy hart erschrakch.
Der släg waz ein hailber sarg,
1605 dew sey da träff an parig:
fol. 15ᵛ daz chain übel pleibt / ungerochen,
gewärcht, gedacht oder gesprochen;
es werd gericht hie näch gnaden
oder in weytzen gelewtert nach schaden,
1610 in der ewigen hell charcher.
Und ist doch menschenplöd swär,
daz ain mensch ainen tag

aller sünden lawter peliben mag,
ez tüe denn got den swinden schlag.
1615 Die new prawt hart fürchten mag,
daz sy chawm ainen tag gar
mag beliben aller sünden chlär;
doch schol sy tägleych mit der rew
ir antlücz wider machen new,
1620 daz sy irem lieb gevallen mag.
Darczů frümpt der pesemslag.
Der ander slag leit daran,
daz chain mensch gnäd von ym selben chan
noch mag gehaben, si werd ym gegeben,
1625 und der gnäden in dem präden leben
gwis noch sicher gesein mag:
der ist awch ein swinder slag.
Doch ist der pesemslag vil güt,
daz er naig der frawen übermüt:
1630 daz auch sie bechenn dapey,
daz gnad allain von got sey
und nicht von irem güeten leben,
wann gnad von got umb sust wirt geben.
Also mag si ubermüt verchiesen,
1635 von dem si gnad mocht verliesen.
Der dritt slag awch we tuet:
swie so dunch eins menschen leben guet,
daz er doch unwissund ist der tawgen,
wie es gevall gotes augen,
1640 wie sein end werd übel oder wol.
Der schlag die prawt dyemütigen schol,
daz sy ir geding an got wend
und wünsch irem leben ein güt end,
ires leben fleizz hab all czeit:
1645 den nütz der dritt slag geit.
Do die prawt die sleg vernam,
todleich hart sy ercham,
webaint hart und chlait
irs ellendes unsicherhait,
1650 pegert irs lieben sicherhait
und seins reichs ewichait.

fol. 16r Darczü die weiz junchfraw sprach:
'Gehabt ewch wol, fraw, voligt nach
meinen siten, meinen synnen,
1655 so mügt iͤr gut hail gewinnen.'
Die fraw antwurt: 'Ja, vil geren.'
'So hert hofczücht wil ich ew leren;
phlegt aller ewrer sit vil tawgen
und czů vordrist der augen.
1660 Daz öug ist dez hertzen pot
und schaidet ez schier von got,
wenn ez ummlowft ungwarunt;
dem herczen eczleich czünter widervarunt
mit pöser gerung, wie ser daz garent
1665 der geist, der sein nicht ist pewarnt.
Der augen schult ir t*a*wgen phlegen
ze tal gen der erden wegen;
daz ist ein czaichen czwar güt,
ein gehüg dez todez, wär dymüt;
1670 oder awf gen der engel stat,
do ewr gmähel wanung hat:
daz ist ein czaichen mynnaynichait
und himelgerund andächtichait.
Ewr oren schüllen verschlossen sein,
1675 daz icht chäm in dez hertzen schrein
dacz den offen fenstern in,
daz von got lait daz hertz hin,
und den pechumrung müg gmachen
mit weltleicher irung sachen.
1680 Cumpt dez icht in, daz schol nicht pleiben,
daz schol dew czucht pald aws treiben.
Die aren schullen geren vernemen,
waz der sel hail mag zemen;
anderswo schullen sy sein verspart:
1685 so sind die pharten wol pewart.
Ewrs mundes seit auch wal gewar,
daz icht ungewarent aus und in var:
aws an sündwarten, in ungearntem lachen,
die mugen grössen schaden machen;
1690 lyegen, triegen, hanlachen, spot,

nymmer gedagen, unnütz sagen sind wider got.
Wer dez phligt, sich verbigt meiner reͣdt,
fol. 16v der müz enpern gotez eren, ob er / ez nicht widerteͣt.
Red selten, still*n*üzz mit hüt:
1695 daz ist ewch, fürstleiche fraw, güt
und geczimpt dez chunigez hofsit wöl,
der czucht und weisshait ist vol.
Des mundes ingankch hab mazze weis
an trinkchen und an speis:
1700 unmazz an fraz und an trunkchenhait
schullen ew, fraw, sein gar versait.
Ir schult geistleich sein gemaitt
an spech mit dürnächtichait.
Ewr hend schullen arbait phlegen,
1705 chain weis sich müssig legen;
müssichait ist niemant güt,
die leib und sel schaden tüt.
Wo ir mügt, do seit gesessen geren:
daz geczimpt wol frewleichen eren
1710 ayner geistleichen gotezprawt,
der czucht man daran getrawt.
An worten und an werchen habt mazz weis,
die geit allen dingen preis;
an speis, an trankch und an gewant
1715 sey ewr aynvolt nötdürft erchant;
phlegt ewr czücht aussen und ynnen,
an leib, an müt mit gewaren synnen:
so mügt ir gevallen wol dez augen,
dem offen sind alle tawgen
1720 an aller stat, an aller czeit;
vor dem gwar offen und tawgen seit.
Habt czucht und gwarhait ewr sit:
do gevalt ir ym allerpest mit.
Habt allez ewr leben in fleissez hüt:
1725 daran ir seinen willen tůt,
ewch selber er und hail
und pestet sicher an mail.
Die red wil ich damit enden,
die ir mit fleiss schult valenden.'

1730 Si jah: 'Daz wil ich geren tůn.'
'So habt frid und süen.'

Ich wil van den frawen paiden
der voderen sag ettwas peschaiden:
wie die vorcht sey manigvalt.
1735 Doch merkcht sey hie dreyer gestalt.
Die erst haist timor servilis:
fol. 17r ein petwungen vorcht, als ich lis,
die den menschen petwinget,
daz er sunden wider ringet
1740 durch leidnung, nicht durch güt;
die schrekcht menschengemüt
mit dez jungisten gerichtes nät
und mit der ewigen hell täd.
Darumb treyt sy die pusawn,
1745 pusawnet fraysam zü der fräun;
dez phligt sy doch hinvar
noch ausser dez hertzen tär,
wann die petwungen varcht ladet
nür lones gernt, nicht pegnade*t*;
1750 wann nyemant dynt lan damit,
wer die sunt nur lat durch dy hellmiet,
also petwungen nicht durch got.
Doch ist die voricht ein gnadenpot,
mit der ein sünder wirt wider geladen
1755 und erchömen eylt wider zü gnaden;
dew voricht den heiligen geist in treibt,
doch mit ym nicht peleibt,
die manigen menschen zü hail frümpt,
mit den nicht pleibt, von den sy chumpt:
1760 alz ein nadel seyden inlaitet,
mit irer wächs edel gwant peraitet;
so si den vaden inpracht hät,
müz sy entwichen von der stat.
Alssam der vorichten geschiecht,
1765 die fürt gnäd in, pleibt doch nicht;
die voricht stat peraitet got,
ein gewisser gnadenpot,

doch mit der gnad nicht lang pleibt,
wann sey hin die mynn treibt.
1770 Daz geschiecht, wenn ein mensch güt,
petwungen von der voricht, tüt
und ym da liebund wirt,
daz gewonhait an ym gepiͤrt
tugentfliezzn durch hailsgedingen:
1775 so müz die voricht verer springen,
und werent güt werch gewarycht
durch hailsmynn, nicht durch voricht.
So ist die chnechtvoricht nicht pliben,
die hat äuz die mynn vertriben.
1780 Die ander pleibt noch vil gwis:
fol. 17v die haist / timor inicialis,
ein anhebunde voricht genant,
die entweicht der lieb nicht so czehant.
Die voricht ist also getän:
1785 wenn ein mensch grift tügent an
und angevangen hat güt leben,
wil den pösen gwanhaiten wider streben,
der müz die voricht wider gen,
daz der mensch müg gesten.
1790 Die gnadenvoricht hat zwai augen:
daz *w*inster gen der hell vil tawgen,
daz recht aug auf zü got
also, daz si sein gepot
wewaren in der mynn wil;
1795 daz ander aug frümpt ir awch vil:
damit sy der hell tod an sicht
und von got entweichet nicht;
wann storkch pöz gewanhait ist,
die czampt sy damit all frist.
1800 Die voricht ein müter ist dez hails,
ein vertreiberinn sündenmails,
ein anvang geistleichem leben;
die tugentfrucht mag gegeben.
Die man dapey schol versten:
1805 do sy zü der prawt scholt gen,
trüg sy ein liechte luceren,

die dew fraw sach vil geren;
wann die voricht pringt ein liecht,
dovon der sel vil hails geschiecht,
1810 daz sy fürchtet der helle pein
und gert in gotez frid sein.
Darnach sy arbaytunt ringet,
gotez gepöt geren volpringet,
wann si sarget und gedinget:
1815 dovan ir wol gelinget.
Die dritt voricht ist allerpest,
liebleich, gütig, stät und vest:
si ist timor filialis genant,
in dewtsch ein chintleich voricht bechant.
1820 Wenn ein mensch seinen vater got
als ein chind fürchtet, dez gepot
in gantzer mynn geharsamet,
de*m* gerichteszaren nicht czämet,
nür alz ein chind vaters mynn:
1825 der mensch gwar ist aussen und ynnen
gen allen sünden, daz er icht laid
den lieben vater, von ym nicht schayd.
fol. 18r Die liebförcht ist so gwer:
ob dy hell noch weitzen nicht wer
1830 und der mensch nicht scholt leyden,
doch wolt er geren sund meiden,
den lieben vater doch fürchten wold,
dem gehorsamen alz er schold.
Die voricht güt ist und volchomen,
1835 von der mynn unbenomen,
mit der veraint betzaigt ist daz,
daz sy czü der frawen sas,
wann sy an daz end bleibet,
dy die lieb behalt, nicht austreibet.
1840 Man mag sprechen: Sant Johans gicht,
in gotez mynne sey voricht nicht;
daz ist von den vordren zwain gemaint.
Mit der dritten ist die mynn veraint,
wann sy zwo gespillen sind,
1845 di zü got laitent seine chind.

Sand Augustin gicht: Allem gütem leben
gotes voricht anvankch müz geben;
sam müz sy daz ende volbringen,
so mag dem ende wol gelingen.
1850 Daz er von gestalt maint der vorichten,
als ich gesagt han; die zwo ye worichten
anvankch gütem leben.
Die dritt schol daz end geben,
von dem geboren wirt geistleich zucht,
1855 tugentwürch*ung*, gnadenfrucht.
Nu secht, wie dy gleichnüzz veraint
dreygestalt gotezvoricht maint.
Merk gleichnüzze und syn
und verstet ebenung under in.
1860 Wer verstet die ordnung,
dem mag sy üben pessrung.
Und damit wil ich der vorichten gedagen,
von der grechtichait furbas sagen,
der gotez voricht den weg beraittet
1865 und sey zu der frawn laittet,
nach der sy nü chünftig ist.
Der wartet, sy chümpt in gäher frist.

Do die zwo frawn waren
zü der newn prawt gevaren
1870 und ytwedrew nider sas
(alz ich han beschaiden das),
ein hochgeporene junkchfraw in gieng,
dy fraw Timor Domini enphieng,
Spiritualis Disciplina alsam:
1875 si nigen ir, do sy cham.
'Liebe swester, du scholt willichüm sein.
Wir wartent zu der frawen dein.'
Si sprach: 'Habt dankch, ich chüm gern,
1879 wo ich mein wais begeren.'
fol. 18ᵛ Die fraw gieng / in mit grozzem gwalt,
hart ernsthaft waz ir gestalt,
trüg in irer *w*insteren hant ein swert,
daz der frawen sarg mert,

in irer zesem hant ein chron,
1885 die lewcht von gymme und von gold schon:
der die prawt von hertzen gert,
wie si dez swertez sarig sert.
Doch swaig sy; die juncfraw seit:
'Ich hais fraw Justicia, die Gerechtichait.
1890 Ich trag chron und swert;
die chron ladet swer: der gert
und werden schol wert in ern,
der schol nach meinen wegen chern,
meiner gepot mit fleyzz phlegen.
1895 Wer aber dritt ab meinen wegen,
er cher dann czü mir wider,
den slecht mein scharffez swert nider.
Darczü wirt er der eren chron verczigen
und müs dem swert underligen.
1900 Darumb wil ich ewch nicht gedagen,
ich well ew von den slegen sagen,
die mein swert geslagen hat,
fraw prawt, durch warung rat.
Mein swert tet den ersten slag,
1905 der ew hart erschrekchen mag,
do es den engelen nicht vertrüg,
dy ez durch hochfart her nider slüg
von dem hochreichen himelsal
in daz jämerhelltal,
1910 in das Lucifer mit seinen genozzen
durch ubermüt ward verstossen;
die viellen von der höch ze tal
in unwiderchemleychen val.
Welt ir vermeiden der nidervart,
1915 fraw prawt, so meidet höchfart,
fliecht übermüt! Tüt ir dez nicht,
alz dem engel ew geschicht:
ir werdet mit yn von der himel schozzen
in der hell charcher verstozzen;
1920 dar chumpt nicht höchfart noch mag bleiben,
von dann sy *ein gelüb* mocht vertreiben.
Fraw prawt, bewart übermüt!

Ir valt, swie ir dez nicht tüt;
west gar diemütig an ewrm müt,
1925 daz ist ew zu den eren güt,
daz ir in die hoch steiget,
daz ir gesichert nymmer seyget.
Meins swertez ander slag,
fraw prawt, ew hart auch schrekchen mag:
1930 daz Eva wurden und Adam
fol. 19r geslagen durch ungehorsam
auz dem wunnikchleichen paradis,
daz si müsten in chlägleicher weis
der erden ellend pawen
1935 noch gotez reich machten beschawen.
Sy müsten under todezsignüft
ze helle varen mit aller afterchnüft.
Mer dann fünf tawsent jar werd der zorn,
bis der gotezsun ward gebörn,
1940 dez marter wider prächt den val,
den wir hewt chlagen uberal:
all tödleich Adams chind,
die noch hie im ellend sind.
Fraw prawt, den starkchen slag bedenkchet,
1945 aws meinen wegen nicht wenchet
mit chainer ungeharsam,
daz ir nicht precht als Adam
mein gepot; voligt ir dez nicht,
alz Adam ew geschicht:
1950 ir werdet in chlägleichem höne
geschaiden von dem himeltröne.
Ewch geschicht, alz Sawl, dem chünig geschach,
der meiner gepot gehärsam präch;
der verloz gotez geist mit samet dem reich:
1955 dem geschicht ew geleich,
ob ir mein gepot uber get.
Ist aber, daz ir geharsam bestet,
so pleibt ew gotez geist und sein reich
und lept sälig sicherlich.
1960 Meins swertez dritter slag,
fraw prawt, ew hart schrekchen mag:

daz all welt nicht vertrüg,
do ez ausser ächt menschen slüg
lewt und bas lebentig waz;
1965 nur waz durch samen in der arich genas,
dew her Noe geczimert het,
alz in Genesi geschriben stet.
Der schlag von menschensünden geschach,
daz all menschen voligten nach
1970 poser gerung, in der sy brunnen:
darumb sy wägez über runnen.
Darumb got awch fünf stet verbrant,
auf dy er mit swebel fewerregen sant;
die wurden in abgrunt versenkchtt.
1975 Fraw prawt, dy grymen sleg bedenkt,
pösem glust wider strebt,
so rain und so chewsch lebt,
daz ir geczempt dez gemain,
fol. 19v der so chewsch ist und so rain,
1980 daz er, von einer magt geporen,
chewsch gemahel hat erchoren.
Mein swer*t* tet awch ein grossen slag
uber ainen chünig, der phlag
ubermüt wider got:
1985 der wolt seiner ordnung gepot
wider vechten mit gewaltez hant.
Der waz Pharo genant,
der nach czaichen slegen ward
mit manneschrefter hervart,
1990 damit er gotez volkch nach volget,
in dez merez unden bebolget:
in dem ward beslossen alz sein her,
ungbarent starb an wer,
und ward gotez volkch bewart.
1995 Damit sey ew rät entspart,
daz ir nymmer widerringet
gotez ornung. Wol gelinget
ew an allen sachen ymmer,
wider stet ir dez ornung nymmer;
2000 oder ir müsset sigloz underligen

dez gewalt, dem nichtz mag angesigen.
Wider den schult ir nicht tün:
so habt ir frid und suen
vor aller creatur gemain,
2005 so ir habt gnadigen in ain.
Wer dez gnadenhelf phligt,
aller creatur angesigt.
Merkcht auch, daz mein swert
oft auf daz volkch ward gechert,
2010 daz got in der wüst weist
und mit himelprot speist,
die grozzer gnaden undankchnäm
got sich machten widerczäm,
den sy nie gelawben wolden
2015 noch getrawn, als sy scholden;
wider got sy murmulunt giengen,
dez gnad sy undä*n*chnäm enphiengen,
ungeharsampten seinem gepot:
darumb erczürnent sy oft got.
2020 Alsam seyt nicht undankchnäm:
daz ist got hart widerczäm.
Got dankchet, getrawt und gelawbt
(oder gnaden iͤr ew berawbt),
nicht murmelt, chlaffet wider got:
2025 west gehorsam seinem gepot,
west mit vorichten undertan,
fraw prawt, ewrem prewtigan.
Ob ir welt dy chron enphaen
2029 lat ew mein gepot nicht versmachen
fol. 20r und habt ew in gwarer phleg,
daz ir vermeidet soleych sleg,
die mein swer*t* slachen chan;
alz ich etleich peschaiden han
(wann ir an zal ist vil,
2035 de ich nicht mag noch sagen wil).
Hie trag ich chron und swert:
ist, daz ir der chron gert,
so schult ir meiner gepot phlegen.
Chert ir aber von meinen wegen,

2040 so wert ir von meinem scharffen swert
unleidleich hart gesert.
Zü well ew nu gevall chert:
zü der chron oder zü dem swert?'
Die prawt jach: 'Ich wil gern
2045 dez swertez nach ewrem rät enberen
und wil zü der chron cheren,
der ich ger und ymer wil gern.'
Fraw Justicia jach: 'Daz ist getan
weysleich; bestet stät daran.'
2050 Si jach: 'Daz wil ich geren tün.'
'So gehabt ew wol, habt frid und sün.'

Dye red wil ich pedewten pas.
Davon merkcht züm ersten daz:
Wann gerech*t*ichait geit und nympt,
2055 alz einem ytleichen nach recht geczimpt,
der wil got rechter richter phlegen,
wenn er uns nach unser gierung wegen
lonen oder püssen wil.
Davon red ich nicht vil:
2060 dann waz daz ger*i*cht gotez tüt
vertragent, slahent ist allez güt.
Got tet noch tüt unrechtes nicht:
dawider hab niemant falsch inzicht.
Gotez gericht niemant erváchten mag:
2065 wie d*em* gnad gesech, dem slag,
dem gericht, dem parmung,
dem ungewornter val, dem warnung;
dew menschensynn sind zü tieff.
Von dem David an dem salter rieff:
2070 Judicia tua abyssus multa.
Herr, gicht der weis David da,
ein gruntloze tieff sind dein gricht,
der man mag ergrunten nicht;
die la uns süzz zü müt gen,
2075 daz wir die in güt versten
fol. 20v und sarg haben zü den slegen,
daz wir rechtichait auch phl*e*gen,

gericht und recht tün,
so haben wir gotez fridez süen,
2080 an gotez wegen gen sargsam
allen seinen gepoten geharsam.
Davon merkch die zehen gepot:
Ob allen dingen mynn got
mer denn chind und weib,
2085 mer denn dein selbs leib.
Apptgot scholtu nich machen
mit ungelawben noch mit zawbersachen.
Main swern scholtu nicht pey got,
dez nam üppychleich nennen noch in spot.
2090 Den veirtag soltu nicht prechen
oder got wil ez mit zoren rechen.
Vater und müter soltu eren,
so wil dir got dein täg meren.
Tött nicht dein ebenchristen
2095 mit werchen, mit warten nach mit listen.
Du scholt nich rauben näch stelen,
durch gwin, durch günst mit niempt heln.
Tüe chainerlay unsawber mit un*ch*ewsch,
mit willen, warten noch mit getewsch.
2100 Wis nicht falsch mit ürchund:
die ist aine der hochsten sünd.
Frömder ding scholtu nicht begeren,
deins ebenchristen gütez noch eren.
Wer ains der pot uber gett,
2105 an pessrung daran bestet,
dez mag nymmer werden rat,
die wil got den himel hät;
davon wer gerecht well sein,
der nem dez an den gepoten schein,
2110 der man chains schol zebrechen,
wan ez wil got an end rechen.
Ist aber, daz ez geschicht,
so schol sich der mensch säwmen nicht:
er vall zü gotez pärmchleich füssen
2115 mit rewigem hertzen und well ez püssen.
Wer der gepot gehorsam träit,

hat notdürftichleich rechtichait
und lebt in christenleicher phleg,
der tret nicht ab dem weg:
2120 oder in slecht und sert
götleicher gericht swert.
fol. 21[r] Ein strenge gerechtichait ist noch,
wer uber die gepot joch
der ewangelien raten nach volgen wil:
2125 an dem leit grozzer gnaden vil.
Die rät dez liben gotezsüns
nür ladent, nicht pindent uns,
wann ains ist ein gepot, ains ein rat;
wer sich aber gepunden hat
2130 zü chewsch gehaissen, zů gehärsam,
zü williger armüt alsam:
der ist dez nü gepunden got;
dem wirt ein rat ein stät gepot,
damit er sich hat gepunden
2135 dez gehüg zü allen stunden.
Wann wirt er abtrunne got,
volt er tieff in sünd und in spot;
volvert er aber daran,
so hat er saleichleich getan.
2140 Doch wann chrankch ist menschenmůt,
ist daz gwerleich und güt,
daz ein mensch sich stät ervind,
e er sich so streng pind
zü chewsch, zu strenger gehorsam,
2145 zü geistleichem leben unrüesam.
Wer sich pindet der grechtichait,
pedarff grozzer statichait,
wann der lon hoch ist und grös:
alsam der val tieff, sälden bloz.
2150 Daran ist gwarhait güt,
bedächtichait und hüt.
Von der grechtichait merkcht noch,
daz ir anvankch ist ein joch,
die menschenleben pürd geit.
2155 Wenn die grechtichait so leit,

daz ir *c*hron und ir swert
yetzund ladet und nü schrekchent sert,
daz der mensch grichtlan gert,
davon der grechtichait nach chert:
2160 der ist der grechtichait ain dinstman,
durch voricht, durch miet undertan.
Von der anhefünden grechtichait
ist von irer chunft also gesait,
daz sy ernsthaft sey chommen,
2165 hab swert und chron mit ir genomen:
die slachen wil und geben,
ir chunft also anheben.
Aber volchömen gerechtichait,
die frey der pürden joch nicht trait,
2170 ist der gestalt, daz ein mensch tüt
mit allem fleizz allez güt
in gotez lieb freyer acht,
fol. 21v gerichtez und lonez unbedacht;
der tugent werch wurchen wold,
2175 ob er nicht grichtez gewarten schold,
noch dez lonez miͤet wär:
der mensch frey ist (der dinst swer),
ein tugentfrey, nicht ein chnecht.
Der mensch volchomen ist grecht;
2180 frey alz A*u*gust*in*us gicht,
mit draw, mit gehaizz gepunden nicht:
nür mit chosten der inrichait,
geistleicher tügent süzzichait;
die ist ain ware volchomenhait
2185 und ein sichre heilichait.
Der ich damit gedag,
wann ich von dem anvang sag
der anhebunden gerechtichait,
die noch ist mit trawrichait,
2190 in sorgen und in jamerchlag
umb begangen sund nacht und tag,
daz man gotez gepot hat zebrochen:
es werd ewichleich gerochen
von dem richter, in dez augen

2195 offen sind alle tawgen.
Von der grechtichait bedacht
wirt daz hertz in rew bracht,
scheppht rew und pessrung:
davon gevelt miͤr dy ornung,
2200 daz Contricio, die Rew, schüll chömmen
mit iren gespiͤlen. Nü werd vernomen
der dreyer gespillen chünft zü der prawt;
die wirt noch jamer lawt.

Do fraw Justicia waz in gegangen,
2205 von iren gespillen wol enphangen,
und ir red het vol pracht,
giengen drey frawen in trawrender acht
zü der new*n* prawt hin:
Contricio hies die erst under in,
2210 die waz in dewtsch Rew genant,
trüg ein pekch mit wazzer in irer hant;
die ander hiezz Confessio,
ze dewtsch die Peicht, trüg ein weis hantüch do;
die dritt waz Sanctificacio gena*n*t,
2215 in dewtsch Pessrung bechant,
die ein puchsen güter salben bracht,
wol berait in nützer acht
von weyroch, pamöl und von mirrentrawf:
die tät sy vor der frowen auf.
2220 Die erst sprach: ‘Daz wazzer nempt;
wascht ew damit, daz ir getzempt
ewrem lieben prewtigan.
Davon so wert ir so wol getan,
2224 daz ewr schön vor dem wirt prehent,
fol. 22r dem man und sunn schon jehent,
den all engel mit frewden sehent,
der wirt lob ewr schon jehent,
alz man list an dem püch der mynn:
Gar schon pistu, mein frew*n*dinn;
2230 an dir ist chain mail bliben,
ez hab der gnaden brunn vertriben,
der ew pey mir gesant ist.

Damit wascht ew all frist,
so wert ir gar wunnechlar
2235 in dez lieben augen gar wolgevar.'
Die ander, fraw Confessio,
sprach zu der prawt also:
'Nempt daz hanttüch, wischt ewch mit fleyzz,
so weret ir so lawter weis
2240 alz ein christall an mail,
die aller mail hat nicht tail.
Nützet ir es wol und entzichleich,
ewr antlücz wirt so czymleich,
daz ewr der chunig hochster eren
2245 vor seinen fürsten mit lob wil eren
und sprechen: „Ir lieben all schawt!
Wie gevelt ew mein erwelte prawt?"
Die jehent: „Herr chunig" gemain,
„sy werleich schön ist und rain;
2250 dy lobsam junchkfraw ist wol wert,
daz der schon ir schonhait gert.
Die schön, die rain, die mynnichleich
geczimpt wol dem chunig und dem reich."
„Sie gevelt ewch wol und gevellet auch mir."'
2255 Dez schol Confessio auch helffen ir,
dy ir ein hantwehel geit,
die sy lawttert all zeit,
abwischt alle mail
und wider pringt ir hail,
2260 die trüben vel ab streichet
und si mit newer schön reichet,
von der pösen alten gwonhait entweichet
und sey mit chindezjugent reichet.
Die dritt, Sanctificacio genant,
2265 die ein püchsen trug in irer hand,
zü sprach sy der frawen: 'Nempt dy salben,
mit der pestreicht ew allenthalben,
so wert ir gantz an mail,
von allem siechtumb gar hail,
2270 so wirt ewr schon so bunnegantz
fol. 22v und vor der prehenden / sunn glantz,

daz ewren frewnt, den heren fürsten
nach ew pegint mynndürsten,
daz er von gerunder mynn
2275 rüfft: „Mein swöster, mein trewtynn!
Chum her in meinen garten,
ich wil mit dir minnezarten.
Chüm, mein prawt, in der schön!
Chum, erwelte, daz ich dich chrön,
2280 daz ich mein zesem gen dir naig
und ich mich dir genedig ertzaig."
So vil ew dy salb ze hail chumpt
und zü solichen eren frümpt;
davon nützet die salben wol,
2285 so wert ir süssez gesmachens vol,
die ew geit hail und mocht
und von ew smekchet in würtzenacht.'
Die vorgenanten frawen all
umbtraten ir frawn mit lobezschall
2290 und ir schön lobez jachen:
'Dy macht dem chunig nicht versmahen,
sy müst dem zarten wol gevallen,
doch fraw prawt gevelt uns allen.
Habt ew in hütezgewär phleg
2295 an dem gesidel, an dem weg
vor rukch und vor stawb,
daz ew icht der schön berawb.
Wartet ir dem prewtigan
so gar mynnichleich getan
2300 in sölicher schön lawtterhait,
so ist er ewer so gemait,
daz er ew seinen fürsten lobt
und nach ewr schönen mynn tobt
und fürt ew mit ern in sein lant,
2305 daz ew sein poten habent benant;
last ir ew daz entsleiffen,
so mag ew der tag begreiffen
villeicht smächleich ungewarnt.
O we, wi hart ir daz gearntt!
2310 Dovon die pesenczucht bewart,

west wol gewarnt czu der vart.'
Sy yach: 'Daz wil ich gern bewaren.'
'Daz tüt, so mugt ir wol gevarn.'

Ich wil beschaiden der red sin
2315 von den junkfrawn dryn:
rew, peicht und pesrung
schullen haben ein sampnung
und an dem menschen sein veraint,
2319 so wirt von sünden die sel geraint.
fol. 23r Dy müs man haben all drey,
ob nicht so notdur*f*t sach sey,
die beredung müg geben,
peicht und pesrung überheben.
Daz main ich in solichem synn:
2325 ob gancze rew ein mensch hat ynn
und wirt pegriffen villeicht
von dem tod, daz er peicht
gelaisten mag nach pesrung,
der schol hoffen parmung;
2330 ob er rew hat und gern wolt
peicht, pesrung laisten, alz er scholt,
und dez nicht mag geschehen,
der schol schulden got veryehen
und mit ganczen rewensmerczen
2335 sein sund beclagen in dem herczen
und sol sich dez suldig geben,
daz er versawmpt hat pei seinem leben
rew, peicht und pesrung,
der stirbt in gnadenhoffnung.
2340 Wer aber rew dez herczen hiet
und der tivel in verriet,
daz er nicht peichten wolt
noch pessern, alz er scholt:
der wurt mit der rew verlorn,
2345 wenn peicht und pesrung verchoren
wurden an notdurft durc*h* smacheit,
durch scham oder durch herticheit.
Daran schol sich ein mensch bewarn,

der nicht übel well vorn.
2350 Sunden ablaz an dryn leit
dem, der ir stat hat und czeit;
wann wir sunden mit dem herczen:
dawider frumpt der rewen smerczen.
Mit dem mund wir auch sünden:
2355 die schol mit peicht die czung chunden;
mit werchen wir auch sünd begen:
pesrung schol dogegen sten.
Mit den hailbern dingen
schül wiͤr sündenval wider pringen;
2360 von den wil ich besunder sagen.
Die erst, die daz wazzer hat getragen,
ist Contricio genant.
Ir wazzerczächer sind bechant:
die fliessent von höch, die sind clar,
2365 haiz, pitter, gesalczen gar.
Daz si von der höch fliessent
und von dem haupt cze tal giessent,
weczaichent, daz got daz wazzer geit,
an dem vil gnaden leit,
2370 daz dem sunder ist hart tewer;
ez fliez im czu gnadenstewer
aus dem ursprung Jesu Christ,
der ein haup seiner glider ist.
Von dez gnaden daz wasser flewsset,
2375 daz der sel wurczgarten pegeusset;
dovon tugentplumen gnuchtent,
aromatenwurczen fruchtent,
von dem maytaw enspringent,
vol gnaden frucht fur pringent.
2380 Daz wasser ist ein gnadengab;
fol. 23v wer achtet, daz ers hab
von ym selben, der irret vil:
ym selben den regen geben wil,
alz sich nyeman vermag daran
2385 (alz wenig ein mensch geregen chan)
gnad ym selben an gotez gab.
Dovon wer gnad enphongen hab,

der danch got, nucz sei wol:
der wirt gnadenfrucht vol;
2390 alz czäher von haup vollent,
alsam si aus haiz wallent:
wo die mit gnuchsam sind,
geistleich fewer do printt,
geistleicher mynn fewer;
2395 der gebent die czäher hiczstewer.
Dy czäher sind lauter var
und mahent die sel vor got clar,
lautter aller sünden mail
und gebent aller sünden gnadenhail;
2400 wol im, dem die got geit:
den lawttert er in churczer czeit.
Der ist selig, dem ist wol,
der sölher rewtrophen *ist* vol.
Dy sind gesalczn, pitter gar,
2405 vertreibent und tötent fürbar
aller becharung maden
(die mügen do nicht geschaden);
wo daz pitter wazzer vellet,
wernt die burmen ausgeswellet.
2410 Daz ist raicher dann daz gold,
swer es recht achten wold.
Umb daz wasser ez so stat,
daz Contricio pracht hat.
Confessio die hantwehel geit,
2415 umb die ez also leit,
daz sy ab vertiligen chan,
waz der sele ist ligend an
sündentädels und unhails,
sundenstaub und mayles:
2420 daz mag sy allez wischen ab.
Die ist wol ein nutze gab,
der wir pedurffen all frist,
dem söleich *c*hrankchait an ligend ist,
daz wir ye zü sunden cz*w*ar
2425 schier sein bestoben gar
in der tumben welt von sündenaschen;

den schüll wir abwischen und waschen
mit den zwain so lawterleich,
daz wir werden schon und reich
2430 in dez augen wolgevar,
der ob aller schön ist chlar.
Sanctificacio die salben bracht
wol beraittet in nützer acht,
von weyroch, von myrren und von öl darczů:
2435 der wir pedurffen spat und frü.
Pey den habent betzaichung
drew stukch des hails pessrung:
fol. 24r gepet, vasten und almüsen,
mit den ye pesseren müsen
2440 und nach pesseren müssen,
dy recht wolden und wellent püssen:
die sind der pessrung drey tail,
mit den widerchumpt der sel hail.
Der weiroch smekcht wol und maint
2445 gepet, daz die sel raint
und salben sol aller maist
und lewttern schol den geist
von geistleichem siechtümb:
darzü tüt es grossen frumb.
2450 Den geist ez salbt lawtter stät,
nicht siechtumb nöch mail darynn lät;
den geist orndet es zü got,
hintz dem ein tawgen *p*ot.
Dem poten oft wol gelinget,
2455 wenn er gnäd wirbet und pringet.
Daz gepet gesmachen gepiͤrt,
wenn ez in der mynn entzundet wirt;
davon gett ein weirochwaz,
der dez hertzen gnadenvaz
2460 durch flewsset und durch get,
daz chain ungesund daryn bestet.
Sundengerung, pöz gedankch
müssen haben underwankch;
wo der gesmach rewchet hin,
2465 da schaident sündglust hin.

Der rawch von dem herczen swebt
und in die hoch sich erhebt
und smekchet wol vor gotez augen
und wirt widergent vil tawgen,
2470 mit gemerter tugent paws
gepraittet in dez hertzen chlaws,
in dem chain geistleich siechtumb bleiben
mag, in müg die tugentchrafft vertreiben.
So wirt daz hertz ein gnadenalter,
2475 dovon wunscht David in dem salter,
daz got sein gepet verricht
auf zü seinem angesicht
als ein weyrochrawch:
daz geschiecht, swenn der mynn lawch
2480 daz gebet entzündet,
daz ym die hymelstrazz chundet.
So wirt daz gepet zü got
ein gar sicher tawgen pot,
der durich der veint schär mit chreften dringet,
2485 gnad vordert und widerpringet
und nimmer lär wider chumpt:
davon gepet vil uns frumpt.
Davon scholt ir merkchen daz,
wenn man pittet sundenablas
2490 und pessrung damit laisten wil,
fol. 24v darczů frumpt / gar vil,
daz er widerpring menschenhail:
so ist ez der pessrung ein tail;
wenn aber nach gnaden arbaitet,
2495 zü dem andächtflüch beraitet:
so ist ez pars contemplacionis genant,
ein tail dez contempliren erchant.
Daz leit nicht an worten ain:
nür daz der müt lawtter rain
2500 in gerun*der* hitz
und in geistleicher witz
sich in die höch erpür,
geistleicher ding haimlich erchür,
sich uber sich erheb,

2505 in gerunder mynn sweb.
Züm jungisten schol man merken,
daz uns got wold zü pessrung sterkchen,
daz er gepetez pessrung nympt,
alz seiner güet wol geczympt;
2510 wann oft ein sünder vor siechtümb
ist ze vasten an frümb,
ist arm und hat ze geben niͤcht:
den güten willen got ansiͤcht,
nimpt sein gepet fur vol.
2515 Darczü man auch merkchen schol,
daz allen güt übung an dem geist
sind gepetez vollaist;
die gewissen rüegen und achten,
sünd und gotez gericht betrachten
2520 und darumm mit rewensmertzen
mit mund chlagen und mit hertzen
und geistleicher übung sind,
von den ain mensch andacht gewint,
sind in dem gepet verschlossen.
2525 Die red wil ich damit lazzen.
Der salben ander stukch schol
von myrren sein, die richent wol,
wann si pitter ist (daz ander tail),
d*ie* vasten, mit der widerchümpt daz hail,
2530 wann sy chestigen schol den leib,
daz si bös glust vertreib,
frashait und all unchewsch gierd;
di mert dem menschen geistleich wiͤrd,
die für pös gwanhait frumpt
2535 und vil dem geist zestaten chümpt.
Wenn die vasten ist beschaiden,
leib und sel frumpt sy paiden;
die rechter mazz also waldet,
wenn si die natur behaldet
2540 und sünden tüt widerstreit,
süst pozer gwanhait obleit.
Die beschaiden vasten hail pringet,
der unbeschaiden nicht wol gelinget,

die ze streng die natur töttet,
2545 darnach ze legen gemachez nöttet,
fol. 25r die gemachz und ertzney dürstig wirt
und lashayt gepyert,
der nötdurft gew*a*nhait,
die oft ze sund schaden trait,
2550 sam geistleichen lewten oft beschiecht:
dez lobend güt lerer nicht.
Merkch, daz ich vasten hie main
all geistleich chestung gemain,
ez sey wachen, slahen, cilicium,
2555 die der sele chöment ze frumb
und den leib chestigent,
daz sundengerung gelygent.
Waz der mensch also tüt:
beschaidenleich ist alles güt,
2560 als flucht der müssichait
mit aller nützen arbait,
die man durch pessrung treit.
Davon sey genüg gesait.
Daz dritt salbenstukch öl sey:
2565 parmung versten wir dapey,
dy man mit almüsen ertzaig,
daz man gotez parmung naig.
Die ist der pessrung ein tail
und pringt dem menschen hail;
2570 damit ein mensch pessrung tüt
von sel, von leib und von güt,
wann die parmung nicht gar leit,
daz man gewant, speis, ze trinchen geit.
Sy ist auch geistleich an dem müt;
2575 daz einem menschen we tüt,
daz seinen ewenchristen wirret,
doch sunder, daz in hails irret:
ob er ist in sündenirretumb,
lert in tugent weistumb,
2580 under stet seinen schaden,
fürdert in zü gotez gnaden
mit gab, mit gütem pild, mit rät:

parmung wal begangen hat..
Die parmung awch hoch leit,
2585 swem man durch got vergeit,
von dem yeman ist gesert:
der wirt gnaden auch gewert;
die pessrung ist got zart,
die beschlewst auch werch und wart,
2590 wenn wir mit wort, mit werchen frumen,
unserm nächsten zü staten chünen chömen
und parmung pegen.
Dapey mag man wal versten,
wie hoch die parmung frumpt
2595 und der sel züstaten chumpt:
dy sel, leib, wart, werch, güt beslewsset.
Wol *im*, den ir nicht verdrewsset!
Dem wernt sein sünd vergeben
2599 und nympt auf an gütem leben,
fol. 25v wann öl prynnet und lewchtet
und ander speis zymleich fewchtet.
Nach der beczaichnung bedewt
gwint der mensch gnadenfewcht
und götleicher mynn hitze,
2605 darzü liecht geistleicher witze;
und wirt in ölez ächt
hoch swebent in andächt,
uber yrdische ding erpurt,
darnach in gotez reich gefürt.
2610 Eyn erwelte parmung,
du pist ein hailbäer pessrung,
swenn dein güet got uber windet.
Wer dich hat und vindet
und besitzet dein eribtail,
2615 dem ist gotez gnad wolvail;
der ist salig ewichleich
auf erd und in dem gotesreich.
Nü han ich von den fräwen gesäit:
der aine, Rew, wasser trait;
2620 die ander ein hantwehel, die Peicht;
die dritt, Pessrung, salben leicht:

von der salben ist auch beschaiden.

Von den drein lieben maiden
hat dye new prawt enphangen,
2625 daz ir ding ist wol ergangen;
die ist schön warden und chlar,
sundenmail fürbas bewar
alz ir Timor Domini und fraw Justicia
mit sampt Spiritualis Disciplina riten da.
2630 Wolt sy dez nicht bewären:
si mächt gar übel gevaren,
alz etleichen lewten geschicht,
hüten sich noch pessrung nicht,
schir ze sicher vervallend in sünd.
2635 Niemant dy sicherhait verschund;
in gotez vorchten alz vor,
nach der grechtichait wegen spar,
bis ir chöm die weishait,
von der nü wirt gesait,
2640 die mit ir gnaden weistumb
sey laitt von irretumb
und ir der tugent weg beschaid;
vil nützes leit an der maid,
dy schül die gotezprawt besüchen,
2645 der sy zü gnäden wil rüchen.
'Wartet in der lawtterchait,
fraw prawt, schir so chumpt dy Weishait.'

Do dy junkchfraw wartund sas,
dy ir sorgen noch nit vergas,
2650 wie doch ir sorgen swer
von den drin maiden geringeret wer:
ein weisgeporen junchfraw in gieng,
dy all sampnung enphieng
und gen ir auf stünden gemain.
2655 Sy waz do der schönsten ain.
fol. 26r Si jahen all: 'Wir warten dein
zü der prawt, swester mein.'
'Habt dankch, daz ir mein frö seit.
Doch wais ich wol mein zeit,

2660 an der ich wil und chomen schol,
alz ir swester wissent wol.'
Ir antlücz liecht waz und chlar,
doch sunder waren lawttervar
und über die sunnschein ir augen,
2665 erhaben gen der höch tawgen.
So di fraw sey ersach,
hertzenwunn ir geschach.
Sy waz so weisleich getan,
daz sy sey plicht tawgen an.
2670 Sy sprach: 'Fraw prawt, ich sey ew bechant:
fraw Sapiencia pin ich genant.
Ein spiegel lewchtet in meiner hand,
der ew pey mir ist gesant.'
Die prawt enphieng daz spiegelglaz,
2675 daz gar liecht und lawtter waz.
Sy jah: 'Darinn schült ir ew sehen
tawgen wunder in dem spehel.'
Do die fraw darinn sach,
so manig tawgen wunder sy sach,
2680 daz ir red geprast, sy geswaig,
in senfter unmacht hin saig.
Dez smützt fraw Sapiencia
und all voder maid all da.
Sy jahen: 'Dy prawt ist geswigen,
2685 von ewr chunft hin gesigen.'
'Ja' sprach dy Weishait, 'lat sey ligen;
ir frumpt, daz sy ist geswigen.
Nach dem sweigen si reden wirdt,
daz sy sagent jubilirt.
2690 Sy lerent in dem gedagen,
davon sy wirt singen und sagen.'
Do die fraw geswigen lag,
ein güt weil der rüe phlag,
auf tët sy ir augen,
2695 anplikcht den spiegel *v*il taugen.
Fraw Sapiencia plikcht sey an,
do waz sy so chlärleich getan,
daz sy an irer angesicht

warhait west der geschicht,
2700 wann ir anplikch urchund gab
der haimleich irer inren gehab.
Von den sachen fraw Weishait
noch der rüe dy frawen frait.
Si sprach: 'Fraw, ich sich ew an,
2705 ew sind tawgen chunden getän.
fol. 26v Der schult ir mich verhelen nicht.'
'Ich peschaid ew wol der geschicht.
Eya, so wold ich ew verjehen
gern, daz ich han gesehen.
2710 Ich han in dem spiegelgläs,
daz mir pey ew gesant waz,
aus genomen siben wart cze lesen.
Von der trochtung pin ich gebesen
hoch erhaben an dem müt,
2715 daz mir die rüe nach sanft tüt,
in der ich gebesen pin:
sust wundert mich der wart sin.'
'Nent mir die wart, ist ew frumb.'
'Daz erst laz ich verbum eructuatum,
2720 daz ander verbum assimilatum,
daz dritt verbum imaginatum,
daz vird verbum creatum,
daz funft verbum incarnatum,
das sechst verbum sacratum,
2725 daz sibent verbum inspiratum.'
Die Weishait sait: 'Ich müs ew jehen:
ir habt in curtz *v*il gesehen.
Dy wart sind chürtz, der syn langkch,
zü dem menschensyn ist ze chrankch.
2730 Doch mag in dem speculiͤren
und sich erheben und contempl*ie*ren
ein andächtig müt mit medit*ie*ren
und in andacht solacyeren
und in der mitte synn,
2735 ob sich darczü haimleich dy mynn,
an dy chan nicht geschehen,
daz der müt awgzesehen

lust*sam* geistleicher schaw.
Davon merkcht, fraw:
2740 ich wil durch geistleich übung,
durch ewrs mütez bechumrung
d*er* wart syn ring pedewten,
wann es nicht fügt allen lewten,
daz man redt ze tieff;
2745 durch dy der güt lerer Paulus rieff:
Nicht mer versehen den man schold;
der nicht in irretumb vallen wold.'

Ich pedewt ew die wart ze frumb.
daz erst spricht verbum eructuatum:
2750 daz spricht ein *aus* geflozzens wart,
in dez synn ist enspart
die götleich ungeschaffen trinitat,
de alle ding beschaffen hat;
ain got und drey genent,
2755 an anvang und an end,
von dem, durch den, in dem sind alle ding,
die beslozzen hat der himel ring;
fol. 27r beschaffen, georent, geczirt so schön,
ain got und drey person:
2760 got vater, got sun, got heiliger geist
under in nicht erst noch jungst, mynnst noch maist,
ewen gewaltig, ewen geleich,
ewen her ewichleich,
ain ewichait, ain gewalt
2765 ist die heilig gotleich dreyvalt,
ain almächtig majestas,
dy ymmer ist und ye was.
Got dem vater geit man die chraft
(und aller creatur dy schaft),
2770 von dem nach götleicher art
ist daz ausgeflozzen wart
got sun geporn, beschaffen nicht,
alz recht christengelawb gicht.
Dem sun man dy weishait geit,
2775 an der aller geschepft ordnung leit.

Ausgeflozzen, gesant von in paiden
got der heilig geist ungeschaiden;
von dem vater, von dem sun alz sait
christengelawben ain mächtichait,
2780 ain warer got die trinitas,
in dryn personen ain ware majestas.
Dem heiligen geist geit man gütez wird,
von dem all geschaffen hat fruchtgeczird.
Wie ungeschaiden sein di werch der drivalt,
2785 doch geit man dem vater den gewalt,
dem sün weishait, dem heiligen geist
geit man güt vollaist
durch der personen underschaid,
der wesen ain ware gothait,
2790 ein drivalt ainichait.
Davon sey gnüg gesait,
wann ain gar merkchleych wart
spricht davon sand Bernhart:
Götleych drivalt vorschen ist ubermüt,
2795 der irretumb dem glauben tüt.
Ein güter ist, der die glawbt
vestichleych unberawbt:
die erchennen ein ewig leben ist
ymmer wernd an endesfrist.
2800 Fraw Weishait sprach: ‛Hört mich, fraw,
seyt ir nü gwar an der schaw,
so macht ir sprechen götleich drivalt
in aller creatur gestalt.
Zü dem ersten pey ir besen
2805 mügt ir dez vater gewalt lesen,
wann all fürsten, all phaffen
fol. 27ᵛ mächten ain blümen nicht peschaffen,
und so ring von gotez chraft,
für chomen ist alle geschaft,
2810 dew von seins gepotez wart
allew von nicht beschaffen wart.
Merkcht in geistleicher acht
der creatur grözz und macht,
und mit ewrs mützez augen ansecht,

2815 waz gwaltez ir dem jecht,
der mit seins wartez macht
all creatur hat für bracht;
von dez gepot awz geflozzen,
von dez gewalt u*m*beslozzen
2820 der höch ein tach, der tieff ein grunt,
der weit ein rinch, der alle stunt
von aller creatur nach willen tüt:
gen dem sey ew chain übermüt,
chain ungeharsam, chain widerstreit;
2825 und gedingt, daz ir sicher seit
in dez phleg, in dez hüt,
wenn ir seinen willen tůt.
Merkcht dez sünes weishait,
dy allen dingen ornung geit;
2830 wie sunn, man und all steren
iren lawff nach seiner ornung cheren;
wie dem tag die nacht entweich
und nach irer ornung wider sleich;
wie der man nem ab und auf
2835 und die zeit hab iren lawf;
wie dy vier element
geordent sind allenent,
fewr, luft, wazzer, erd,
wie den ornung gegeben werd,
2840 fewr, luft, wazzer iren lawf
nach ir natur ab und awf;
wie auch di erd nach irer zeit
ir frucht pringet und geit;
wie die unverstendigen tier
2845 ir natur bewisen schir;
wie der mensch ain creatur
in ain gesampt, doch zwaier natur,
viͤechleich, geistleich, von czwain
(von leib, von sel) geordent in ain
2850 so weisleich beschaffen, daz er enchan
sich selben erchennen. Daz man
den menschen, daz er verste dapey,
wie ez umb dew ding gestalt sey,

die in götleichen tawgen
2855 verpargen sind menschenawgen.
Von diser weyshait ardnung
fol. 28r nempt geystleicher süne übung,
daz ir ordenleichen lebt,
dez ardnung nicht wider strebt,
2860 der so weis ist; ew dunch güt,
waz der ordent und tüt.
Lebt mit züchten und mit sorgen
vor dem, dem nicht ist verporgen;
dez weishait sücht und gert,
2865 so wert ir tawgenleich glert
mit der waren weishait,
dew von irretumb ze hail trait.
Wendet darnach ewr gemüt,
secht an dez heiligen geistes güt,
2870 wie von dez gnaden güte wirt
alle creatur gecierd;
wie daz nidrest element, dy erd,
gefrüchtet und geczierd werd;
wie lo*b*sam dew dürr haidt
2875 enphecht maniger plümen chlaid,
von dez schön also gereichet:
secht, waz sich dez schöne geleichet!
Sunn, man und stern
von dem erleichtent alz luczeren:
2880 ein tail habend der güte schein
und uns ze wunder mügen sein.
Nü verstet ew dapey,
wie groz der engel chlarhait sey,
dy auzzer acht vor der sunn
2885 schön habent und liechtezwunn,
die vor gotez antlucz prehent,
daz sy mit süzzer mynn an sehent
ewichleich unverdrozzen,
von der ir chlarhait ist geflozzen.
2890 Welch gleichnüzz dy schon peschaidet,
dez schön dy schönen engel chlaidet?
All heiligen der himeltron

dez schön chlaidet so wunder schon,
daz gen ir chlarhait dez sunnes schein
2895 ein chlain lutzeren mag gesein.
Nü verstet awer dapey,
wie grözz Marie chlarhait sey,
dew mit irer schön hat über stigen
schön aller engelen und heiligen,
2900 dew ir chlarhait erliechten mag
alz der sunnezschein den tag.
Der schön mit aller ir gemain
gnaschaft chain hat gen got ain,
von dem ir schön ist awz geflozzen:
2905 dez schön si wundert unverdrozzen.
fol. 28^{v} In dez schön iͤr schön bestet
und behalten nymer zerget
in ymmer wernder lewtterhait.
Fraw prawt, daz han ich ew gesait,
2910 daz ir in speculo contemplacionis,
der ew von mir chomen ist,
secht dy heligen drivalt,
gotez weishait, güt und gewalt.
In dem spiegel der schawe
2915 schult ir schawen, liebe frawe,
ewrn lieben prewtigan,
wie minnichleich der sey getan,
der ein fürst ist aller fürsten.
Nach dem schol ew minndursten,
2920 der ein starkcher helffer ist,
mit dem west sicher alle frist;
der aller weishait ist so vol,
ewr ratgeb wesen schol;
dem nach volget, nach dem sinnet,
2925 den güten, den schönen, den süezzen minnet;
der gwalt, weishait, güt hat,
dem getrawt, den liebet, habt dez rat.'
Also wil ich des gedagen,
von dem anderen wart sagen.

2930 Verbum assimilatum in latein

schol daz ander wart sein.
Daz haist bedewt ein gleichez wart,
mit dez sin ist enspart
und chu*n*t getan englisch natur.
2935 Dew ist ein geistleiche creatur
und daran sunder gleich
got, der awch ist geistleich,
ein schephunder, ungeschephter geist,
dem ist geistleich natur gleich aller maist.
2940 In den engelen lewchtet götleicher drivalt:
an den güt ist, weishait, gwalt.
Der mynnist engel von geistleicher chraft
angesigt aller todlichen geschaft;
der schepherchraft acht wir daran,
2945 dez gwalt sy all sint under tan,
all gehorsam dez gebot,
der ir schöpher ist und ir got.
Der nidrist engel under in
hat mer weishait und sin
2950 von geistleicher natur
denn all tödleich creatur,
denn all erlewcht weis phaffen,
fol. 29r in tödleicher pröd peschaffen.
Aller engel verstandenhait
2955 wunder sich gotez weishait,
dez weishait sich gnasset nicht;
von dem Daniel, der weissag, gicht,
daz er awf der wintvederen ge.
Pey der wintv*e*deren man verste
2960 englischer weishait flüg.
Wie hoch sein der flüg czüg,
daz si in die hoch steigen,
doch müzzen sy daran seigen,
daz sy pegreiffen gotez sin,
2965 der unergrünt swebt ob in.
Die engel sint auch güt vol,
gecziert schon und wol,
durch flozzen von der gnaden brunnen,
durch lewcht von der klaren sunnen:

2970 von dem brunn, der alle ding
durch flewst, ein gnadenursprung;
von der sunn, die mit wunnen
chlaidet dew beschaffen sunnen.
Der chlarhait chlärt alle ding,
2975 dew verspart hat der himel ring;
der engel chlarhait ist so groz,
daz ir schön gar ungenös
ist der peschaffen sunn schein,
der uns ze wunder mag gesein.
2980 An der engel natur besunder
lewchtet gotleicher eren wunder
der noëun chor nach underschait.
Gotes ordenung dew schrift sait.
Ain ierachia sint ie der chor drey:
2985 ierochia spricht ein orden. Dapey
schullen wir in drivaltiger gestalt
erchennen götleich drivalt.
Der chär sint newn, der orden drey,
latein gehaissen ierarchey:
2990 in dem lew*c*htet wunderleich
gotleich drivalt sunderleich.
Got ist ein mynnwünn in seraphin,
ein weishaitbrunn in cherubin,
in den thrön ain almächtichait
2995 in seiner gerichte grechtichait,
in d*ia*conibus ein ware majestas,
dy ymmer ist, auch ye waz,
in principatibus ein fürstentüm
fol. 29v mit höchstem gwalt an irtüm,
3000 in potestatibus ein hailant
mit scherm seiner gwaltigen hant,
in virtutibus ein parmung
mit tugentzaichenöffnung,
in archangelis ein licht,
3005 in dem man tawgen öffnung sicht,
in den nideren engelen ein gnadenhüt,
die got seinen erwelten tüt.
Die sind der neun engelchör namen,

der ymmer drey zesamen
3010 ain ierachia sint genant,
daz spricht ain orden, in dem erchant
ist dew gotleich trinitas,
dew war ain drivalt majestas.
Davon ich nymer reden wil,
3015 waz nutzes wer ze sagen vil;
davon man ungelerten lewten
mälich icht chan pedewten.
Der red wil ich gedagen,
von dem dritten wart sagen.

3020 Verbum imaginatum schol sein
daz dritt wart in latein:
daz spricht ein nach gepildez wart.
Mit dez sin ist entspart
nach got gepildet menschennatur.
3025 Der mensch ist ein beschaiden creatur,
von leib und von sel in ain:
der mensch gesampt *ist* an den zwain,
viechleich und geistleich;
nach dem leib ist er todleich,
3030 chranch, viechleicher giͤrd,
nach der sel grozzer wierd,
wann der mensch an dem geist
got geleich ist allermaist:
an dem wir dew drew vinden mugen,
3035 daz erst, memoria, daz spricht gehügen.
Dy schol in encziger acht
haben gotes, ires schepher, bedacht;
daz ander ist intelligencia genant,
verstenticheit in dewtsch bechant.
3040 Dew schol wenden vil taugen
an got dez mützez augen;
daz dritt, voluntas, daz spricht will,
der sol offenleich und still
mit gotes will veraint gehellen,
3045 an den ist andacht guten selen.
Memoria sol meditirn,

intelligencia speculirn,
fol. 30r voluntas mit got concordiren,
von dem schop*h*t sich contemplyren,
3050 daz spricht schawe der andacht,
wann gotez *dew* gehugde bedacht,
wenn sich verstendnus in got erhebt,
mit dem der will veraint nicht widerstrebt,
wenn sich denn misset also
3055 gotez gnad, haisset contemplacio.
An dew gnad dew andacht chrenckt.
Wann dew gehug von got wencht,
umb laufft und sich sencht,
wen der mensch gedencht
3060 und gehuget iͤrdischer ding
(ez sey, daz gnad volpring
und di gehug süezze,
daz si pei got peleiben müzze):
laufft si umb, pleibt nicht,
3065 und wirt die andacht enwicht.
Alsam der verstenticheit gesiͤcht.
Engegent ir nicht gnadenliecht,
von gotez anschawen chert si schiͤr.
Suezz verwaldet sich dez willen giͤr,
3070 ez sey, daz gotes gnadengüt
den willen pey got stet behüt.
Ist gotez gna*d* den drin pey;
acht ich, daz daz andacht sey;
wenn man süzz an got gedencht,
3075 von dem chantnüzz nicht wencht,
mit dez willen der will verebent:
dew dinch andacht sach gebent.
Die drew gewinne*n*t auch staetichait
in ewiger selichait;
3080 wenn dew gehüg wirt volbracht
von gotleicher gege*n*würte macht,
wenn sey nicht mag gechrenchen,
daz sy auzzer got müg gewenchen;
wenn in gegenwürt gesicht
3085 (verwandelt mag verdriͤzzen nicht)

in got unser verstentichait.
Daz prüfet sicher selichait,
wenn unser will mit got veraint
mit so verainter güt maint,
3090 daz in nicht mag gechrenchen,
daz in awzzer got müg senchen.
Fraw Weishait jach: 'Wachet, frawe,
secht in dez spigels der schawe
ewr selber wirdichait,
3095 wie ir nach got gepildet seit.
fol. 30v Ir seit ein lobsam creatur,
nach leib, nach sel zwair natur;
nach dem leib todleich und chranch,
nach ir disthait ist dez geranch.
3100 Dem leib schült ir obligen,
dez pösen gerung angesigen,
dez gwanhait, dew nach sundenglüst
strebt und nach der sel flust.
Nach der sel seit ir geistleich,
3105 nach got gepildet, dem gleich,
der in drin person hat ain wesen.
Die drivalt mügt ir an ew lesen,
wann gehüg, beschaidenhait, will an ew
in ainer wesung sind die drew.
3110 Daran habt verstendichait,
wie ir nach got gepildet seit.
Hüt dez pildez an mail;
hat ez mails gewunnen tail,
wä*sch*t ez mit warr rew,
3115 daz ez schön werd und new,
daz ir gevalt ewrem prewtigan,
der ew geren schawet an,
wenn sein pild an ew ist chlär.
Daran seit wol gwar.'
3120 Dez dritten wartz wil ich gedagen,
fürbas von dem vi̊rden sagen.

Verbum creatum schol sein
daz vi̊rd wart in latein:

daz spricht ein geschepftez wart,
3125 mit dez sinn ist enspart
der sichtigen weld geschaft,
an der man vindet grozze chraft,
weishait und frucht,
schön, ornung, suezz, genücht.
3130 Daran predigt all creatur
got schepher irer natur,
an dem gwalt ist, güt, weishait,
alz ich vor han gesait;
doch schüll wir sünder dy drivalt
3135 merkchen an der sunen gestalt,
an dem mug wir dy drivalt lesen:
ainen umbrinch hat ir besen,
in dem ist schein und hitz.
3139 Hab wir nü geistleich witz,
fol. 31r so schüll wir den rinch ansehen,
dem mug wir anvang nach end jehen
und versteen got den vater dapey,
daz er an anegeng, an end sey,
ain erst awz fliezzender u*r*sprinch,
3145 der gesche*p*ft hat allew dinch;
merchen awch der sünnen schein,
wie der müg auf erd sein,
daz der ungschaiden von der sunne
geit der erden liechtezwunne,
3150 und merkchen got den sün dapey,
wie der von dem vater ungeschaiden sey
nach der menschait auz gegangen,
die er hat hie yn erd enphangen,
also daz er dez vater zesem nie
3155 nach der gothait gesunderet lye;
alz awch die hitz von in paiden
und awch mit in ungeschaiden
mit der sunnen wesen, mit irem schein
doch sunder hitzent mag gesein.
3160 Also ist der heilig geist,
dem man die mynn geit aller maist,
mit dem vater, mit dem sün ungeschaiden

awz gesant *von* in paiden.
Die creatur schol den glawben sterkchen;
3165 pey der wir mügen merkchen
in drin personen ainen got,
der anvanch nach end hot.
Fraw Weishait sprach: 'Frawe,
secht aber in der spiegelschawe,
3170 wie all creatur
predigt got schepher ir natur.
Ob allen und in allen dingen
habt got lieb, habt gedingen
von aller chraft an ym ain,
3175 ob aller gescheft gemain;
in aller creatur got süchet,
ob ir weishait gerüchet,
also daz ir got nach get,
von chainer gescheft gevangen stet:
3180 wenn ir der schön, süzz, nütz achtet,
daz ir darvon trachtet
(seit dew geschaft so lustsam sey),
wie süzz, wie edel got dapey,
fol. 31v von dez gnadenursprinch
3185 awz geflozzen dy süzzen dinch
mit irer schön, mit irer süzz müzzen
predigen got schönen und süzzen.
Under den creaturen allen
lat ew nicht so wol gevallen,
3190 so süzz und so nütz dünchen,
daz ewr hertz, ze tall gesunchen,
mit pöser gerung chrench,
daz ez von gotez mynne wench,
der ain hat ze geben
3195 war süzz, hail und leben.
Wer von dem leben chert,
den töd vindet, dez er gert;
wer pey dem leben bestet,
daz got ist, dem tod enget.'

3200 Dy fraw sprach: 'Fraw Weishait,

ir habt mir so wol gesait,
daz ich davon entzundet pin
und geschepht han güten syn,
doch torst ich ew ains verjehen.
3205 Ich han in der spigelschawe gesehen
eyn gesicht, der mich wunder nympt,
doch enwaiz, ob sy ze sagen geczympt:
dew ist tawgenleich verspart
in dem viͤrden, geschephten wart.'
3210 Fraw Weishait sait: 'Ir schült sagen,
fraw, ir schult mich nicht verdagen.'
'Ainen sëe siͤch ich, der ist trüb
mit maniger trüben unden üb,
in dez mitt siͤch ich ein räd,
3215 daz awf aim chranchen wasen stät;
zü siech ich graben dez wasen vest,
daz rad lawft umb an rest.
Under dem rad siͤch ich ein gruft,
von der tieff gat stinchunder luft.
3220 Die selben stinchunden lachen
siech ich würm vol und drachen.
Awf dem rad siben gecelt stent,
von den ludemstymm gent,
wan lewt vil in den gecelten
3225 undultent gerastent selten,
und vallent ir gar vil in die lachen
verslikcht von den geitigen trachen.
Umb daz rad syech ich schawen
3229 ein gar mynichleiche frawen,
fol. 32r dew get allümb mit praiten armen,
recht alz ir müzz erparmen
der gruntloz tieff val,
den die lewt tünt ze tal.
Sy get mit grozzer mynngehab,
3235 ladet ab dem rad herab.
Sy rüft: „All die czü mir cherent
und mein zü müter gerent,
den wil ich güt erzaigen allen.
Chomt zü mir, die nicht wellent vallen.“

3240 Gar lützel sind, die zü ir cherent,
die getrüwen müter erent.
Ich siech etleich von ir fliechen,
dy sy her ab wolt ziechen,
und sich selben tieff vellent.
3245 Die aber ir hilff wellent,
von den sich ich, waz der sint,
daz sy dy nympt als ir chind
von des todes vall,
trait die awf ir arm all
3250 awz dem wag awf ein haid,
dew hat maniger plümen chlaid;
die fürt sy darawz in ein lant,
daz ist vol gnüchtsam erchant.
Hort awch wunder, ich sich dy maid,
3255 dy ich vor lie awf der haid,
die von dem chünig wolden schaiden,
in den gecelten mit vil maiden,
die all genaigt in den val
schiessent ze tal alz dy donerstral.
3260 Lob sey der trewen poten rat,
der mich von yn gesündert hät!
Den sey dankch und gnad gesait.'
Damit sy senftichleich gedait
und vor frewden müz gedagen,
3265 daz sy nimer mocht gesagen.
Und alz schiͤr sy geswaig,
awf der weishait brüst sy saig;
dew smiͤlt dez und sang ir zü.
'Die prawt vil der rüe tüe.
3270 Singt, ir swester, herphet all,
singt ir zü mit jubelschall.'
Die maid mit der Weishait sungen,
der stymm yn süzzer acht erchlungen.
Die Weishait jach: 'Wil mein frawe
3275 vil phlegen der spiͤgelschawe,
sy mag in süzz unmacht chomen,
dew ir noch ist unvernomen.'

fol. 32v Do die fraw ain weil lag,
also der senften r*ü*e phlag,
3280 det sy auf ir augen,
dez nam war die Weishait tawgen.
Sy sprach: 'Fraw, wie ist ew gelungen?
Wir haben ew süzz czü gesungen.'
'Ja, ich hart wol ewer gesanch,
3285 yedoch waz ich slaff chranch,
daz ich nicht mit mocht gesingen,
bechumert mit tawgen dingen.
Ich sach in den gecelten fraissam wunder,
daz mich ein fried erhüb derunder,
3290 daz ich von den tumben maiden
nach grossem hail pin geschaiden.'
Dew Weishait jach: 'Ya, wol
mügt ir sein frewden vol,
daz ir chömen seit von yn;
3295 doch wil ich, daz ir vol hin
mir offent die gesicht,
dew schol also geligen nicht.
Waz habt ir in den gecelten sechen?'
'Nü hört, dez wil ich ewch verjechen.'

3300 'In dem ersten gecelt sach ich vil
volkches phlegen gumpelspil.
Ich sach manigen tumben schymph
und manigen smächen ungelimph.
Under den lewten swartz affen waren,
3305 die sach ich umm gämlich varen,
die lewffen umm, auf und ab;
der vorspil den tumben gab
übung der manigen tumbhait:
dez waren die affen gar gemait.
3310 In daz gecelt ein stymm erhall
alz ein donerslag überal:
„Filii hominum usque quo gravi corde?
We," rüff überal die stymme,
„ut qui*d* diligitis vanitatem?"
3315 Daz gecelt die stymm vernem:

„We ew menschenchind,
die swers hertzen sind.
Durch wew habt ir liebuppichait,
dy ewch zü ewigem vallen trait!
3320 Der ist ein sälig man,
der uppichait nicht sicht an
und die valschen unsynne.
Gen den wachet ynne!"
Der lewt vilen an zal
3325 vil in die tieffen grüft ze tal:
fol. 33r dy affen / frewten sich ir val,
lieffen auf und *cze* tal,
chachitzten ob der gruft,
alz si sich frewten sigenüft.
3330 Do nomen die andren, ir mütes wild,
lutzel pey weishait pild.

Dez anderen geceltz ich war nam,
in dem sach ich wunder fraissam:
lewt gär spåch an iren siten,
3335 die auf phaben all riten;
die wolden fliegen und mochten nicht.
Mich nam wunder der gesicht.
Ainr wold sich über den anderen erheben,
dez wold der ander wider streben:
3340 also waz do grozzer streytt
bi lüg, haz und neyt.
Ydleicher warf sein banir auf,
dem tet ein anderer widerlauff;
also sy wider ainander strebten,
3345 an fridezrüe sy lebten.
Vil s*w*artzer gæmsel under in warn,
dy sach ich under in umb varn;
dy vor in so hoch stigen,
daz si vallunt cze tal sigen.
3350 Die lewt nach stigen den tyren,
piz si vielen: chachiczent schriren
dy fraissamen tye*r*, wann ir val
ir frewd waz überal.

Der lewt vil vielen an czal
3355 in dy gruntlosen gruft cze tal.
Ein forichtsam stymm erhal alda:
„Vidi inpium exaltatum elevatum et cetera.“
Ich hort dy stym also yehen:
„Ich han den übeln gehöchten gesehen
3360 und erhaben alz cederpaum
schier verswunden alz einen taum.
Fur gye ich, secht, und waz nyemee
noch sein stat funden ist sam ee!“
Der stymm namen sy luczel war,
3365 stigen und vieln ungewar.

Daz dritt geczelt ich ew bedewt,
in dem sach ich manigerhantt lewt:
alt, jung, groz und chlain,
dy warn bechumert all gemain
3370 mit mærchten, mit hin geben, mit chauffen,
mit arbeitten, mit umb lauffen,
wechumert mit mangerhant geschæfte,
ir unmuzz groz, iͤr unmüt hæfte.
Von den mercht ich aller peste,
3375 daz sy swer czymerten auff chranch gruntfeste,
hatten sich mit so sweren pürden,
daz sy mit sampt den fallunt würden;
gruntfest müst entweichen in,
fielen all swer geladen hin.
3380 Wolff und füchs sach ich da vil,
fol. 33v dy heten mit einander geͣmleich spil
und pizzen mit einander schiͤr:
daz waz allz cze wunder miͤr.
Den frayssamen tyren waz der sit,
3385 die lewt teten daz selb mit,
fielen mit einander cze tal,
daz gruntfest der erde erhal.
Eyn stym rüfft in daz geczelt also:
„Frustra conturbatur omnis homo,
3390 tesawrizat et ignorat et cetera!“
Dy stymm rufft alda:

„Aller mensch wiͤrtt uppichleich petrübtt,
de*m* giͤr schaczes sorgen übt.
Er schæczet und waiz nicht wem,
3395 ob ez disem werd oder dem.“
Dy stymm luczel gefrumen chund,
si rungen nach val all stund.

In dem viͤrden geczelt ich lewtt sach,
den gar ubel auch geschach.
3400 Dy sazzen mit grossem ludemschalle
alz trunchen in wiͤrtscheften alle,
die raufften sich, dy slugen
und warn in manigen ungefügen.
Denn trueg man in maniger weis
3405 gift fur in tringchen und in speis,
dy si enphyngen an syn
und vielen all tod hin.
Frayssam swarczer swain
(der sach ich vil under in sein)
3410 under den lewten walczten sich:
dez nam auch wunder mich.
Also teten die lewt nach:
ein grosser ludemsanch geschach
von den tyren überall,
3415 wenn die lewt vielen cze tal.
Eyn donerstym erhal
in dem geczelt überall:
„Multi propter crapulas perierunt!
Vil der lewt all stund
3420 verderbent von der unmazz
und sterbent an le*i*b, an sel von frazz.“
Dy stym luczel gefrumen chund,
si vielen tod cze tal all stund.

In dem funften geczelt ich sach,
3425 daz lewten hart ubel geschach.
Dy heten sich czesamen geslozzen
und wolten sich nicht schaiden lazzen;
der früntschaft tump waz und chranch,

dem val genaigt iͤr geranch.
3430 Dy lewt warn mit slangen
alz mit gurtel umb vangen:
also warn sy czesam gepunden,
von aitter durch flozzen, vol wunden.
Graz waz der lewt val,
3435 offt eins czach dreizzig cze tal.
Also czach eins daz ander nyder,
vielen und chomen nymer wider.
Ein stymm erhal inner dez:
„Amor carnalis excecat homines!"
3440 Dy stymm sprach pedewt:
„Fleischleich lieb plendet lewt
und cz*ie*cht in todezval,
in maniger hant iͤrsall."
Dew stymm gieng in fur oren,
3445 si vieln cze tal ymmer verlorn.

Daz sechst geczelt began ich achten,
do sach ich lewt siczen und trachten:
fol. 34r der augen dez manes schein gerten,
und gen der sunn iͤr nakch cherten.
3450 Fledermæus und aufen vil
heten under in ir spil.
Die vogel ir mist liezzen
in der lewt augen fliezzen,
die lewt erplinten dovon ye paz.
3455 Mit grasse*m* wunder sach ich daz.
Ein stym hort ich alda:
„Sapiencia huius mundi aput deum est stulticia!"
Dy stym sprach: „Der welt weisheit
ist pei got ein torheit."
3460 Dy benam in luczel iͤr iͤrsal,
si vielen also trachtend ce tal.

Von dem sibenden gecelt wil ich sagen,
in dem leut slaffund lagen.
In daz gecelt drey dieb chomen,
3465 den lewten, waz si heten, namen:

daz wert nyemant. Die leut slieffen.
Ein stym hort ich hel rüffen:
„Vigilate, quia nescitis horam!"
Dy stymm sprach, die ich vernam:
3470 „Wachtt, wenn iͤr nicht wist dy czeit,
dew ewch chüfftig ist; wachunt seit,
daz ir icht slaffund werdt erfunden."
Dy rüff nicht gehelffen chunden,
die dieb hin trügen der lewt hab
3475 und wurffen sew slaffund herab
in daz gruntlaz tal.
Unwiderchomleich waz ir aller vall.
Daz sach ich in den gecelten.
Daz möchten etleich lewt vil selten
3480 versten, ez würd in pedewt gesaitt
von ewerm mund, fraw Weisheit.'

Dew Weisheitt yach: 'Ich mus yehen,
fraw, daz ir wol habt gesehen.
Dy gesicht wil ich pedewten,
3485 alz ich gelobt han, cze frum den lewten.
Dy welt pedewt der trüb see,
in dem ach ist und we,
in dem ist aller trübsal,
unstæticheit und iͤrsal.
3490 Der chranch was in dem wag
ist menschenleben. Nach ewer sag
grebt man dem wasen czü,
wan der tod spot und frue
grebt czu menschenleben,
3495 dem er müs ent geben.
Auff dem wasen ein rad stet,
daz an rest umb gett,
daz maint czerganchleich gluk pedewt,
an dem gedingent tumb lewt.
3500 Dez lauff ist manigvalt
und stet nicht in einer gestalt;
gar ungewiz ist sein lauff,
siben gecelt sint darauf:

pei den schol man nemen warr
3505 siben hant leut schar,
dy daz glukchrad besiczen wellent
und sich cze tal in dy grüfftt vellent.
Dy hell peczaichent pei der lakchen,
dy vol ist slangen und trakchen.
3510 Ein fraw, die umb get pei dem rad
und laid ist der vallunden lewt schad,
hat ein aigenbeczaichnung
götleicher parmung,
dy von todleiches vallez schaden
3515 lewt laden gerucht cze genæden.
fol. 34v Dew wil lewten, dy czu iͤr cherent
und iͤr gnadenhilff gerentt,
auff einem anger wonung geben;
der anger maint güt tugenttleben.
3520 Der leben wil si mit tugenden chlaiden,
von allem unflat der welt schaiden.
Darnach wil siz pringen in ein güt lant,
daz gotes reich ist erchant.
Dy siben gecelt wil ich pedewten.
3525 Pey den spæchen lewten,
dy auff phaben riten,
mit einander striten,
sint hochfertig lewt bemaint,
dy selten mugen sein veraintt;
3530 zwischen in sei ürle*u*g, streit,
grozz haz und neid,
wan ainr den andern wil uber steygen:
und muzzen all mitt val saigen.
Pey allen tyren verstet aller maist,
3535 daz sunder etleicher pöser geist
phlegent etleicher sünden,
czu den si üben und schünden,
dy hie in tyer acht
in weczaichnung sint für pracht;
3540 alz pey gæmseln und pey phaben
man czaichnung schol haben:
pöz geist der hochfart phlegent,

alz dez phaben sit auz legent,
der duncht sich seiner schön gemait;
3545 so man in lobt, machtt er praiͤtt
sein gefider, prangt stolczleich:
dem tünt dez tieffelz nachvalger gleich.
Gæmsel sint auch tier,
dy habent auf cze steigen giͤr
3550 und so hoch auf steigent,
daz si nach todezval seigent.
Also tet auch Lucifer
und sein hochfartig nachvolger:
dy sint mit ubermut gestigen,
3555 daz si spötleich sint gesigen.
Also sich dy lewt vellent,
dy mit hochfart sich yn gesellent.
Daz geczelt, in dem vil
lewt phlagen geͣmleich spil,
3560 sint lewt, mit uppicheit petrogen,
von den tiveln in val geczogen;
dy under in gæmleich spilten alz affen
von den geisten, dy schaffen
mit ire*n* übungen wellent,
3565 daz sich mit uppicheit lewtt gesellent:
und ewichleich also vellent
lewt, die in dez nach volgen wellentt.
Dy stym bedewtent guten rät,
dy man wider sünd hat.

3570 Dye in dem dritten gecelt an rest
swer czymerten auf chranch gruntfest,
den manigerhant geschäfft ist ligund an,
pei den sint geitig chund getan,
die so geitig sint ires mütes,
3575 daz si nymmer genüg gewynnen gutez,
fol. 35r tag und nacht nach gutt belangen.
Under den sint walff und füchz gegangen;
wolff rawbent, fuchz stellent,
dy lewt rawbent, stelent, helent.
3580 Chumpt ein wolff ünder ein hert,

alle schoff er fressen gert,
ob man ym daz nicht wert,
wie chawm er ein schoff verczert:
also ein geitiger mensch tüt,
3585 wirt nymmer sat an dem müt,
wie daz churcz leben riet,
daz er an mynner gnüg hiet.
Geitig lewt sint untrew fol,
pöser list gleich füchsen wol.
3590 Unseͣlig dy menschenchint,
dy dem tiefel gnaz sint,
der geitig ist, nymmer sat,
der vil untrew und list hat;
des nachvolger, die geitigen
3595 dez himelreichz sint mit im verczigen.

Dye in dem vͤrden geczelt sazzen,
in wͤrtscheften trunchen und azzen,
dy mit manigen unfügen
sich raufften und slügen,
3600 sint frazzig lewt beczaigt,
czu aller unfür genaigt;
ünder den sich walcztën swarcze sweͣin:
daz ein beczaichnung schol sein,
daz lewt, die mit fraz sündent,
3605 poz geist hart schündent
zu manigerhant ungetatt,
de*w* urhab von unmazz hat:
unchewsch, unred, narrenspil,
plütvergiezzen, alz ubelz vil.
3610 Also walczent dy satten swein:
dez wͤrt tägleich offen scheyn.
Manigvalt ist der sünden val,
mit der lewt fallen an czal.

In dem funften geczelt lewt sintt,
3615 von pöser leibleicher lieb plintt,
dy sich czesam habent geslozzen,
wellent ir falsch frew*n*tschaft nicht mozzen,

dy mit giftigen slangen
czusam gepunden *sint* und gefangen;
3620 slangen sint giftige tyerr,
sliphig, vol unchewscher gyer.
Also lewt unchewscher sünden,
dy sich lazzent pöz gir verschunden,
vol ayter sint, czu sünden gach,
3625 volgent denn pösen geisten nach,
dy czu slangen gnazzet dy schrifft,
vol charheit und gift.
Dew lewt vallent an czal,
wann ainr czeucht den andern cze tal.
3630 Leiblich frew*n*tschafftt schadet der sel,
macht lewt czu vall snell.

fol. 35v Im dem sechsten geczelt lewt trachten
und mangerhant list erachten;
der angesicht dez manez gerten
3635 und der sunn iͤr ruk cherten:
dy sint lewt weltleicher charcheit
und iͤrdischer weisheit.
Der angesicht des manen gert;
der man seinen scheint verchert,
3640 der unstæt nimpt ab und auf
und beczaigt den unsteten lauf,
de*r* hat daz præd menschenleben
der unstäticheit wellen geben.
Solich lewt ir synn, iͤr müt
3645 nach wollust, nach ern, nach güt,
dy chernt iͤr ruk der sunnen schein;
der müt nicht wil sehund sein
mit warr geistleicher weisheit
gen dem liecht der ewicheit,
3650 und nicht nach leben berben,
an d*az* man selig nicht mag ersterben:
dy lewt ir pöz synn schendent,
dy fledermæus und aufen plendent,
pei den beczaichent sint pös geistt,
3655 der sünden schünder allermaist.

Pei der nacht ist der vogel gesicht,
pei dem tag gesechent nichtt.
(Alsam pei der nacht gesehentt,
dy den tag warr weisheit yehent.)
3660 Hie in erd weis, dart gar toren,
mit ir tumben weisheit verlorn;
die sint werleich all plint,
der pös chargen tiefel chint,
mit der welt weisheit betrogen,
3665 in den ewigen val geczogen.

In dem jungsten gecelt lewt lagen,
dy hart slaffunder rüe phlagen.
Auff dy lewt drey dieb grüben
und all ir hab auf hüben.
3670 Pey den lewten man versten schol
lewt geistleicher tragheit vol,
dy sich in solhe lozheit legent,
daz si chainer tugent ubung phlegent,
nement in den slaff cze lieb.
3675 Auf dy grabent drey dieb:
der erst dieb berait czu schaden
sünt maint, der berawbt gnaden;
der dieb mit senften helen
werait ist geistlech gnad stelen.
3680 Der ander dieb ist der tod,
der stilt den leib mit grymm natt;
der dieb sleicht czu
dem menschen spot und frue.
Der treͣg mensch nicht überwindet,
3685 den ungwarnt der dieb vindet.
Der dritt dieb czu schaden snel
ist der tiefel, der stilt die sel.
Dey hat der slaff hart uber chömen,
dem der hart wirt benomm,
3690 den hat die tragheit hart überwunden;
der so ungwarnt wiͤrtt erfunden,
der ist ein unverträgleich schad,
dem sünt benement gnad,

3694 wenn ungwarunt der tot daz leben
fol. 36r und pöz geist dy sel schullen hin heben.
Mensch, *be*wach hazz, trachait,
dew sölhem schaden ist berait.'
Fraw Weishait sprach: 'Gnügt ew, frawe,
daz ich von der gecelt schawe
3700 ew hie pedewt han?'
Dew jach: 'Mich gnügt daran.
Ewr chürtze wart genügent,
wa sich gesicht und mainung füegent.'
Darzü sprach fraw Weishait:
3705 'Ich han chürtzleich gesait,
wann daz vird, geschepht wart
hat vil mainung in sich verspart,
und ist dew red zü lanch,
darczü menschengehüg ze chranch,
3710 wann noch d*r*ew sint zü bedewten
ew, fraw, und andren lewten.'
Mit andacht sprach dew fraw: 'Ja
sagt, liebew fraw Sapiencia.'

Verbum incarnatum schol sein
3715 daz fünft wart in latein:
daz spricht daz gemenschet wart.
Mit dez synn ist entspart
dew zart menschait gotez süns,
dy er enphangen hat durch uns,
3720 und er gotez ainparen warr christ
unser loser warden ist,
der menschenvall hat wider pracht,
ein warz liecht, der dy nacht,
dez totez vinster, verjait
3725 mit seiner chlaren menschait;
der von dem vater ist auz gesant,
uns tötsiechen ein hailant;
der wider pracht hat ünser leben,
sich selber ein erczney gegeben;
3730 der unser lerer sein gerücht
und uns predigunt umb sücht,

der uns ist allew dinch.
Nach ym ain sey unser gerinch.
Wenn wir uns ym ain gesellen,
3735 so hab wir an ym, waz wir wellen:
der mensch ist und warer got,
vaterleichs willen pot,
der uns mag allen chümer püzzen,
leib und sel paidew süzzen;
3740 der uns auzzen laittet und weist,
fol. 36v ynnen süzzet / und speist;
der uns auzzen wol gevellet
und sich innen der sel gesellet,
heiliger selprewtigan,
3745 ein junglinch mynnichleich getan,
aber er süzzer gotleych zart
ynnen pey der sel verspart,
michel suzzer in der tawgen,
ein frewdenspiegel den augen,
3750 an dem man allen trost vindet,
mit dem man trawren uber windet;
der, mit dez hilfen man gesigt,
in dez frid man rüe phligt,
in dez phleg man sicher lebt,
3755 in dez mynn man süzz swebt,
in dem man alle ding hat:
frid, gnad und rat.
Fraw Weishait sait: 'Fraw,
west gwar an der spiegelschaw.
3760 Ewr augen darczü wendet,
wie sich dez menschait an vecht und endet.
Merkcht, wie dy heiligen propheten
vor lang gesagt heten
von der chünft gotez süns,
3765 er würd ze hail geporen uns.
Die waren süzz nachtigal,
fralochten, sungen uberal,
mit den schult ir süzz singen,
in andacht den müt erswingen
3770 zü dem, den sy chunftig jachen,

alz sy vor in dem geist sachen;
den schult ir in dem geist auch sehen,
dez menschait lob und gnad jehen,
der uns czü hail geporen ist:
3775 warr got und mensch Jesus Christ.
Merkcht, wie dy heiligen vater all
dez chünft begerten mit frewdenschall.
Frewt ew, daz ir seit gewert,
dez heiliger vater senung gert.
3780 Hört und merkcht mit andacht
potschaft, die Gabrihel bracht
Marie, der waren magd, von got,
wie ir chünt tet der himelpot,
daz sy magt scholt geperen
3785 den w*ar*en chunig ewiger eren,
wie süzz er mit der magt chost,
alz sein vrawen grüst und tröst.
Mit dem selben englischen grüzz
3789 schult ir jubil*i*eren süzz,
fol. 37r mit der magt frewd han,
der solhe frewd ist chünt getän,
der himel und erd sint durch flozzen:
der vrewden wir all haben genozzen.
Secht an den magdleichen trön,
3795 wie mynnichleich und wie schon
in dem rübt der gotezzart:
wie wunderleich ist der verspart
in dem magdleichen leib,
daz dew müter nie ward ze beib;
3800 dez inganch und dez auzganch waz
alz der sunnen durch daz glaz:
der durchganchk daz glas nie brach.
Also an der magd gesach,
dew zü müter ist erchoren,
3805 daz si enphangen hat, getragen, geboren
den gotezsun Jesum Christ,
daz si warew magd ymmer ist
nach der gepurt also var:
Esechielis verspartez tor.

3810 Von den wunderen macht ir trochten
gwarleich, süzzichleich andachten:
daz newgeporen chind secht an,
wie mynnichleich daz sey getan.
Von dez schön gicht psalterium:
3815 Speciosus forma prae filiis hominum.
Der ist der schön var menschenchinden.
Wer möcht ein chind so schönes vinden?
Dez vater got ist von himelreich,
dez müter ein magd so mynnichleich,
3820 der von dem vater an müter geporen,
der ym ein müter hat auserchoren
an vater auf erde:
Allerschonest ist der werde,
allerschönest und veinst,
3825 den du, sel, mit lieb mainst;
der ist chlain und groz:
der magd chind, dez vater gnoz.
der rübt in dem chrippelein,
ein gefüeges chrippchnebelein;
3830 und ist sein vol uberal
erd und aller himel sal:
der ist in daz chrippel genaigt,
den ein newer steren zaigt;
3834 den dy lewt armen sehent,
fol. 37v dy himel / den zü herren jehent,
den predigent, den chündent,
an dem mit unglawben lewt sündent.
Ein achs, ein esel, unverstentigew tiͤr
erchanten daz chind, iren schepher, schiͤr,
3840 den dy lewt wellent erchennen nicht,
achtent daz chind nach der gesicht,
daz ez chlain ist und chranch,
horent nicht der engel gesanch,
die dem chind zü singent also:
3845 „Gloria in excelsis deo.
Got lob in der höch, frid in erd
hewt von uns gechündet werd
lewten, dew gütez willen sint.“

Glaubent, mynnent daz new geboren chind,
3850 daz new gesanch dy engel süngen,
der chlarhait lewcht, der stymm erchlingen.
Do dy herter den lob vernamen,
zü dem newen hirten sy chamen,
zü dem chind, daz sy funden
3855 in sme̊chew tüchlein gebünden,
der mit dem vater sein hantgetat,
himel und erd, peschaffen hat.
Dy hirten dez chindez lob jachen:
alz sy horten und sachen.

3860 Fraw, nü gett in dem geist,
von dem ich mit ew red aller maist:
get, sprich ich, zü dem chrippelein,
schawt mit den hirten daz chindlein,
schawt muter und chint,
3865 dy mynnichleich ze schawen sint.
Josep ir phleger ist alt,
chint und müter arm, dy zeit chalt:
phlegt mit geistleicher mynn
der newn chindelpetterinn.
3870 Reich und arm ist der fürst,
nach dez gaben ew dürst:
er hat ze geben himel und erd,
doch leit arm und ellent der werd
an dem weg, herberig verzigen;
3875 den ir vindet in der chripp ligen.
Lawft umb, ew nicht legt,
dez chindez und der müter phlegt,
dient in lieben in lieber weiz,
beraittet in trinchen und speis,
3880 dient in gern! Dew miet ist güt,
dy ew chint und müter tüt.
fol. 38r Lawft oft zü der chripp schawen,
sprecht zü der fürstenleichen frawen:
„Libe fraw, gerüchstu mein?
3885 Ich wil dines chindez amm sein."
Sy ist güt, sy antwurt vil geren:

„Mein chind wil din nicht enperen.“
Darzü ein frumme dirn gicht:
„Gib mir dein chind, fraw, saum mich nicht.“
3890 Dawider wil dy fraw jehen:
„Deinen ernst han ich ersechen.
Mein chind ich dir enphelhen wil,
an dem vindestu gnaden vil.
Groz sey mit dem chind dein fleiz;
3895 wasch ym sein tuchel weiz,
mach ym rain mit rewe*n*smertzen
ein rupettel in deinem hertzen.
Gib mit parmung dem chindlein,
getrewe amm, dein brüstlein;
3900 mit andachtzeheren scholtu paden
mein chind; pit ez gnaden.
Trag ez umb mit gütem pild,
ob du ez wol lokchen wild;
chüzz daz mynnichleich an den mund,
3905 raine amm, wol tausenstunt.“
Daz chüzzen geschicht, wenn gotez geist
dew sel schephet allermaist
und mit ir*m* lieben wirt veraint,
den si mit gantzer ainung maint,
3910 ain geist mit ym und er mit ir
in geistleicher mynn gir:
so hat dy lieb iren lieben umvangen
und ist in dez haimleich gegengen,
den sy von gantzem hertzen mynnet,
3915 von dem sy geistleichen trost gwinnet.
Fralokch, amm, mit dem chind,
daz dein geist gnad vind.
Mach mit ym ein frewdenspil,
an dem ist allez trostez vil;
3920 drukch daz chind an din brust,
davon entweichet sündenglüst;
daz sey ein spiegel deinen augen,
ich main in dez hertzen taugen;
3924 dez antlütz ist so mynichleich,
fol. 38v daz ym / nie chind ward geleich;

dez stymm sey dir ein herphenchlanch,
lustsam über der engel gesanch,
dew süzz deinen oren sey
in gestleicher armonei;
3930 dez chüssen deinem mund sey
ein honigsam, aller pitter frey,
ein geistleich ainung mit dez geist,
den du lieb hast aller maist;
dez anrürung sey ein rose*n*plüm
3935 deinen handen mit chewschem rüm;
dez umbfachung ein ainichait
mit ungeschaidner stetichait;
dez chindez rubstat schol sein
in deines hertzen petlein,
3940 in dem schol daz chindel rüben,
daz schol chain unfrid betrüben.
Der fryd schol ym rüe schaffen,
so wil daz chint darynn schlaffen.
Daz hertz schol sein wol verschlozzen,
3945 nicht arger bechumerung inlozzen,
daz dicz chint müg vertreiben:
so wil ez in der wonung bleiben.
Geistleiche amm, sing zü
dem chint spat und frü;
3950 Sing mit der engel schar
mit mund, mit hertzen süzz gar.
Sing, geistleiche nachtigal,
sing, mach einen jubelschal;
mach daz jubiliren lanch,
3955 sing dem chint r*ue*sanch.
Du scholt sagen und singen,
so mag dir, amm, wol gelingen.
Frew dich, dew myet ist güt,
die dir chind und müter tüt.

3960 Nempt auch war, daz ein newer steren
predigt den chünig höchster eren,
laittet ym drey chunig nach,
den zü dem chindlein ist gach,

dy mit iren gaben chomen sint,
3965 erten, an petten daz gotleich chint.
Mit schult ir drey gab pringen:
glauben, lieb und gedingen,
oder dez leibs chewschait
fol. 39r mit der gwissen lawtterchait,
3970 darzü dez geistes andacht,
so habt ir vil dem chünig bracht,
mügt wol fur chind und müter chömen
wol enphangen und vernomen.

Darnach schawt in junglinch an,
3975 einen mynnchleichen prewtigan.
Fraw p*ra*wt, den schult ir gern nemen,
der mag ew allerpest geczemen;
der ist chewsch und rain,
habt aͤinichleich lieb in ain,
3980 seyt ym mit gantzem hertzen pey,
daz er ew lieb ob allen lieb sey
in ganczer ainung mit stäticheit,
mit diemüt und mit chewscheit:
so mügt ir werden dez werden wert,
3985 dez güet ewer czu lieb gert.

Hort auch in prediger süezzen,
von dez red ewer orn suezzen müzzen;
mit den oren ewer hercz ger
schephen dez süezzen prediger ler,
3990 der mit wortten und mit werchen lert.
Noch dez ler wegen chert,
an dez lerer ræten bestet,
dez gepot nicht über get,
voligt nach der warheit:
3995 so habt ir hailssicherheit.
Darczu merkcht auch besunder
dew grossen czaichen und wunder,
die der gotessun begye,
der die menscheit durch üns enphie,
4000 der sein gotheit chunt getan hat

mit manigen czaichen an maniger stat;
den glaubt warn menschen und got,
der, vaterleichem willen pot,
uns ein arczt ist gesant
4005 her in der siͤchen lant.
Czu dem lauffen und fliechen
all leibleich und geistleich siechen,
der baider, leibz und sel, leben
und allez hail hat ze geben.
4010 Fliecht, geistleich sichen, zü des gnaden,
der sünder chömen ist zü laden,
den sünderen nach ist gegangen,
dy geladen hat und enphangen,
noch laden wil und enphahen.
4015 Ir sünder, lät ew nicht versmahen!
Seyn grozz güt von sünden chert.
Ewch wil hailen, der ewr gert,
ze trost, ze leben und ze hail;
dez gnad ist siͤchen wol fail,
4020 umb sust fail an miet,
davon ich allen siechen riet,
daz sy zü dem artzt lieffen,
dez gnadengüt an rieffen,
fol. 39v der mit warten, / auch mit willen
4025 allen siechtüm mag gestillen
und vertreiben den tot.
Der getrew artzt durch not
und auch seiner siechen leben
hat sich in menschenpr*ä*d geben,
4030 enphangen ir pr*ä*den natur tail,
daz er waricht der sichen hail.
Der trew laeser ward gevangen,
daz sein gevangnen sind frey gegangen.
Der hailant erliten hat
4035 durch uns, sein siech hantgetat,
angst, swais, spot, sleg, manig wunden,
dy plutez ersigen ungebunden
unser siͤchenertzney scholden wesen,
von den wir wol sein genesen;

4040 der vorchemph hat durch uns gestriten,
an schuld den tod erliten;
der an dem chrewtz erstarben ist,
war gotezsun Jesus Christ.
An der menschait der gotezzart
4045 erstarben, begraben ward,
dez leichnam in dem grab lag,
dez sel der hellvertt phlag.
Doch ward die gothait von in paiden,
von leib, von sel nie geschaiden,
4050 dew veraint in dem grab mit dem lechnam
in der farhell mit der sel alsam.
Dew Christes sel an dem dritten tag
pey den vätern in der varhell wonung phlag,
piz der urstend zeit cham,
4055 dy der gotezsun nam:
der erstünd untödleich
mit leib, mit sel werleich.
Mit dem vil heiligen urstend enphingen,
dy in die heiligen stat giengen
4060 und bewerten monigen end
ir selber und gotez süns urstend,
alz man von Karino und Leucio list,
von den an Nichodemo geschriben ist,
dy nach der urstend beliben,
4065 daz sy von Christez urstend s*ch*riben.
Der gotezsun auf erd erschain
nach seiner urstend nicht aller gmain;
nur seinen lieben, die er tröst,
mit den er az und süzz chost,
4070 den er viͤrtzig tag sein urstend
werleych bewert manigen end.
An dem viͤrtzigisten tag sein aufart
vor sein*en* jungern bewert ward,
4074 do er auf für mit jubeldon,
fol. 40r saz an dez vater czesem schon,
dem er ewengwaltig ist und eben he*r*;
an dem jungsten tag chunftig her
ein richter toter und lemptigen,

von dem werdent unverzigen
4080 all menschen ir gerunt urtail
in verdampnüzz oder in lebenshail.

Nach seiner auffart der hailant
seinen jungeren den heiligen geist sant,
mit dez gnaden wart volbracht,
4085 dez got ze menschenhail gedacht,
pewert christensgelauben warhait
und gestiftet die christenhait.
Der vogt pey dem vater ist
ir hawpt, ir orthab Jesus Christ,
4090 dem sy nach volget auf erd
mit dem glauben, mit der lieb, daz sy werd
pracht in dez aynichait,
dew sicher ist in ewichait,
do dy gmahel mit yrm prewtigan
4095 in rüe gantzer ainung schol bestan,
ymmer sicher, ymmer frey
yrem hertzenlieben pey.'
Fraw Sapiencia sprach: 'Fraw,
nü wachet an der spiͤgelschaw,
4100 daz newgeporn chind secht an,
wie liepleich daz sey getan.
Daz chint ew vil fräden geit,
ob ir seyn geistleich amm seit.
Darnach in zarten junglinkch secht,
4105 dez ir zü hertzenlieb jecht.
Secht, wie er durch ew hat gestritten,
umb ewr hail den tod erlitten.
Secht seiner menschait peyzaychen,
dy menschenmuet nicht mag erraichen.
4110 West fro, fraw bräwt, singt und lobt,
nach dem lieben mynntobt,
sagt ym gnad und danch
nach dem lieben senechranch,
fralokchet, seit sein gmait,
4115 gen seiner chunft seit berait,
ob er chöm, daz ir berait seit.'

Dy fraw sprach: ‘Wann ist dy zeit?
fol. 40ᵛ Eia, / wer dy zeit schir!
Ewr sag hat mich enczündet.
4120 Den ir mir chünftigen chundet,
ist mir gepildet in dem hertzen:
nach dem han ich senungsmertzen.’
Fraw Weishait smilet an spot
und jach: ‘Daz liecht ist ein vorbot
4125 seiner chunft.’ ‘Wann chumpt er doch?’
‘Drey mayd müzzent chömen noch:
der glaub, der geding und dy mynn;
ich pin ir wegberaitteryn,
ir vordisputiͤererinn.
4130 Unser aller hochste ist dy mynn,
dew in pringt, dew in geit.’
Dy brawt jach: ‘Wenn ist dy zeit,
daz miͤren dy mynn bringen schol?
Wann ich grozz senung dol.’
4135 Mit dem wart sy geswaig
und unmechtig hin saig.
Do smilt fraw Sapiencia
mit allen junkchfrawen alda,
dy fralokchten und sungen,
4140 der stymm in die höch erchlungen.
Do die fraw ein weil gelag
und der senften unmacht phlag,
sprach fraw Weishait: ‘Ir schult wachen,
wir schullen der red end machen.
4145 Zwyschen uns wirt dy red ze lanch,
darzü ist menschengehüg zu chrankch.
Zway wart müzz ich noch pedewten
ew, fraw, und anderen lewten.’
Dy jach: ‘Ewr sag mir wal gevelt,
4150 fraw Weishait: sagt, was ir welt.’

‘Verbum sacratum schal sein
daz sechst wart in latein.
Daz spricht ein geheiligtez wart,
mit dez synn sint entspart

4155 und offen dy siben heilichait,
von den gar chürtzleich werd gesa*i*t.
Dew tawff müz dy erst sein:
dy tüt uns grozz gnad schein.
In der werd wir geistleich geboren
4160 (von natur chint dem zoren),
von der tauff, dew heiligt uns:
fol. 41r geistleich geporen chind gotez süns,
ledig der angeparen schulden,
dy naturchind irret gotez hulden.
4165 Dy tauff benympt der schulden schaden
und macht uns geistleich chint der gnaden,
dy slüst uns auf dy himeltür,
hüte*t* uns far sünden hinfür.
Dy ander ist dy firmung,
4170 dew haist ein geistleiche vestenung,
dy uns vestent an christenglauben,
daz uns dez nicht schüll berauben
aller anfechtung not;
daz wir vest in den tot
4175 verjehen christenwarhait
und nicht verlaugen der heilichait
mit warten noch mit werchen:
darzü schol uns firmung sterkchen.
Dew dritt ist gotez leichnam,
4180 über all der anderen lob mynnsam,
wenn uns Christus in süzzer weis
seinen leichnam geit ze speis
und ze trinkchen sein plüt:
daran uns zaiget und chunt tüt
4185 Cristus sein mynn sunderleich
und offent sein chraft wunderleich.
Der gnaden wunder nie mechten
aller hertzen synn erphe̊chten,
dy götleic*h* wunder betrachten
4190 noch der gnaden frumm erachten;
dy schull wir glauben christenleich,
der dankchen, phlegen heilichleich.
Dy vierd geit ablaz der sünden.

Wy uns menschenpräd verschunden
4195 und der tivel, daz wir sünd begen,
well wir mit püzz wider auf sten.
So werdent sund benomen uns
von der ordnung dez gotezsüns,
der gwalt auf erd lazzen hat,
4200 der uns enpindet sundengetat,
wenn wir von sunden wellen cheren
und mit püzz ablaz geren,
wenn wir rew haben, peicht phlegen,
mit pessrung sünd ablegen.
4205 Dew penitencia ist dy vierd helichait,
von der ich vor han gesait.
fol. 41v Dy fünft / daz heilig öl ist,
dy wir an dez endes frist
enphahen mit gedingen,
4210 daz dew helichait an uns volbringen
schull ein christenleich leben;
von der lezleich sünt werdent vergeben
und christensleben end volbracht.
Wenn sy enphangen wirt mit andacht,
4215 mag sy fristen menschenleben
oder gnadenstewr dem end geben.
Dew sechst briesterorden sey,
und merkcht, ir layen, dapey,
wie heilig scholt sein iͤr leben,
4220 dy all heilichait schüllen geben.
Ist dez nicht, sei ir schad.
Ir enphacht von in christengnad:
den geharsampt, so sy recht leren;
all briester scholt iͤr in got eren.
4225 Dew sibent chanschaft orden sey,
und merkcht aber dapey,
wie ir der helichait wider sagt,
wenn ir den heiligen orden cze ubel tragt
und so viechleich daran lebt,
4230 wenn ir chainer böser gird wider strebt.
Der orden ist heilig, aber ir,
dy also lebent, seit alz tiͤr

an scham und an verstentichait,
unwert dez ordens heilichait,
4235 verschampt man und weib,
u*n*rain*t* ewr fiechleich leib,
daz iͤr den heiligen orden swachet.
Dez namen ir ew unwert machet,
wenn ir nicht lebt ordenleich
4240 und tragt ewr chanschaft heilichleich.
Ir schult beschaidenleich leben,
dez leibez willen wider streben;
lebt nach rot und nach hail,
so habt ir gotez reiches tail.
4245 Fraw, die red schult ir merkchen,
dew schol ew an dem glauben sterkchen.
fol. 42r Dy siben heilichait / glauben s*ch*ol,
wer recht glauben wil und wol.
An den schult ir merkchen sunder
4250 götleicher gnaden wunder.
Der in sichtigen dingen
unsichtig gnad an uns volbringen
so wunderleich gerücht,
der unsers glawben gerung sücht;
4255 wann wir lön dienen, wenn wir jehen
mit dem glauben, dez wir nicht sehen.
Darzů wencht ewrs mützez augen
und trachtet geistleich von den taugen;
davon merent sich in hoher acht
4260 ewr geistleich synn und andacht.
Dez wartez wil ich gedagen,
von dem sibenden fürbaz sagen.

Ich pedewt ew ze frumm
daz sibent wart inspiratum:
4265 daz gespricht ein ingegozzens wart,
damit s*ey* all geistleich gnad entspart,
dy got der sel gerücht in giezzen:
die wil ich chürtzleich besliessen,
mit churtzen warten für bringen.
4270 Dy gnad leit an vier dingen,

dew haizzent in latein allso:
Anime purgacio, illuminacio,
amoris degustacio,
virtutum operacio.
4275 Dew haissent in dewscher czunge:
der sel lewterung, erlüchtunge,
der lieb chostung,
tugentwürchung.

Daz erst haist lewtrung der sel,
4280 wenn got aller sünden vel
mit seinen gnaden vertiligt an ir
und geit ir geistleich gecir,
daz ist geistleich lawterhait,
daz si läuter sündenunsawbrichait
4285 lewchtet gleich ainer christallen,
dew got dem schönisten müz gevallen
alz ein spiegel der chlarhait
gen der sünen schein berait,
schon lautter und chlar,
4290 in dez schönisten augen wol gevar.
Daz ander ist erlewchtung genant,
fol. 42v dew ist ein solhe / gnad erchant,
wenn got ingewst der sel ein liecht,
in dem si sich und got siecht,
4295 in dem si sicht von in paiden,
wie sy verant sind ungeschaiden,
waz si tün schol und meiden,
waz si enphahen müg und leiden,
wie si schull dy ersten natur
4300 speculiren in aller creatur,
die in got und in in:
der ist recht lautter geistleich sin.
Daz dritt ist der lieb chostung genant,
dew ist ein solhe gnad erchant,
4305 wenn dez leibs gerung swindet
und gotez süzz der geist enphindet,
wenn den gotez lieb rürt
und ym leibsglust enphürt,

den müt erhebt in andacht.
4310 Dy chostung geschicht in maniger acht:
oft in süzzichait, in vrolachen.
Ich wil von den geistleichen sachen
versücht lewt reden lan,
nicht reden, daz ich nicht wizzen chan:
4315 davon schullen güt lewt sagen,
dy unversüchten schullen gedagen.
Von den dingen rett allerpest,
der dy versücht hiet und west.
Wer dez nicht enhat,
4320 der schol sweigen, daz ist mein rat.
Dew viͤrd *ist* tugentwürchung genant
und ist ein solhe gnad bechant,
wenn got gnad dem menschen geit,
daz er tugent wurkcht all tzeit,
4325 daz er sein zeit nutzleich achtet,
mit dem hertzen wol betrachtet,
gepet spricht mit dem münd,
oder süst nützleich ret anderstund,
oder sust nützer arbait phligt.
4330 Mit den henden damit gesigt
ein güt mensch versüchung an
und mag pey got wol bestän.
Mit den viͤr vorgenanten dingen
wil got geistleich gnad volbringen.
4335 Mit den viren sint verspart
all geistleich gnad, dy daz wart
verbum inspiratum beslozzen hat:
daran ubet ew, daz ist mein rät.
fol. 43r Nü sint ew, fraw, / dy wart volbracht,
4340 dy ir in der spiegelschaw sacht.
Dy siben wart ich pedewt han
und han lang red getan,
darumb daz ir ew an dem geist
mit dem übet, doch aller maist
4345 an ewrem geistleichen synn,
an dem glauben und an der mynn.
Darumb rät ich ew, fraw

seit entzig an der spiegelschaw,
so mügt ir trawren über winden
4350 und ewrn lieben oft vinden.
Vinden sprich ich mit andächt:
wenn er ew fur wirt bracht
in der geistleichen verstantnüzz,
so habt ir seinen tröst vil gwiz,
4355 wenn glaub, züversicht, dew mynn
erhaben in geistleichem synn
enczündet werdent und erlewchtet,
gesüzzet und mit gnaden gefewchtet:
zü den übet die spiegelschaw,
4360 an der seit entzig, rat ich ew, fraw.
Ich wil der red end geben:
ich siͤech zwo maid herzü sich heben,
dy sint herzü geslichen vil leis;
unser red vernomen in tawgen weis
4365 habent dy oft genanten maid,
dy ich Weishait nicht schaid
von meiner red. Ich well geren
von in reden, ir weg leren.'

Do dew Weishait ir frawen tröst,
4370 mit ir lang und süzz chost,
zwo lus*t*sam maid in giengen,
dy all vorder maid enphiengen;
dy waren so liebleich getän,
daz grozzen trost dy fraw gwan.
4375 Dy ain ein dristrenig chertzen trüg,
dew gab alumb liechtez gnüg:
dy waz Fides, der Glaub, genant.
Dy ander trüg ein cepter in ir hant,
gehaizzen Spes, dy Züversicht,
4380 dy gie mit grözzes gwaltes phlicht.
Dy maid chomen mit grozzen eren,
dy vordren all sachen sy geren.

fol. 43v Dye erst, Fides, hüb an und sait:
'Eya, swester, fraw Weishait,

4385 ir seit mit maisterschaft chomen
und habt uns allen red benommen;
doch schol wir haben daz für vol,
wann ir habt gesprochen wol.
Ir habt den spiegel schon geciret,
4390 von mir weisleich disputirt,
daz ain got sey und drey genend,
an anegeng, auch an end.
Ir habt bewert vil schon
ainen got und drey person
4395 und wie man schull dy ersten natur
speculiͤren in aller creatur.
Ir habt recht und wol von mir gesait;
doch gich ich, swester, fraw Weishait,
daz ich uber allen ewren sin
4400 hoch swebunt und erhaben bin:
daz bewer ich an laugen.
Ewr chlarleich sehent augen
mugen in der creatur höche gesteigen
und müzzen oft daran seigen,
4405 wenn in ir haimleich hohen taugen
widerwinden müzzen ewr augen
und ewr zung müz sweigen,
so mügt ir oft häher nitt gesteigen
alz an der steren läuf geschiͤcht;
4410 dez mügt ir doch gelawgen nicht,
daz an dem *ni*derstem element
ewr sin mag irren ma*ni*genent.
Waz an höhen unsichten dingen;
also wil ich ew conclusionem bringen,
4415 daz spricht: ich wil ew besliezzen,
seit ewr sin nicht gar mag erliezzen
die höch, dy tieff der creatur:
michel mynner götleich natur.
Ich rat halt, daz ir ew bewart,
4420 nicht ungwar daran vart.
Secht, so ir, Weishait, müzt auf höher sten,
so mag ich, Fides, höher gen,
unsichtigew ding sehen:

ir müzt mir siges daran jehen.'
4425 Fraw Weishait yach: 'Fides, ich gich
nach ewrer gicht, doch schult ir mich
nicht verwerffen. Ich pin ew früm.
Ir wizt wol, chertzerirretüm
fol. 44r ist groz und tieff manigenend,
4430 den ich oft über wind und schend,
wenn ich dawider disputiͤr.
Trewn, fraw Fides, so mecht ir
an mich under ligen.
Ir mügt oft mitt mir gesigen,
4435 wenn mein tieffe argument
ewch bewernt manigenend.
Ich bewär auch ewren val
mit rat in manigem irrsal.
Ich üb auch ew, so ir ligt
4440 und süzt grozzer rüe phlegt.'
'Gebt ir mir übung oder ich ew?'
jach Fides, 'sagt, umb ew
mocht ir mir übung geben,
wolden ich und Spes ew widerstreben?
4445 Ich üb ewch, daz ir mich
chürtzweilen fürt.' Do frewten sich
dez streitez fraw und all maid.
Fraw Spes sprach: 'Den streit ich schaid.
Ir mügt an mich Züversicht
4450 paid swester geschaffen nicht.
Ich gib ew solhez gedingen sach,
dew ew allen übung mach.
Ich gehaizz der arbait lon.
Ich gib dez siges chron.
4455 Ich chan trost geben, trawren schaiden,
dez gib ich ew übung paiden.
Unser swester, fraw Weishait,
hat daran war gesait,
wie dez sei warhait schein,
4460 daz wir über sey gehöcht sein,
wann wir nach unsichtigen dingen
uns erheben und erswingen;

doch ist sy unser mitvolgerinn
und ein vil güt weglaitterynn,
4465 unser paider disputirerinn
und beschaidnew unser ratgebinn.
Wir sein oft laz, oft ze gech,
daz uns irretüm geschech,
hiet wir nicht unser swester rät,
4470 dew uns nützleich pey stat.
Sy übt uns, wir übent auch sey,
si ist uns wol und wir ir pey.'
Daz gefiel allen maiden wol.
Dew fraw ward solher gnaden vol
4475 von dem liepleichen champhe:
fol. 44v hin vil in / senft unmacht
und lag in stiller andacht.
Mit allen maiden frolachten da
Fides, Spes, Sapiencia,
4480 spilent mit einander rüngen
und sungen, daz ir stymm erchlungen.

Do Sapiencia und Fides
also warent verslichtet dez
mynnchrigez, der under in gesach,
4485 fraw Spes alümb sich sach
und nam war pey der frawen
dez pesmes und der pusawen,
dy dar brachten dy vorderen maid,
Gotez*forcht* und Geistleich Zucht paid.
4490 Si sach auch fraw Justiciam,
dy mit dem swert sampt der chron cham.
Do Spes daz allez sach,
zü der prawt 'Ir frawen' sie sprach,
'nicht trawret, gehabt ewch wol.
4495 Mein chunft ew trosten schol.'
Dy püsawn und den pesem
let si von der frawen zesem:
dew let sy auf hoher paz
und zü der frawen zesem saz.
4500 Darzü nam si daz swert,

daz fraw Justicia gen ir chert;
sy warff ez under füzz der prawt,
davon wart sy frewdenlawt.
Fraw Spes nam auch dy chron,
4505 satzt sey auf der frawen schon.
Timor Domini und fraw Justicia
chriegten dawider sa
und sprach: 'Swester, fraw Spes,
gar ze gach ist ew dez,
4510 daz ir pesem und dy pusawn
und daz swert nempt von der frawen.
Dy waren ir ein gwarleich hüt;
hüttet, daz ir ir wol tüt.
Ein untugunt ist Übermüt gehaizzen,
4515 dew wil under ewrem gecelt erwaizzen,
dy sich zü ew chlai*b*en chan
und hat oft schadens vil getan,
dew oft mit ew chumpt geslichen
(wer si von uns nicht entwichen!),
4520 daz si güt lewt hiet gevellet.
Dy untugunt hat sich ew gesellet,
fol. 45r und fürchten, si sleich zü der frawen,
der ir ze schir welt getrawen.
Welt ir unser drozücht benemen,
4525 dew ir noch furbas macht geczemen?'
Fraw Spes wider dy red jach:
'Ir swester jecht, mir sey ze gach,
ich hab ir ewer gab benomen,
dy ir mächten ze hail chomen.
4530 Ich pin gehaisen Züversicht:
ich wil geben, nemen nicht.
Ich chan güter lewt sarig ringen,
czägleich forcht under dringen.
Ich, Spes, han wider sünder brächt,
4535 dy verzagt waren in tieffer acht;
den gevallen chan ich trost geben,
dy güten in pessrung erheben.
Wenn ich sy tröst chünftiger eren,
so müzzen sy der eren geren

4540 und werdent verbegen an irem müt,
frölicher, beraiter zü allem güt.
Dew frewd mag güt lewt üben
mer dann allez ewr betrüben,
daz ir tüt mit fraisser dro.
4545 Wenn menschenmüt wirt fro
von dem trost meiner chünft,
so gepirt dew frewd ein sigenünft
ainer geistleichen verbegenhait:
damit untugent werdent verjait,
4550 und der mensch manhait phligt,
dew aller versuechung an gesigt:
daz er fröleich sünd meidet
und gesterchet gern leidet,
daz er der eren werd gewert,
4555 der er in meinem trost gert.
Ir jecht, daz mir sey ze gach,
Ubermüt volg mir gern nach,
dew unvolchömen lewten schaden tüt
und in fleust allez güt.
4560 Von got wird ich Züversicht
an ander gnad gegeben nicht.
Mein trost chümt nicht lewten schir:
ir müzt weg beraitten mir,
Timor Domini, fraw Justicia,
4565 Spiritalis Disciplina,
wenn ir vor mir seit chomen
(alz hie vor ist vernomen),
fol. 45v besezzen / habt menschen müt,
dem ir nutz sorg tüt;
4570 und ew mein swester pey sint also
Contricio, Confessio, *Sanctificacio,*
Rew, Peicht und Pessrung.
Ob ein mensch ze streng rung
und ze lang mit solhem trawren,
4575 der mecht verzagen und nicht getrauen.
Davon wirt mein trost gesant,
chunftiger frewden ein gnadenphant,
ein vorbot chünftiger eren,

der ein mensch schol begern
4580 und rechtichait durch gedingen
mer dann durch farcht volbringen.
Wer von dem trost wold ergeren sich?
So wer nicht wider mich,
daz ewr pesem und ewer swert
4585 den ubermüt vast sert.
Wer sich von trost erheben wold,
sorgenuntrost den nideren schold:
dew sorgenzucht mag gezemen,
der wil ich nyman gar benemen.
4590 Also sey wir wol verebent;
wenn geding und forcht gebent
geistleichem leben pessrung
und ander tugent übung,
farcht gwarhait, geding trost:
4595 also sey unser chrieg erlost.'
Dy ebenung lobten da
Fides und Sapiencia,
dy mit ainem mund jahen:
'Nieman schol farchtenzucht versmächen,
4600 dew ist nütz und güt,
dew übt tugent, benimpt ubermüt.
Dew Farcht schol der porten phlegen,
dy lastervohen fuder begen;
wenn unser swester Spes inge,
4605 Übermüt, dew vohe, hie vorste.'
Spes chan miͤr trostleich chömen,
von der trost wirt benomen
swert und pesem der geistleichen prawt,
wenn sy got so wal getraut,
4610 daz er ir tüe gnädechleich.
So wirt sy so frewdenreich,
daz ir Spes chunftig chron
auf setzt mit getrowunge schon,
fol. 46r und werdent gege*n*würt in der acht
4615 chünftige ding mit andächt.
Also dew ding geistleich geschehent.
Wenn daz Vorcht und Gerechtichait sehent,

wellent si bewarn übermüt
und tünd der sel sorgenhüt:
4620 ir well in dem unsteten leben
got sicherhait nicht geben,
si müg noch vallen oder besten;
so mag der streit zegen.
So streitent Vorcht und Spes
4625 und werdent schiͤr verebent dez,
wenn der geist sich verstet,
daz der chrieg von gnaden get,
und yetwediez ist sein frümm.
So geschicht ainung an irretumb.

4630 Nach der tugent ebenung sait
zü in allen dew Weishait:
'Unser prawt warte*t*; lützel frumpt,
waz wir schaffen, die weil nicht chumpt
unser swester, dew Mynn,
4635 dez prewtigams phlegerin.
Schol der frawen wol gelingen,
so müz sy den herren bringen:
so wirt dew hochzeit berait.
Nu hort' sprach dy Weishait,
4640 'dew fraw schol poten nach ir senden,
so mag sich dew hochzeit enden.'
Darzü sprach dew praut mit sen:
'Wahin sent ich oder wen?'
Dew Weishait jach mit sinne:
4645 'Ze himel ist dew wär Mynne
ein peybeserin got.
Oracio sey ewr pot,
mit dem schullen Fides und Spes varen,
dy wil ich laitten und bebaren.
4650 Fraw, wiͤr schüllen ew sey bringen,
chümt si, so müz ew wol gelingen.'
'Eya,' sprach dew fraw, 'fart hin.'
Dew Weishait sait: 'Hört meinen sin.
Manigerhand lag sint an dem weg,
4655 dez ist durft gwärr phleg.

fol. 46v Fides und Spes / schüllen zwischen in
ewrn poten laitte*n* hin.
Ich wil in den weg beraitten,
si schullen in ze hoff laitten.'
4660 Dew rais wart nicht auf gespart:
si hüben sich auf dy fart.
Dew Mynn ist güet vol,
dew wesst ir gescheft wol,
iren lieben swesteren engegen cham
4665 und vor gewizzen mer vernam.
Oracio ir frawen potschäft sait,
dy stewrt wol dy Weishait,
darzü Spes und Fidez
waren gar fleizzig dez,
4670 daz si irer frawen senung bedeͣcht
und schiͤr iren hertzenlieben preͣcht.
Dew Lieb jach: 'Mir ist wol chünt
alz ewr gescheft von erster stünt.
Ich hör ew dez recht jehen:
4675 an mich chan daran nicht geschehen.
Ich wil mit ew zü der frawen,
sey trösten und schawen.'
Dy maid all nigen ir,
dew rais wart erhaben schir.
4680 In waz zü der widervert gäch.
Der Mynn, ir fürstinn, volgten nach
minnichleicher maid ein schar,
dy wolden nach ir äll dar.
Von den mynnichleichen maiden
4685 wil ich chürtzleich beschaiden
gestalt, ampt und nam;
ye zwo wil ich nemen zesam.
Dew Mynn haizt Caritas,
der nach volgten Castitas, Humilitas,
4690 in dewsch Chewsch und Diemüt genant.
Dew erst trüg ein vingerl an ir hant,
auf irem haupt ein liligenchrantz,
wol czimleich an der magd tantz.
Dew ander trüg ein lad mit ir

4695 voll chlainod und reicher zir;
die zwo maid waren der fürstin
negst und haimleich chamrerynn.
Den zwain mit volgten do
4699 Temper*an*cia, Discrecio,
fol. 47r Mazz und Beschaidenhait,
dy warent der fürstyn berait
irs tysches phlegerin,
zwo besichtig trüchsetzinn.
Misericordia, Spiritualis Paupertas
4705 mit volgten. Der ampt was,
daz si schaften, chauften, gaben;
der namen schult ir bedewt haben:
dew erst ist Parmung genant,
ein güt schafferinn erchant,
4710 dew schaft wol, chauft umb lützel vil.
Willige Armüt ist ir gespil,
dew geit auf erb und lant,
treyt ainen rar in irer *w*insteren hant;
der rar ist eitel und hol,
4715 also armüt auf erd wol
eitel, swach, chranch, yedoch ring:
also der armüt geding,
daz si den rarstäb schull lan
und in irer zesem ein cepter han;
4720 nach chürtzer armüt lang reich,
noch smachait gwaltig in dem reich.
Zwo verwegen maid nach volgten da:
Fortitudo, Patiencia,
genant Sterkch und Gedult,
4725 mit halzpergen wol behült,
gar chekch an geistleichem streit;
dew Sterkch wider untugenden leit,
dew Gedult chan siglos gesigen,
sigenüft in nöten nicht siglos ligen
4730 dy zwo gesellinn,
geistleiches champhes phlegerinn.
Zwo maid mit volgten zehant,
Obediencia, Concordia genant,

Hellung und Geharsam,
4735 daz waren zwo maid so lobsam:
Concordia dew ain
habt in ainung all gemain,
Obediencia dient in allen
und müz in allen wol gevallen.
4740 Zwo nach volgten der ordnüng:
Güt Gw*a*nheit, Güt Volvarung,
sancta Consuetudo, Perse*veran*cia:
dy zwo waren nütz da,
fol. 47v dew erst / hofzuchtgepieterynn,
4745 dew ander schatzes und hofes besliezzerynn.
Die nach volgten all der waren Mynn,
dew aller tugent ist fürstynn,
daz man verstentichleich wol siecht,
wie daz alz geistleich geschiecht,
4750 wie von götleicher lieb ain
sich sampnent all tugent gmain.
Mit aller der maid sampnung
hüb sich Caritas von sprung,
cham zü der senenden frawen,
4755 dy trösten wold und schawen.
Do Caritas zu ir cham,
ein senftichait ir hertz nam
und ein ungwändleich frewd enphie,
daz ein minstral *si* durch gie,
4760 davon si ruft: 'Awe, wie lang
dol ich in dem senentwang.
Fraw Caritas, pringt mir den her,
den ich süch, dez ich ger!
Pringt den lieben, chumpt er nicht schiͤr,
4765 so ist der töt chunftig mir.'
Mit der red si geswaig
und unmechtig nider saig;
dez smielt gütleich Caritas,
wann si orthab der senung waz.
4770 Doch sprach si vart: 'Schawe, fraw,
habt an mir güt getraw.
Ich traw ew wol pringen in,

wann ich sein gwaltig pin.
Ich angesigt seiner macht,
4775 daz ich in auf erd bracht,
nam in auz dez vater hertzen,
bracht in in todezsmertzen;
also getrawt mir, habt gedingen:
ich mag ew schir den lieben bringen.
4780 Ich *han* schir ewr hertz durch schozzen,
daz ez nach ym ist zerflozzen;
also chan ich sein hertz durch schiezzen,
daz ew gnad müz nider fliezzen,
daz er zü ew chomen gert:
4785 so wert ir sein schiͤr gwert.'
Sendleich sprach si: 'Nü vart hin,
fraw Caritas, bringt mir in.'
fol. 48r Caritas / beraitt sich schir,
Fides, Spes füren mit ir,
4790 mit den waz dew Weishait
zü der himelvart berait.
Do si an daz firmament chömen waren,
mocht nicht aufpaz dew Weishait varen.
In der höch müz si bestanden sweben,
4795 dy drey mochten höcher sich erheben:
dy furen lobleych und schon
in den frewdenreichen himeltrön.
Do si chamen in den frewdensal,
Fides sach umb sich uberal,
4800 sy nam der himeltawgen war,
würden ir augen sunnchlar.
Fralokchent ward süzz Spes.
Caritas erhüb sich dez,
für ir paid spilen si trat
4805 gen dem fursten der majestat.
Sy nam herfur yren pogen,
an den wart ein stral gezogen.
Sy schoz dem fürsten in ze dem hertzen,
tet ym ein hertzwunden an smertzen,
4810 aus der siben trophen wiellen,
dy hernider der frawen vielen.

Pey den trophen man hab
dez heiligen geistes siben gab,
dez gnad der sel inflüzzet.
4815 Wenn dew Lib sein hertz durch schewzzet
mit geistleicher mynngerunge stral,
so müzz fliezzen gnad ze tal.
Mynnendew sel, dy wol chan schiezzen,
der mag gnad vil in fliezzen.
4820 Die maid für den fürsten giengen,
irer frawen potschaft anviengen.
Fides sprach: 'Her, ich man dich,
daz du hast gesäliget mich,
daz mit mir geseliget und gesegent
4825 sint alle, dy mein recht phlegent.
Ich pin in dir und du pist in mir.
Nü pin her gesant ich zü dir
von meiner frawen, dy gert in mir,
daz du chömen gerüchest zü ir;
4830 in mir sent si sich nach dir.
fol. 48v Ir hertzenlieber, chüm zü ir.
Von deiner güt sey gewert,
daz recht mit mir mein fraw gert.'
Damit Spes hinfür trat,
4835 gert dez selben und patt
und sprach: 'Her, du waist,
daz dew schrift von deinem geist
von mir an manigen stetten gicht,
ich schend, lieg noch trieg nicht;
4840 wez man recht mit mir gert,
dez werd man sicherleich von dir gewert.
Her, nü pin ich zü dir gesant
von meiner frawen, dew mant,
dew pitt in miͤr, daz du schiͤr
4845 durch mich, mit mir chömst zü ir.
Gedenkch, her, deiner warhait,
pis meiner frawen pet berait,
trost sey, erfüll ir giͤr,
chum zu meiner frawen schir.'
4850 Darzü sprach fraw Caritas,

dy ze nechst dem fursten saz:
'Herr, ich pin gesant zü dir,
du waist solhe chraft an mir,
daz dir schiͤr angesigt,
4855 wer mein recht ze boten phligt.
Mein pet ist ain gepot,
dew dich betwingt, ewigen got.
Ich mag dich naigen und pinden,
dich, almechtigen got, über winden.
4860 Ich nam dich aus dez vater hertzen,
bracht dich in jamer und in smertzen,
furt dich in manige nöt,
alz ein lamp in grymen töt.
Ich pin gar gwaltig dein;
4865 waz ich wil, daz müz sein.
Ich pin so veraint mit dir,
daz ich in dir pin, du in mir,
wan du dy war lieb pist.
Wer in mir ist, der in diͤr ist,
4870 wer mich hat, der hat auch dich,
dich hat nieman an mich,
mich hat auch nieman an dich,
du nynder an mich, noch an dich ich:
wir sein veraint ungeschaiden,
4875 gantz ainung ist uns paiden.
Dein gmachel dein von hertzen gert,
wann ich, Mynn, han ez gesert.
fol. 49r Ir hertz troffen hat mein stral:
si hat nach dir senenqual.
4880 Ich han entzundet sey nach dir,
also entzünd ich dich nach ir.
Gar tobent ist ir sene gir:
chum zü ir, trost sey schir.
Dein schol sy sein gewert,
4885 dez sy in mir, Lieb, gert.'
Zü der potschaft der fürst sait:
'Ich wil geren sein beraitt
ew, Fides, Spes und Caritas:
mit ew ye mein gnad waz.

4890 Ich pin perait, var mit ew hin.'
Dez fralachten dy maid umb in.
Fides dy püchelchertzen nam,
gieng far dem fürsten lobsam;
Spes ein süzz herphen enphie
4895 und herphent mit dem fürsten gie;
Caritas in zü ir fie
und ninder auz ir armen lie.
Sapiencia waz an ir stat berait
gar verricht an dem weggelait.
4900 Zü der hochzeit si also chomen.
Do daz fraw und maid vernamen,
fralekchten si mit einander,
vrasüngen alz galander.
Von der armonei dew praut
4905 wart so fraleichen laut,
daz sey ein pidmung bevie,
nach der ein senftichait durch gie.
In der senftichait ein schein
der gnadenchünft schold bot sein.
4910 In dem liecht der her cham;
Fides irer chertzen liecht nam,
zaigt der prawt iren prewtigan:
'Secht, fraw, wie er sei getan,
den ir jecht nach meinem gebot
4915 in drin personen ainen got.
Secht in meinem l*i*cht, den ir jehen
und glauben wolt ungesehen.'
Sapiencia jach: 'Der ist, frawe,
den ich ew zaigt in der spiegelschawe,
4920 dez götleich natur
ich ew bewert in aller creatur.'
Spes jach zü der frawen:
'Der ist der, dem ich ew hiez getrawen,
fol. 49v dem ich / urcund gab,
4925 alz oft ich tröst ewr ungehab.'
Caritas sprach: 'Fraw prawt,
der ist ewr hertzenmynntrawt,
den ich, Mynn, ew pracht han;

der ist ewr chewscher prewtigän,
4930 der nie gwan sünden tail,
der ew haimt an mail,
dez gehaim nieman chan getzemen,
er well sich von sünden nemen.
Nü schaft es mit dem lieben wol,
4935 ewr hochzeit nieman irren schol.
Ich wil ew pey ym besliezzen,
ew mag dez lieben nicht verdriezzen.'

Do der her zü der prawt cham,
sein lieb haimleich mit i*m* nam;
4950 er sprach: 'Erwelte, pis gegrüst,
mit meiner chünft seistu gesüst;
mein frid mit dir sey
und mein gnad ymmer pey.'
Si sprach: 'Herr, schepher, mit gantzer gir
4945 danch ich deiner gnaden diͤr.'
Er sprach: 'Liebe gmahel mein,
du scholt in meiner lieb sein.
Ich pin dein schepher und dein trost,
der dich mit seinem plüt erlost.'
4950 Dawider jach si: 'Eya, wie gern,
ich wil nymmer von dir chern.'
Er jach: 'Ich pin, der hat ze geben
voll gnad trost in paiden leben,
gantz frewd, voll süzzichait,
4955 leibs und sel selichait.'
Sy jach: 'Herr, daz glaub ich wol,
du pist aller gnaden vol.
Dein anplikch ist ein frewdensunn,
engleischer chlarhait ein wunn,
4960 himlischer margariten ein gymm,
ein herphenchlankch dein süzze stymm,
ein frewdengart dez paradeis rasen:
wol mich, daz ich mit dir schol chasen.'
Er jach: 'Daz soltu tün gesellichleich
4965 auf erd und in dem himelreich.
Mein gespil du scholt sein,

mein erweltez gnadenschrein.
Ich wil mich dir selben zaigen,
fol. 50r mein chlar / antlütz gen dir naigen.
4970 Du scholt in meinen garten chömen,
allez trawren wirt dir benomen.
Du scholt der süzzen frücht niezzen,
der ze niessen nicht mag verdriezzen.'
Si jach: 'Herr, dein geist ist süzz,
4975 dez süzz mir in fliezzen müzz,
dein geschmah ein tugentwaz,
dez mach mich ein wirdig vaz.'
Er sprach: 'Erweltew, pis gewert,
wez an mich dein lieb gert.'
4980 Sein gmähel er zü sich fie,
dy ein liebestral durch gie;
die Jesus Christus zü sich vecht,
wenn er sich zü der sel necht
und si sich zü ym mit der mynn.
4985 So wirt si seiner süzzen gnaden ynn.
Er gab ir ein chüssen von seinem mund;
daz geschicht an der stund,
wenn sie schepht in sich seinen geist.
In der andacht allermaist
4990 wirt si sein gnadenvaz,
wenn er füllet seins gesmachen daz,
sei füllet mit seinem gesmachen,
der alle walsem und cynomomum mag gswachen.
Er naigt sein antlütz gen ir,
4995 wenn er sich naigt ir mynn gir,
und sich ir gepet naigt:
in contemplacione sich ir zaigt,
in dez schein si in siͤcht
alz dew sünnen in irem liͤcht.
5000 An dem gepete si mit ym choset,
mit maniger süzzen red loset.
Sein antlütz er an sey drücht,
wenn si in seiner rüb entnukcht,
sein pild in sich enphecht
5005 und sich in sein ainung vecht,

daz si entwert auzzer sinne
sein süzz chöstet ynne
oder mit geistleichen augen
sich erhebt in sinew taugen,
5010 swenn si mit ir*m* lieben veraint
nicht dann in ainen maint,
durch leuchtet geistleicher synn,
durch fewchtet seiner mynn,
5014 gevag der geistleichen rüb,
fol. 50v frey auzzer und / ynner trüb.
Dew ist dew geistleich höchzeit,
dy got seinen liebsten geit,
wenn er in andacht zü in chumt.
Dez chunft tröstet und frümt.
5020 Dy müzzen got ain ir hertz geben,
gar lautter sein an irem leben.
In der gnadenhöchzeit dew prawt
wart fralachent jubellaut,
wart liebchosent und singent,
5025 wart jubeltretent und springent.
Ir maid sungen, sprungen mit ir.
In den lieben frewden schir
senftichleich dy fraw geswaig,
in süzzer unmacht hin saig
5030 und phlag der geistleichen rüb
in seftichait an trüb.
Ir maid fro sungen all,
jubilirten in grossem schall,
wann tugentchreft werdent volbracht
5035 in solher volchömen andacht:
der glaub erlüchtet, der geding fro,
dew lieb süzz, sterkch unerchömen dro,
gedult habt vestichleich iren schilt,
armüt reich, parmung milt,
5040 diemüt gnaigt, chewsch gantz,
frid und gehellung an schrantz.
All tugent gemain
sampnent sich davon in ain,
wellent all ires amptez phlegen

5045 und untugent *f*uder wegen,
all vol varen und besten
und an daz end sicher gen.
Ein güt end der andacht
ist, swenn si hat tugent bracht
5050 und pessrung dem leben geit:
daran ir höchster nutz leit.
Pessrung wil got nach andacht süchen.
Wer dy pessrung wolt unrüchen,
der wolt gotez gab verchiesen,
5055 mecht andacht und gnad verliesen,
alz gnüg lewten ist wider varen:
daran schol sich ein mensch wewaren.

Wyr schullen dy prawt ligen län
und ir andacht rüe lassen han
5060 und reden von der Caritat,
an der all andacht stat,
in der sich got chosten geit,
fol. 51r in der rüe dy fraw leit.
Ich han chürtzleich ze sagen gedacht
5065 von fünf staffelen der andacht,
dy an der gotezlieb sint erchant.
Der erst stafel ist calidum amoris genant,
daz spricht dewsch der lieb hitz.
Der andacht stafel nach meiner witz
5070 ist, wenn dy gotezmynn
also den müt hitzet ynn,
daz er liebleich glosunt wi̊rt.
Dew hitz oft rewe gebi̊rt,
daz den menschen sünd rewend
5075 und sich tugent an ym newent,
wenn in sölher mynne gir
der geist wirt entzundet schir,
daz der mensch gnaden gert,
dew sund lewttert, tugent mert
5080 und den geist zü got necht,
von dem er mynnhitz vecht.
Davon geistleicher ernst chümt,

der wider all versuchnung frumt.
der ander ist humidum amoris erchant,
5085 vewchtung der mynn genant,
wenn dew mynnhitz fewcht gepiͤrt,
daz der müt gefeuchtet wirt
und mynnzeher fliezzent,
dy von der hitz diezzent,
5090 alz man von der sunnen siͤcht;
von der hitz oft geschiͤcht,
daz donersleg werdent vernomen
und gussregen mügen chömen;
also von der geistleichen hitz
5095 chömet himelliechtglitz
mit herczsewften donersleg.
Von dem doner flewcht vom weg
der helltrakch satan,
den der doner flüchtigen chan.
5100 Also fliezzent zeher nider,
dy tugentfrucht bringent wider,
die der sel garten also gnüchtent,
daz all tugent darynn fruchtent,
daz die plümen darynn erspringent,
5105 dy Jesum in den garten bringent,
daz er chumpt zü der sel,
zü dem tugentgarten snel;
in dem er vindet war diemüt,
5109 chewsch, gedult, geistleich gut,
fol. 51v frid, brüderleich gehellung,
willig armüt, parmung
und aller geistleichen tugent vil:
so hat Jesus darinn sein spil.
Macht im dovon ainen chrantz,
5115 den tret er an dem himeltantz,
zaigt in seinen lieben allen,
wie yn der gart müzz gevallen,
in dem erspringent sölich tugentrasen.
Dy mügen mit Jesum widerchasen:
5120 ‘Herr, dez garten scholtu geruchen
mit gnaden entzichleich haimsüchen,

wol befriden und bewaren,
oft chürtzweilen darin faren.'
'Ja, werleich, daz geczimt mir wol,
5125 daz ich darin wirtscheften schol,
wann mir genem ist und zart
der mynnichleich tugentgart.'
Daz mag machen der gnadenfluzz
geistleicher zehergüz.
5130 Amoris acutum der dritt staff
gehaizzen ist; secht, waz er schaff.
Dewsch genant durchvarung der mynne,
wenn der müt erlewchtet ynne
durch vert mit dez geistez augen
5135 geistleiche ding, himlische taugen;
wenn sich der müt geistleich erhebt,
in geistleicher anbeschewd swebt
und also lawtterleichen sicht,
daz in leibstrüb irret nicht.
5140 Dy andächt tröstleich und nutz erchant
und ist contemplacio genant,
von der ich vor han gesait,
von dew wirt ir hie gedait.
Amoris fervidum haizt dy viërd,
5145 der staff hat aber grözzer wiͤrd,
den schult ir dewsch wizzen all:
bedewt haizt er der mynn wall;
wenn in der mynn daz hertz wallet
und in jubelfrewden schallet,
5150 und ist oft so groz dy hitz,
daz der mensch alz an witz
der andächt unverborgen phligt,
wenn ym gnadenchraft angesigt,
und von d*em* wall sich auz geuset,
5155 daz sy unverholen fleuzzet
fol. 52r mit fralachen, mit jubiliren.
Davon habent in andacht geschriren
oft güt lewt, alz ist vernomen;
daz von solher gnadenchraft ist chomen,
5160 wenn der gnaden überswal

auz gewzzet den frewdenschal.
Man sicht hefen bey dem fewr sten,
ainz wallen, daz ander über gen.
Also wallent, dy andacht
5165 phleg*en*t in verpargner acht
und die gnad mügen verhelen
und den lewten vor verstelen.
Aber die von gnaden uberwallent
und mit jubelfräwden schallent
5170 und unverholen andachten müzzen,
den müz andacht vast süzzen,
die werdent uberwunden schir
von der mynnhaizzen gir.
Den säligen wol geschicht,
5175 die schol man ungwarhait stroffen nicht,
wann si sint in der gnaden gestalt
in gotez, nicht in ir selbs gwalt.
Der fünft staff ist raptus genant
und ist ein sölhe andacht erchant,
5180 in der ein mensch also entnükchet,
daz er in den geist enczüchet
entwert wirt auzzer synn,
süzzleich zerflossen in gotez mynn.
In der andacht mügen dez geistez augen
5185 sehen geistlicheu taugen,
als sand Paulo ges*ch*ach,
der in den dritten himel sach,
auzzen erblentet, erlewchtet ynnen
an den geistleichen synnen,
5190 mit den man hört und siͤcht;
wenn sölhe offnung geschiͤcht,
so werdent leibssynn entwert.
Von der andacht, von dem gevert
nicht vil ze reden gestet,
5195 dew gar l*ü*tzel lewt an get.
Wer da von nicht reden chan,
sweig und sey ein selig man,
alz ich unweiser tün wil,
davon oft reden noch vil.

5200 Durch übung der andacht
fol. 52v han ich dy staffen fürbracht.

Dew prawt ein vil güt rüe hat.
Red wiͤr mer von der Caritat.
Dew Mynn grozzer chreft phligt,
5205 dew got, dem sterkchisten, an gesigt;
dew den laidigen satan
gwaltichleich vertreiben chan;
dew dem tod und dem leben
sigenünft mag gegeben;
5210 dew angesigt dem pröden leib
alz ainem chrankchen weib;
dew angesigt der welt löshait
und all irer widerwertichait.
Dew Mynn ist starkch und vest,
5215 zü geistleichem streit allerbest.
Dew Mynn sterkchet und chrenkchet,
wenn si von sunden lenchet,
wenn sie chraft der sünden faiget
und an tugenden sterch erzaiget.
5220 Sy macht senesiech ünd gesunt,
sy macht hail und wunt.
Der Mynne stral sint oft snel
von got zü der sel,
von der sel zü got hin wider,
5225 so müzzen gnad fliezzen nider.
Wizzet fürbar, daz dy Mynn
ist ein güt apotekerinn,
dew chan beraitten edel salben,
dew hailen mag allenthalben;
5230 ein nütz salben chan si machen
von chrawtern poesen und swachen,
der in unserem garten sint gar ze vil.
Dew swachen chrawt ich nennen wil:
unser sünd sint dy pösen chrawt,
5235 dew si ertztinn aus haut,
stözt dew in den mörser dez hertzen
mit dem rewigem laidigem smertzen,

gwest darunder öl götleicher parmung.
Mit der gnadenhofnung
5240 der salben entzündet si ein fewr
gotleicher rechtichait. Von der stewr
dez linden öles, der grozzen hitz
fol. 53r macht von den swachen chräwt ir witz
ein gar nütze edele salben,
5245 dew sündenser allenthalben
so gantzleich chan vertreiben,
daz an der sel nicht mag beleiben
chain ser noch chain mail,
ez werd vertriben und hail.
5250 Dew güt salb smekcht so wol,
daz irs gesmachen wirt vol
dez hertzen haws überal:
macht dez tivelz haws gotez sal,
treibt darauz sündengestankch,
5255 fürsatz, willen, pöz gedankch.
Ein sunderynn mit der salben gie
zü dem hailant und enphie
ablaz vil grozzer schulden
und cham so wirdichleich ze hulden,
5260 daz sy Christo dem hailant wart
sunder haimleich und czart;
dew hiez Maria Magdalena.
Nü stet geschriben da:
Ir sint vergeben vil missetat,
5265 wann si vil lieb gehabt hat.
Christus sey lieb loben wil
und gich: 'Ir sint vergeben sünd.'
Nich daz si vil waint,
nür daz si yn mit lieb maint.
5270 Secht daran, wie dew Mynn
ist der salben beraitterynn,
dew sünder chan machen hail
und vertreiben aller sunden mail.
Der salben nam sey ew bechant:
5275 ungentum contritionis genant,
daz spricht ein salb der rewen;

dew unser sel chan newen,
von geistleichem siͤchtum machen hail
und vertreiben sündenmail.
5280 Fraw Caritas chan in nützer weis
von edelen würtzen auz gotez paradeis
ein edel salben machen,
dy nutz ist zü manigen sachen.
Si sament all güt getat,
5285 dy got dem menschen getan hät,
daz er sein schepher ist,
sein löser, sein tröster all frist,
ein gnadengeber und ein phleger,
aller schulden ein ableger,
5290 der sich so liebleich hat genaigt,
fol. 53v daz er / sich menschleich hat erczaigt,
durch menschenhail nach maniger not
erlitten jemerleychen tot;
daz unser sein parmung gedacht,
5295 nach vall also wider bracht,
noch tägleich wider bringen wil.
Sölher würtzen nympt sy viͤl,
macht ein electuarium,
daz tugentreich ist und früm,
5300 macht ain salben, dew verjait
einen siͤchtüm, genant undankchnemchait.
Der geistleich sichtumb vil schadens tüt,
dafür ist dew salb güt.
Der salben nam sey ew gewis:
5305 ungentum graciarum actionis,
ein salb geistleicher dankchung,
dew aller tugent ist ein übung,
geistleicher gnaden ein behaltung,
dew macht berait unser zung
5310 zü gotez lob, andechtig den müt,
dew daz hertz mynnesüzzen tüt.
Mit der salben ein fraw cham,
dew der salben büchsen nam,
zebrach die, daz dew salb auz flaz,
5315 dy si auf Jesu Christi haup gäz.

Dew edel salb smacht so wol,
daz ir allez haws wart vol.
Also wer got dankchen wil,
der vindet der danchsach so vil,
5320 daz sein hertz erfüllet wirt
mit edelem gesmachen, der ym gebiͤrt
in gar lüstleicher acht
vil gnaden, tugent und andacht.
Der salben man gern phlegen schol,
5325 dew frumt vil und wol.

Dye dritten salben chan si machen
auch von gar nützen sachen.
Fraw Caritas in gehüg trait
allen ungmach der christenhait,
5330 aller leidung der gotzlieben,
die si von wolfen und von dieben,
von gwaltigëren, von chetzeren tragunt,
die in offen und taugen wider sagunt;
von juden und von haiden,
5335 die von ir ainung sint geschaiden,
allermaist von pöser prüderschaft:
von den, die christengesellschaft
fol. 54r mit namen habent, mit / werchen nicht.
Von den schadens vil geschicht
5340 rechten lewten in der christenhait.
Wer daz bedenkcht und chlait,
der beraitt ein nütz edel salben,
damit er salbet allenthalben
Ihesu Christi geistleichen leichnam,
5345 nicht den er von Maria nam,
sein andern leichnam, die christenhait,
durch den er den tod lait,
der ym lieber waz dann der sein,
dez tet wol sein güt schein,
5350 do er lie seren den leichnam,
den er von Maria nam;
mit dez leidnung hailt und erstrait
den lieben leichnam der christenhait.

Wer den lieb hat, ist lieb Christo,
5355 dem beraitt man salben also,
wenn man allez daz bedenchet,
daz in sert und chrenchet:
daz sint die würtzen. Wenn man daz chlait,
wirt dew salb mit öl berait
5360 rechter güt und mitleidunge,
gemischt mit christenleicher ainunge.
Der salben geit hitzstewr
ebenchristner mynn fewr.
Dy salben brachten drey frawen,
5365 dy chamen zü dem grab schawen,
do Christus waz erstanden
frey ymmer von dez todez banden.
Dew salb ist edel und reich,
dy beraiten drey frawn gleich,
5370 dy gaben darczü ir stewr,
wan si edel waz und tewr.
Dy frawen sint Glaub und Züversicht,
dy Mynn dy dritt, cheͣm dy nicht,
so wurd dew salb nicht volbracht.
5375 Die drey sei in nützer acht
mügen beraitten und fügen,
daz ir Christo mag genügen.
Wer dy drey sälben hat, der ist reich,
der lebt wol und tugentleich.
5380 Secht ir nü, wie dew Mynn
ist ein weise apotekerynn?
Wie si chan electuaria machen
von geistleichen tugentsachen?
5384 Davon mag man übung nemen,
fol. 54v waz sache andacht gezemen.
Darumb han ichz alz gesait,
daz geistleich verstentichait
sich uben chünn an den dingen,
dew geistleich gnad und andacht bringen;
5390 dy ist ein wirtschaft, dy got geit,
an der volchömen seld leit.
Dew red schol nü end han,

dew prawt schol vom pett gan.

Do dew prawt in wirtscheften lag
5395 und mit ir*m* lieben rüe phlag,
zwo der maid chlokchten an
und hiezzen ir frawn auf stan.
Timor Domini hiez dy ain,
fraw Justicia waz ir gemain.
5400 Sy jachen: ‘Fraw, ir seit lang gelegen.
Stet auf, ir schult auch anders phlegen.
Stet auf, get für, fraw prawt.’
Dew fraw wart hart jamerlaut.
Sy jach: ‘Awe, waz recht ir,
5405 mein zwo getrew maid, an miͤr?
Wie betragt ew meiner rüe so schir?
Dew ist gar churtz gewesen mir;
wie habt ir mich so schiͤr gewechet,
auz ainer linden rüe geschrekchet!
5410 Awe, waz habt ir an mir gerochen!
Ir habt mir mein wirtschaft zebrochen.’
Darzü antwürten dy zwo maid:
‘Daz tet wir ew nicht zü laid.
Ir seit gnüg lang gelegen
5415 und schult auch anders gescheftes phlegen.
Ir schult gen der hochzeit beraitten,
wenn ew haim well belaitten
ewr prewtigan in sein reich,
daz ir berait seit ordenleich.’
5420 Darzü began dew fraw jehen:
‘Daz wer alz noch wol geschehen.
Ich hiet mich anders gescheftez verzigen,
hiett ir mich lenger lazzen ligen.
Ir habt mein chürtzweil zestöret,
5425 ir magd, sy mit chlag getöret.’
Aber si smilten mit schalle
uber ir frewdenchlag alle,
fol. 55r dew waz in lieb und / nicht lait,
wann si von mynnesenung chlait,
5430 ir chlag gen irem lieben chert.

Si sprach: 'Du lieber, dez ich gert
von hertzensenung, wie schiͤr
du schaiden wild nü von mir!
Herr, nicht schaid so schir hin.'
5435 Sy vie zü sich und habt in.
Er sprach: 'Mein liebew trewtin,
gantz ist der ernst deiner mynn,
du begerst von hertzen mein,
ich beger auch, liebe, dein.
5440 Du hast zü dir geladen mich,
ich wil auch zü mir laden dich.
Du hast wanung mir geben in dir,
ich gib auch wanung diͤr in mir.
Auf erd in dem pröden leben
5445 wil ich mich nür ze chosten geben
und ze trost mit underlaz
und gib damit ze wiͤzzen daz,
wie ich da ze niezzen sey,
da mein erwelt todezfrey
5450 mich habent, mein niezzent,
meiner vollen süzz durchfliezzent,
mit mir wirtscheftent an underlaz.
Da geczympt wirtscheften paz
dann in dem wandelbern leben,
5455 in dem selten trost wirt geben,
in dem trost mit jamer wirt gemischt.'
Von der red dew brawt erhischt
und sprach: 'Herr, nu schaidestu hin,
und ich in dem ellend bin.
5460 Wie schol ich an dich genesen
und deinez trostez entwesen?'
Darzü sprach er: 'Gehab dich wol.
Mein gnad dir bei wesen schol,
auch mein tröst noch ordenung
5465 meiner veterleichen parmung.
Ich schaid ungeschaiden hin,
mit gnad ich dir bey bin,
dew dir ze bleiben bey mir geit.
Aber mit tröst ich nit all zeit

5470 pey meinen erwelten hie bleiben wil.
Ich wil, daz du, trawt gespil,
inne werst, wer du bist
an mich etleich frist,
fol. 55v und geloben müg dein mynnegir,
5475 wenn dew arbaittet nach mir.
Dy arbait bleibt nicht an lon,
dew mynnsenung an chron.
Mein chünft trosten gerüchet,
mein schidung mein lieb versüchet,
5480 wie si mir dankchen meiner gnaden,
wie si mich wider laden,
wie si ir trew behalden,
welcher stetichait si walden,
welhe gnadenfrücht si geben
5485 mit pessrung an iren leben.
Wie ich daz wizz unversücht,
doch mein parmung gerücht,
daz si mein lieb ler und waren,
daz si gwerleich und recht varen.'
5490 Mit der manung schiͤd er hin,
dew brawt chlait und waint umb yn.
Ir frawen trösten in irem laid
ir getreun nechst maid,
Fides, Spes und Caritas,
5495 Sapiencia mit in waz.
Si jahen, daz ir jamer swer
von hails und gnaden wer,
wie gern sy den jamer schold tragen,
doch beschaidenleich schold sy chlagen;
5500 er wer schiͤr wider chomen,
wenn ym ir senung würd vernomen;
er wold sich ir oft zaigen
und ir mynnesenung naigen;
er chünd sich weisleich entzyehen,
5505 er wolt sey doch darumb nit fliehen;
si mecht sein wol werden gewert,
wenn si sein von hertzen gert,
doch chëm er all zeit nicht gleich,

er chem nach zeit, nach stat ordenleich;
5510 sy schold sein gern, si schold in süchen,
er wold ir gern gerüchen;
sein chünft, sein schidung wern ir güt.
Davon ward sy baz gemüt.

Fraw Justicia darzü sait:
5515 'Fraw, ir schult stet sein berait,
wenn chem ewr prewtigan
und chlokcht ungwarunt an,
daz ir wol seit berait
5519 gen ym zü dem haimgelait,
fol. 56r so er ewch haimfüren wil.
Ir habt er und frümen vil,
seit ir wol berait darzü,
ob er spat chom oder frü
oder umb mittenacht,
5525 daz ir sein wartet mit bedacht
und wol berait seit zü der zeit:
eya, wie selig ir dann seit.
Süst chumpt er öft und schaidet hin,
nü habt ir, schiͤr fliest ir in
5530 (daz alz geistleich geschiͤcht).
Also ist der chunft nicht,
wenn er ew wil vinden oder fliesen,
ewch erwellen oder verchiessen,
wenn er an dem end chumt:
5535 eya, wie hoch ew dann frümt,
fraw prawt, ob ir seit berait
wol zü dem haimgelait
und erfunden wol gewar
gen ym und gen seiner schar.'
5540 Zů der red dew fraw erhischet,
frewd und trawren waren gemiscet.
Frewd het si zü dem reich,
doch sarig, daz so zweyfeleich
dew haimvart wer auf der wag,
5545 sorigsam mit so maniger lag,
paide ze flust und ze gwinn.

Darzü Züversicht und Mynn
sprachen: 'Fraw, gehabt ew wol,
ewr sarg beschaiden wesen schol:
5550 ir schult getrawen ym dem besten,
der zum ersten und zum lesten
ewch erwelt hat, ew belaitten wil,
an dem ist güt und weishait vil
und volchömen allmechtichait.
5555 Davon seit unverczait:
der mag, chan und wil
ewch von dem anvang zü dem zil
dez endez sicherleich belaitten,
auch mit gnaden wol beraitten.
5560 Doch alz ew r*et* fraw Justicia:
habt sorig darzü.' 'Awe, ja,
vil gern,' jach dy fraw,
'ich han sarig und doch getraw
an meinem herren, er tue mir wol.
5565 Ich tün auch gern, waz ich schol.'
Dew red müz wol gevallen
dem herren und den maiden allen.

fol. *56*v Der herr cham sust oft zü ir
und schied auch von ir schiͤr:
5570 also frewd und chlag
würden ir chunt manig tag.
Zum jungsten er zü ir cham,
alz dez sein güt getzam,
gar mynnichleich gevar
5575 mit seiner wunnechleichen schar
engel und heiligen
und wolt sein prawt, die seligen,
auf zü seinem reich nemen
alz ir und ym wol möcht gezemen.
5580 Ein gr*ö*zz hochzeit sich hüb da.
Er sprach: 'Veni electa mea et cetera.'
Der lieb sprach zü der lieben schon:
'Chüm, mein erweltew, meinen tron
wil ich setzen in dich,

5585 der chünig hat gesend sich
nach deiner schön, gmähel mein;
mein gnadtron scholtu sein.'
Si möcht dawider sprechen: 'Eya,
sicut cervus d*e*siderat et cetera,
5590 alz der hierz der wasser gert,
dem nach der jeger chert,
also hat mein sel gir,
herr, got, schepher, zü dir.
Nach dir lemptigen prunn dürst mich,
5595 mein sel mynnsent nach dir sich.'

Er sprach zü ir aber sa:
'Veni inortum meum, soror mea sponsa.
Chum in meinen garten, swester und prawt.'
Si mocht antwürten jubellaut:
5600 Anima mea liquefacta est,
ut dilectus locutus est.
Mein sel ist zerflozzen in mir
von süzzer ynnerchleichen gir,
seit ich meins lieben red han vernomen,
5605 der mich ladet zü ym chämen
in seinen aromatengarten;
in dem wil ich mit dem zarten
solaciͤren und chosen
under lilgen und rasen.
5610 Den lieben wil ich haben ymmer
und yn von mir lazzen nymmer.'

Er began dy lieben aber laden
mit sölhen warten zü seinen gnaden:
fol. 57r 'Veni, quia periculose / conversaris,
5615 veni, ne excludaris,
veni, quia expectaris,
veni, quia ad magna vocaris.'
Dy wärt wil ich dewsch cheren.
Der lieb ladet zü seinen eren
5620 sein gmachel also mynnechleich:
'Chüm zü mir, wenn du wanst unsicherleich,

do dich di p*rä*d menschait vaiget
und tägleich ze sunden naiget,
da dich dew falsch welt betrübet,
5625 auch lösleich ze sünden übet,
doch dich der laidig listig satan
tag und nacht vicht an.
Chüm, mein erwelte, in mein reich,
in dem du wanest sicherleich,
5630 do nicht ist sündenval,
trübsal, sarig noch irresal,
do du frey und sicher bist
vor allem übel all frist.'
Sy möcht ire*m* lieben antwürten alsus:
5635 'Paratum cor meum, deus.
Herr got, mein hertz ist berait dir;
alz du wilt, tue mit miͤr.
Ich chüm und erschein
vor deinem antlütz, got, schepher mein,
5640 do ich frey vor aller not
nicht übels fürcht noch den töd.'

'Chüm zü mir, eil unverdrozzen,
daz du nicht werdest verslozzen
auzzer der tür der selichait.'
5645 Si mag sprechen: 'Ich pin berait.
ich glaub, daz du der slüzzel David pist,
dem nicht vor verslozzen ist.
We*m* du auf slewst, der ist ingelözzen,
wem du versleust, dem ist verslözzen
5650 dew tür der selichait.
Ich pin berait zü dem haimgelait.
Fröleich und sicher chüm ich zü dir,
dankch diͤr gnaden von gantzer gir.'
'Chum her zü meiner wirtschaft,
5655 dein wart ein liebe gesellschaft.
Got vater, dein trachtein
wart zü seinem reich dein,
gert mit seiner hantgetat
dein, der dich beschaffen hat.

5660 Got der sun wartet auch dein,
der dich löst mit der marter sein,
fol. 57v der seiner miet / an dir gert:
chüm, daz er werd dein gewert.
Dein wartet auch der heilig geist,
5665 der gemähelschaft vollaist,
dew zwischen dir und got ergie,
do er dich in sein mynn enphie
in der tauff, dy dich raint
und dich geistleich mit dem veraint,
5670 der nach dir auf erd cham,
durch dich dy menschait an sich nam,
der wart dein und gert;
chum, daz er dein sey gewert.
Dein wartet Maria, dy rain,
5675 mit aller himlischen gemain
aller engel und heiligen:
chüm, daz si dein unverzigen
sünder hochzeit und sünder freud
haben von deiner anbescheud
5680 und von frewden deiner seligchait;
davon chüm, erwelte, bis berait.
Veni coronaberis:
du wirst gechrönt, dez bis gewis.'
Si mag wol antwürten also:
5685 'Benedic, anima mea, domino.
Mein sel dankch got mit lob,
dez gnad allem lob ist ob,
den lobent himel und erdreich
mit mir und all creatur gleich.
5690 Vocem jocunditatis annunctiate.
Chündet mit frewdenstymmen ymmerme
dez lob, der so vol gnaden
mich so mynnechleich gerücht ze laden
zü seiner ewigen wirtschaft
5695 und zü der mynnbern brüderschaft:
herr, schepher, mein frewd, mein er,
zü dem ich chüm, dez ich ger.'
'Veni, ad magna vocaris.

Chüm her, erweltew, bis gewis:
5700 zü grozzen eren lad ich dich.
Mit meinem reich gib ich mich,
erwelte, mein gmähel, dir.
Ich ger dein, chüm zü mir,
deinem schepher; vol enphangen
5705 bistu. Der winder ist vergangen,
dir ist chomen dew sumerzeit,
fol. 58r dew dir frewd an end geit.'
Si mag wol sprechen mit jubilo:
'Gaudens gaudebo in domino.
5710 In meinem herren frew ich mich
und wird mich frewen in dem, der sich
mir erbeutet so mynnechleich:
in dem frew ich mich ewichleich.'
Si mag wol sprechen also:
5715 'Venite et audite et narrabo,
quanta fecit anime mee.
Chomt her ir, die got fürchtent alle,
vernemt, ich sag ew, dez ir
ew wol frewen mügt mit mir,
5720 wie grozze dinch hat getan
got meiner sel; dew sint daran,
daz er gehabt hat meiner zesem hant,
daz ich sündenval über wand,
und mich nach seinem willen beraittet
5725 hat, mit gnaden hin gelaitet
und enphangen nü mit eren
zu frewden, dy ymmer schullen weren,
zü seiner süzzen anbeschewd,
in der ich han volle frewd,
5730 daz ich siech, daz ich e glaubt,
da ich begreiff unberawbt,
dez mir trost e gab dy züversicht;
da mich mag geschaiden nicht
von dem lieben, dez mein mynn gert:
5735 dez bin ich sicherleich gewert,
dez lob ich got, der mich hat
beschaffen, sein selig hantgetat.

Dez dankch ich allen den, der rat,
der fürdrung mir geholfen hat
5740 der ewigen selichait.
Urlaub hab hewt all trawrichait,
angst und sorg, darzü mein not
ürlaub hab und der tot;
vor den han ich sicherhait,
5745 mein vart volbracht ist und berait.'
Also für si zü der wirtschaft
mit der fröleichen gesellschaft.
Dy engel sungen mit ir all
'Alleluja' mit frewdenschall,
5750 sungen all mit jubilo:
'Gloria in excelsis deo.
fol. 58v Selig ist und selden vol,
der in deinem haus wonen schol;
der lob dich darum,
5755 got schepher, in secula seculorum.'
Alle gemain si frölich sungen,
der stymm in dem lüft erchlungen.

O quam gloriosum est regnum,
in quo omnes sancti cum Christo regnant in eternum.
5760 O wie lobsam ist daz reich,
in dem sich frewnd ewichleich
all heiligen mit Jesu Christ,
der fürst aller heiligen ist.
Mit so süzz*em* jubelschall
5765 belaiten si dy praut all
gar wirdichleich und schon
in den fronen himeltron,
da chomen ist zü irem liebem traut
Jesu Christo dy geistleich präut;
5770 mit dem si ze prewtstül sitzen schol
ymmer wernder frewden vol.

[3. TEIL: DIE SCHILDERUNG DES JENSEITIGEN DASEINS]

Ich han globt far zesagen
(dez mich daz glüb nicht let verdagen)
von dez trones reichait,
5775 von dem der lieb der lieben sait,
si scholt chomen, si wer geladen
zü grozzen eren, zü vollen gnaden.
Davon wil ich etwaz sprechen,
wann ich mein warhait nicht schol prechen.

5780 Daz reich, daz got geben wil
seinen erwelten, hat so vil
reichtümes, frewden und selichait,
daz nie chain zung daz vol sait,
volsprechen chund noch vol sprach,
5785 daz auch nie aug vol sach,
daz nie hat or vernomen
noch in chain hertz ist volchömen,
daz got in der frewden stat
seinen lieben beraitet hat.
5790 Da ist daz ewig leben
mit ewiger selichait gegeben.
Voll gnüchtsam an allen presten
schenkht got da seinen lieben gesten.
fol. 59r Davon merkcht mit verstentichait,
5795 daz siben sünder selichait
und siben er dez leibs habent dy heiligen,
auch siben er an der sel unverzigen.
Von dez leibs siben gaben
schull wir dy ersten bedewtung haben.
5800 An dem leib habent si schonhait,
snelle, chraft, freihait,
wollust, gesunt, untödleichait.
Von den sibenen wirt nü gesait.

In dem leib habent si schönhait
5805 und so lautter chlarhait,

der Hester, daz schöne weib,
Absolonis schönister leib
ungenassamer müzzen sein
denn ein fauler moder der sunnen schein:
5810 wann irs leibez chlarhait
ist ferr uber der sunnen lautterhait;
wann über daz wart: 'Fulgebunt justi sicut sol'
spricht ein lerer gar wol:
Die rechten leuchtent mit wunnen
5815 in gotez reich gleich der sunnen.
Nü spricht der maister über daz wart:
Do dew sunn beschäffen wart,
waz si sibenstünt so liecht,
dann man sei nü scheinen siecht;
5820 und an dem jungsten tag für war
wirt dannoch sibenstünt so chlar,
dann do si erst wart beschaffen.
Dez gicht Albertus, ein liecht der phaffen:
dannoch der heiligen leib wirt
5825 sibenstunt baz gecziͤrt
über der sünnen schein
(dez schüllen dy rechten gwis sein)
an der fronen ürstend,
so si erstend sunder *m*isswend
5830 in daz ewig leben,
daz in mit vollem hail wirt geben,
leibs und sel ewichait.
So enphecht der leib dy chlarhait,
5834 dew mit sibentvalter wunne
fol. 59v chlarer ist dann der sunne.
Wirt dez leibs chlarhait so groz,
waz ist der sel wünn gnos,
dew dem leib sölhe chlarhait geit?
Davon wizzet an streit,
5840 daz eins ysleichen heiligen leib,
paide man und weib,
enphecht er der chlarhait
nach der sel lauterchait.
Also ist dew schönhait vil schon

5845 underschaiden nach dem lon,
der dem menschen wirt gegeben
nach seinem gütem leben.
Doch dy minst*en* heiligen
sint der chlarhait unverzigen,
5850 dew der sunnen ist übergnoz.
Eya, wie lauter und wie groz
ist chlarhait der grösten heiligen!
Die achtung lazz wir ligen,
die all zungen nicht wol sagen mechten
5855 noch all hertz auf erd erphechten.
Dy red bewer ich, liebe chint:
Güt lewt gotez tempel sint,
in den er wont, dy gotez tron
sint, von recht gecziͤrd schön,
5860 uber der sunnen höch gecziͤrt,
der gotez tempel ist noch wirt.
Die tempel ym der höchst prelät
mit seinem plüt geweicht hat,
im selb getermt Jesus Christ,
5865 der höchst aller pischolf ist,
der den leib unser prodichait
gleichen wil dem leib seiner chlarhait,
unsern leib dem seinen gleichen.
Damit bewer ich sicherleichen,
5870 daz der leib dez schepher aller natur
schöner ist denn chain creatur;
dem unser leib gleich werden schol
nach seiner acht, dapey wir wol
merchen mugen mit verstentichait
5875 der heiligen lauter chlarhait.
fol. 60r Wer sölhe chlar/hait well enphahen,
dem schol sündenunflat versmachen,
der schol lauterleich hie leben,
allen sünden gern wider streben
5880 und sein gwizzen of newen
mit peicht und mit gantzen rewen,
fliehen und hazzen sündenmail:
der chumt also zü dem hail,

da ym chlarhait wirt gegeben,
5885 darnach und er sein leben
hie lauterleich getragen hat
und ab gewaschen sein missetat
mit geistleicher pessrung:
dez ist sicher hoffnung.

5890 Dez leibz ander wirdichait
ist snell mit gefüchait,
dew ich zesampnen nemen wil,
daz icht der red werd ze vil.
Der heiligen leib werdent so snel,
5895 wahin begert ir sel,
da ist zehant ir leib mit ir
alz snel und alz schir
daz aug erhebt sei*n* gesehen
auf gen der sunn liecht ist geschechen,
5900 da die heiligen von himelreich
chöment, ob si wellent auf e*rd*reich
und hinwider von orient,
da dy sunn auf get, in occident,
daz ist, da dew sunn ze rest get.
5905 Dabey man wol verstet,
daz nach gnad der heiligen sel
und nach ir wird der leib ist snel,
doch nach aller ir genüg.
Der leib wird auch so gefüg,
5910 alz unser gedankchen perig noch tal
nicht irren mügen, er an qual
ir höch ir vestichait durch var.
Also ist sunder zweifel wär,
daz gefüg werdent leib der heiligen,
5915 aller durchvart unverzigen.
Uber fieng ein perkch dy werlt über al,
der von ekchel wer und von stal:
fol. 60v den dürch / für sünder aller irrung
ir leib, wer ez dez geistez gerung.
5920 Unzerbrochen mecht daz geschehen;
daz er in noch tailt noch schaidet,

also geschech daz wol ungelaidet.
Wen haben lustet sölhe wiͤrd,
der sei snell an geistleicher gird
5925 mit willen, mit werchen an trochait
sein zü gotez diͤnst berait
(hazz, hochfart dew vast swachet
und gor ungefüg machet),
fleizz sich dymüt, dew gefüg ist
5930 und sich tugenden füget alle frist.

Dew dritt wirdichait ist chra*f*t,
der Samson mit irdischer geschaft
mit aller welt creatur gemain
wider sten mecht alz chlain
5935 der staub dem wind, wachz der glüt.
Doch mit chraft sint sy vol güt,
nicht übel alz dy starkchen auf erd.
Wer gert, daz er der chrefte werd,
der schol chestigen, chranch machen,
5940 wider ze sten süntleichen sächen,
in got seinen geist chestigen,
daz er dem tivel müg angesigen,
der welt, der chranchen menschait:
der wirt wiͤrdig sölher wirdichait.

5945 Dew viͤrd wird ist freyung genant,
wann sy allen freyen ist erchant,
die daz frey sicher lant,
daz himelreich, besezzen hant,
die ymmer sicher in got
5950 freyen willen habent an gebot,
die chain creatur mag geseren
noch ir freyung vercheren.
Si sint so sicher und so frey,
daz chaiser Augusti freyung dapei,
5955 wie ym diͤnt aller welt chraiͤs,
wer ein venchnüss, got wais,
den mecht man haben über wunden,
wol gefangen und gepunden.

5959 Dez an in nicht mag ergen:
fol. 61r die mag nicht gehaben, nicht widersten.
Si werdent Christo daran gnoz,
dez leichnam ein stain vil groz,
wie er toter wer begraben,
erstenuden nicht mecht gehaben.
5965 Sam mag nicht die heiligen
besliezzen nach in an gesigen.
In der freyung lo*b*sam
chümt man mit gehorsam,
mit der man aigens willen sich verwigt
5970 und gotez willen phligt.
Wer also geharsamet got,
daz er behaldet sein gebot,
der ist der freyung wert,
de sicherleich an end werd.

5975 Wollust ist dew fünft wiͤrd,
grözz über aller hertzen giͤrd,
damit sunder wollust all synn
durch flozzen sint aussen und ynn,
do die augen sehent in seiner geczíͤrd
5980 den chunig, der mit voller giͤrd
Mariam mit aller himel schar,
dy über lewchtent der sunnen chlar,
die in got sehent alle dinch,
de beslozzen hat der himel rinch.
5985 Sprecht, waz wollust da sey,
do dy aren horent englisch armoney,
aller engel und heiligen gesanch,
daz süzz ist über allen herphenchlanch,
die got lobent, mit jubel singent.
5990 Eia, wie süzz der stymm chlingent.
Eya, welich wollust der gesmachen hat,
da gesmach von got selb gat,
der ein tugentbrunn ist unbesigen,
darzü von allen heiligen,
5995 von allen engelen. Ein wollust ist daz
über aller würtzen baz;

der wer dapey ein mistgestanch,
aller walsem tugent chranch.
De chostung hat da süzz chraft,
6000 davon got flewzet wirtschaft,
der all heiligen durch flözzen
ymmer gernt niezzent unverdrozzen,
de voll süzz mag gesüzzen
fol. 61v leib und sel. Die seli/gen müzzen
6005 immer der wiͤrtscheft gern,
dew sich nymmer mag vercheren.
Chain tödleich mensch so starch mag sein,
dez hertz der süzz ein trophlein
enphahen mecht, er müz daz leben
6010 an underlaz zerflozzen geben.
Eya, dew wirtschaft ist da vol,
dew ymmer vol weren schol,
in der alle glid, all synn
gesüzzet mit gotleicher mynn
6015 voller gnaden sint an bresten.
Wer chömen wil zu den gotezgesten,
der versmech hie leibeswollust
und allen pösen süntleichen glüst.

Dez geerten leibez sechste gab
6020 ist gesunt an ungehab;
der chranch noch siech nymmer wirt,
dem nymmer aug noch czant geswiͤrt,
der unverwandelt in ainer gestalt
nymmer siech wirt noch alt.
6025 Wer gab gert der selichait,
dem sey frömder ungmach lait,
der sey güt und parmung vol,
dem geczimt dy selichait vil wol.

Daz sibent ist untödleichait
6030 und untödleich unleidichait,
da dy seligen sterbent nymmer,
frey aller leidung lebent ymmer.
Ob anvechten tausent hend

i*r*n heiligen leib nach der urstend
6035 mit aller creatur gemain,
dy mechten ym geschaden alz chlain
sunn oder wint geseren mag
geschoz oder swertezslag:
dem tet fewr chain qual.
6040 Si sint an aller trübsal.
Wer frides vol ist, frides gert,
nieman laidiget so sert,
unfrid in frid verchert,
der ist der selichait wol wert.
6045 Waz wer ainem ritter swer,
dem ein tugentreicher herr wer
gar gnedig und holt,
durch dez willen er versmehen scholt
sein selbs alt chlaider, werfen hin,
6050 und er dez vergwist in:
er geb newes gwand ym so reich,
fol. 62r dem daz vorder hart wer ungleich.
Tümp, wer dez nicht tet,
ob dez sein herre gert und bet.
6055 Also ein mensch, der ein ritter ist
dez höchsten fürsten Jesu Christ,
der reich, milt ist und güt,
hart tumpleich missetüt,
daz er sein chlaider smeͣch und alt,
6060 den leib tödleicher gestalt,
der ym tüt arges vil,
nicht durch den herren versmeͣhen wil,
der ym chlaider der selichait,
den selben leib mit untödleichait
6065 wider mecht und wold geben
in daz ewig seldenleben.
So tümp sint man und weib,
die den tödleichen leib
über recht habent lieb,
6070 der geistleichen tugent ist ein diep,
genaigt zü maniger ungetät.
Wenn man in ze lieb hat

mit unbesch*a*idner wollust,
dew bring*t* ym der eren flust
6075 und berawbt in der wirdichait,
von der hie ist gesait.
Wer aber den leib arbaitet
und in dürch got von sunden laitet
und beschaidenleich versmecht
6080 durch gotez mynn, der enphecht
den selben leib in der urstend
frey aller hand misswend
schönen, starkchen, untödleichen,
vor genanter gab reichen.
6085 Also wil ich dez leibs gedagen,
von der sel gnaden sagen:
von siben gaben, der all heiligen
an der sel sind unverzigen.
Der sel erste wirdichait
6090 aller heiligen ist weishait,
pey der Salmon wer ein chint gewesen
und baz wir beiser lewt lesen.
Aller der weisen weishait
wer dacz himelreich ein chinthait,
6095 da di heiligen den spiͤgel sehent,
in de*m* si solhew taugen spehent,
der nie mensch ward *chunt* auf erd.
Sy werdent all chünst gelert
6099 an dem püch der weishait
fol. 62[v] götleicher / angesicht an arbait.
Wer daz ewig götleich liecht,
alz ez ist ainz, gesiecht,
der waiz und ch*a*n alle dinch,
dew beslozzen hat der himel rinch;
6105 der sicht älle element,
alle creatur, all end
in himel, in erd und in mer,
ir natur, ir getat, ir bescher,
aller menschen namen und geslecht.
6110 Darzü etwer sprechen meͣcht:
Wizzen die heiligen, waz ich han

übels gesprochen und getan,
mein sünt so fraissam?
Wie schol ich l*e*dig werden scham
6115 vor den, dy tötleich sünt nie
auf erd begiͤngen hie?
Wer dez sarg hat, der schol wizzen:
lewtter hie er sein gwissen
mit rew, mit peicht, mit pessrung,
6120 daz ym an scham wirt dew wizsung
vor allen heiligen seiner schulden,
der er chomen ist zü gotez hülden.
Nü wizz wir wol hie auf erd,
daz Maria Magdalena, dy werd,
6125 gebesen ist ein sünderinn,
dew ein gar volchömnëu büzzerynn
vertiligt hat ir misstat,
daz sy gnad ze geben hat
allen den, die hilff an siͤ gernt,
6130 die mit got all heiligen erent
und lobent besünder Jesum Christ,
der ein hailant seiner erwelten ist,
dy er lautter macht sündenmail
und wider bringet ze völlem hail.
6135 Der hailant selb gesprochen hat:
des art*zt*es habent dy gesünten rät,
aber dy siechen bedürffen sein.
An den wirt sein hilff schein;
so der siech ye grözzer ist
6140 und von dez hilffen genist,
so vil mer der artzt sat
lobs von weisen lewten hat:
also der hailant Jesus Christ,
fol. 63r wenn ein / geistleich siech genist;
6145 wenn ein sünder wirt bechert,
all himelschär got lobt und ert
und frewnt sich dez gemain,
der recht warden ist und rain,
alz freunt irs freu*n*tez, der ist gewesen
6150 in noten und doch ist genesen,

den si näch tödleichen wunden
enphangen habent wol gesunden.
Davon nieman sarg häb,
wer seiner schulden ist chomen ab
6155 und besitzet daz gotezreich,
daz engel und heiligen gleich
dez ymmer gehügen ym ze scham:
ym ist dew bessrung mer lobsam,
den si ymmer lobent und erent
6160 und sein ze brüderschaft gerent.
Darzü recht rew frumt,
dew so wol zestaten chümt,
daz sy vertiligt alle mail
und bringt den sünder ze vollem hail.
6165 Zü solher ewigen weishait
frümt geistleich lautterhait.
Darzü fürdert allermaist
erchantnüss an dem geist,
dew tugent übet, sünd laidet,
6170 den müt von der welt gerung schaidet.
Dew *a*nder gab an dem geist
ist gantzer mynn vollaist,
ein gäntze verainte freuntschaft
mit aller himelischen brüderschaft,
6175 der dew freuntschaft ungnossam waz,
dy zesampn heten Davit und Jonathas,
dy all veter und müter ye
zü iren chinden gebunnen auf erd hie.
Sprecht, mit welher lieb veraint sint,
6180 dy got lieb ha*t* alz *seine* chint,
und si got lieber dann sich selb habent;
in dez süzzen mynn si sich labent,
fol. 63v da yetleicher den anderen / lieb hat
alz sich selben. Dew lieb stat
6185 unverwandelt ewichleich.
Waz ist der lieben freuntschaft gleich?
Dew ist an haz und an neit,
an trübsal und an streit
und hat aller selden vil.

6190 Wer dy brüderschaft enphahen wil,
der hab got lieb ob allen dingen,
seinen nechsten alz sich, dem müz gelingen
ymmer wol und selichleich;
der brüderschaft werd ewichleich.
6195 Dew dritt gnad ist gehellung
ains verainten willen an zwischnung,
dew ist so gantz und so groz,
daz ir chain ainung ist gnoz
nach dew zwischen Lelio und Scipione ist gwesen,
6200 von den herren wir grozz gehellung lesen,
noch dew wir zwischen chanlewten vinden,
zwischen vater, müter und chinden.
Ir gehellung gleich der augen ist,
dy gehelent so gar all frist,
6205 wohin sich daz ain chert,
daz ander dahin sehen gert:
also ist ez in dem himelreich.
Waz ainr wil, wellent si all gleich:
da ist aigner will an gebot;
6210 waz si wellent, daz wil got,
waz got wil, sy all wellent;
der willen sich also gesellent:
waz ainr wil, wez er gert,
darzü ir aller will chert.
6215 Wer ainen heiligen lobt und ert
und er dem menschen gnad gert,
all heiligen dez mit im gernt
und durch in den menschen erent.
Wer ainen lobt, lopt all heiligen
6220 von allen gnaden unverczigen.
Ein mensch mecht darüber fragen:
Seint ich hör die schrift sagen,
fol. 64r datz himel sey will an gebot,
waz ir ainr wil, daz wil got:
6225 wez wil nicht ein mynner heilig gern
sand Johannis oder sand Peters eren?
Wer dez zweifelt, wizze daz,
dacz himel noch neyt ist noch haz,

da ist dew mynn so veraint,
6230 daz si all gnad gmaint.
Waz löns oder gecziͤrd
ainr nicht hat von seinr wird,
dez ist er von der mynn unverzigen
gebert an anderen heiligen,
6235 an den er enphecht und nimpt,
daz seinem lön nicht gezimt.
Da genügt sand Petren dez,
daz degenctumser hat Johannes;
sand Johannen martrerchron genügt,
6240 dew sand Petro von g*a*rnt fügt.
Also ainr in dem anderen nimpt,
daz ym sünderleich nicht gezimt.
Ainr dez anderen eren nicht haben gert,
dez yn dew mynn an enein gewert.
6245 Jesu Christi glider si sint,
all brüder, ains vater chint.
An dez tödleichen leibs glider ist schein:
daz aug gert nicht daz ör sein,
nach der füz dy hant,
6250 daz ist an Christi glider erchant;
ein ytleichen gnüt seiner stat
und der eren, der er hat.
Nieman mag da mer begern,
dan er hat freudeneren
6255 (oder ir selichait wer nicht vol:
daz nyman getrewer glauben schol).
Ir selichait ist sicher und vol,
in gantzer ainung ist in allen wol.
Dew viͤrd wiͤrd ist so gestalt,
6260 daz si habunt ewigen gwalt,
daz si mügen tün gwaltichleich,
waz si wellent in erd und in himelreich.
fol. 64v Sy wellent nicht / unordenleich
und mugen, waz si wellent, vollichleich.
6265 Got ist in in und si in got,
ir will ist sein gepot;
er gepewtet, waz si wellent,

dy iren willen ym gesellent.
Aller irdischen chunig gwalt,
6270 der uns groz düncht und manich valt,
hat gen irem gwalt chain gnozschaft,
chain wiͤrdichait noch chraft;
der willen vollaist ist got,
in dem ir will ist ein gebot,
6275 dem nicht mag wider sten.
Waz si wellent, daz müz ergen:
dez gwaltez sint all heiligen
alz götez chind unverzigen.
Dew fünft wiͤrd ist fürstleich er,
6280 dy sy all habent ymmer mer;
der ungenossam ist erchant
dew er Josepen in Egipten lant,
den allez volkch ert alz got,
gehorsam seinem gebot.
6285 Dew er wer ein swachait
bey der heiligen wirdichait,
dy got ert alz seine chint,
dy seins willen vollaist gebesen sint,
die alz fürsten erent gotez engel all
6290 und all creatur mit lobezschall;
di engel si lobent überal,
wann wider chömen ist ir fal.
Mit in dez lobent si dy und erent,
himel und erd iͤr lob merent,
6295 wann si er habent enphangen.
Davon, daz si habent begangen
gotez willen, wirt schiͤr volbracht
ir wandlung, der got hat gedacht,
so er himel und erd wil schönen
6300 und mit newen eren chrönen.
Also habent dy heiligen er
und lob von got ymmer mer,
von aller englischen schar,
fol. 65r von aller creatur sünderbar;
6305 der lob, der er werent ist,
ungemynnret an endezfrist.

Die gotezreichezerben sint
all fürsten, gotez chind.
Dew sechst wiͤrd ist volle freud,
6310 dy frewnt sich ob in von gotez bescheud,
wann si in in seiͤner schön sehent,
den himel und erd ze schepher jehent:
got vater, got sun, got heiliger geist,
der aller gnaden ist vollaist.
6315 Dy drivalt si sehent, in in habent,
in der süzz si sich labent.
Den schepher aller natur
si sehent in aller creatur.
Under in habent si auch frawd
6320 von der creatur beschäwd,
den lawchtent mit wunne
stern, man und sunne,
die frawnt sich in in selben ir saelichait,
ir sel, ir leibeswirdichait.
6325 Dy frewnt sich auzzen der frewntschaft
himelischer wiͤrtschaft
aller engel und heiligen,
irer haimleich unverzigen.
Yetleicher alz vil frewden hat,
6330 alz vil in der himlischen stat
engel und heiligen sint,
dy er all alz sich selben mint;
freund aller der freunt gmain
hat mit der mynn yetleicher ain.
6335 Dew frewd nicht vol sagen mechten
all zungen, noch erphechten
hertz tieffer weishait,
noch aller phaffen verstentichait.
Da ist wollust sünder qual,
6340 frewd sünder aller trübsal
ewich süzz und vol.
Der frewden man begern schol,
pey der all irdisch frewd ist chlain,
pitter, swach und unrain,
6345 noch mynner, alz ich swer,

fol. 65[v] dann ein troph pey dem mer.
Der sint all heiligen durch flozzen,
der si niezzent unverdrozzen
ymmer selich an end,
6350 an ünderlazz und an misswend.
Dew jungscht gnad ist sicherhait
der ewigen vollen selichait,
da dy lieben gotezchint
vor dem tiͤvel sicher sint,
6355 der si nymmer me betrüben chan
und in müz besen ündertan,
da dew pröd menschait
verwandelt in untödleichait
sorig noch streit nymmer hebt,
6360 noch dem geist wider strebt
in ainung und in rüeb,
an arbait und an trueb,
da dew werltleich gmain,
dy schalkchaft ist und unrain,
6365 verbessert wirt mit der schar,
dew rain ist und mynngevar,
aller trewen und lieb vol.
Zü der sicherhait man werben schol,
da man ewig freiung hat
6370 in der fürstleichen stat,
in der nür freyen sint und fürsten:
nach der selichait schol uns dürsten,
nach dem reich, da frewd und er
mit sicherhait ist ymmer mer,
6375 da wir mit den furstenleichen gaben
sicher selichait müzzen haben.
Dez verleich uns aller gnaden vollaist
got vater, sun, heiliger geist.
Daz ist daz lant und daz reich,
6380 zü dem bringet so mynnechleich
sein gmähel der chünig höchster eren,
den man ze frewnt sol haben gern.
Den tugentreichen prewtigan
schol man gern ze lieb han;

6385 dez gab sint hie gnadenreich,
doch reicher in dem himelreich.
Werleich, dew maid ist nicht betrogen,
fol. 66r der habent dy poten nicht gelogen,
der so geschiecht und ist geschehen.
6390 Wes man hört christenlerer yehen
von dem prewtigan Jesu Christ,
pey der warheit lüczel ist.
Der hat gnaden so vil cze geben
hie und dort in paiden leben,
6395 daz si nyeman chan vol trahten
nach ervæchten nach erachten.
Der ist heiliger sel prewtigan,
dy er chewschleich haymen chan;
den schullen all rain sel lieben
6400 und nach seiner mynn synnen,
den müz werleich gelingen wol,
dy werdent all gnaden vol.
Ich wil der gotesgmæchel gedagen
und von der haymvert sagen,
6405 wie der laydig schalk sathan,
unseliger sündigen sel prewtigan,
sein prawt haym fürt ͤin sein lant,
in dem yamer ist und schantt.

So dew czeyt dez todes chumpt,
6410 so nicht anderz dem menschen frumpt,
den daz er gütes hat getan,
so chumpt der laidig prewtigan
sein unselig praut cze nemen,
die seinem gwalt schol geczͣemen;
6415 der wartet er vor dez mundez tür.
Dy treibt der grymmig tod herfür;
sy pürg sich gern und enmag:
der tod tüt ir den furslag;
dy müs herfür an danch,
6420 so mus si singen yamersanch:
'Ach, we und ymmer we!
Angustie michi sunt undique.

Angst han ich und nat,
mich treibt von leib der grymmig tot,
6425 und wartent die hellrisen mein,
der gefangen müs ich sein.'
So grisgrament dy helltier
alz die ruden gegen ir,
so bestet si an trostt
6430 in todesnöten unerlöst.
Dy helltier sey umb gebent
und frayssam ytwicz gegen ir hebent:
'Wo ist dein hochfart, dein ubermüt,
dein reichtu*m*b, dein er, dein güt,
6435 dein reich chlayder, dein tumb sytt,
dein swanczen, tanczen, stolcz trit?
Wo ist dein frewd, wo sint dein frewnt,
fol. 66v wa ist dein väterleich leunt,
wa ist dein unchewsch glust
6440 und der sunden wollust?
Wa ist dein chürtzweil und spil?'
Der ding verweissent si ir vil,
mit den si tümbleich ist betrogen,
schedleich von got geczogen.
6445 Si mag nicht sprechen dann: 'We,
ach und jamer ymmer me.'
Dy pösen geist sint grymmig snel,
umb farent dy armen sel.
Ünder dem laidigem hellswarm
6450 jamerchlagen müz dew arm;
sy fürent sey under in
mit spötleichem ludem hin.
Der ist der mensch, der nicht wold
got getrawen, alz er schold,
6455 wold tümbleich an ym selben getrawen,
daz hat ze spat in nü gerawen,
der von sünden nicht wold chern,
do in got hiet enphangen gern.
Nü ist dew rew ze spat,
6460 an frumm und an rat.
In so jemerleicher acht

wirt dy sel ze hell bracht.
So si den hellchärcher gesiecht,
so verczagt nöt ir geschiecht,
6465 daz si got, den güten, flüechet,
daz er sy ye schephen gerüchet,
seinen töd, der an ir ist verloren,
vater und müter, von den si mensch ist geboren.
Aller geschepht in himel und in erd
6470 verflüchet dew got unberd,
sich selben verflüchet de unrain,
iren leib und ir gepain
mit chlag, der nie gleich jamer wart.
fol. 67r Si wirt in dem chärcher verspart,
6475 gar verzagt an trost
gegeben dem hellrast,
dem flammen, der ymmer glost.
Da ist auch unvertregleich frost,
greiffleich vinster, dez tödez nebel,
6480 unleidleich gestankch von pech, von swebel,
an allen gliden füreinew bant,
da ist ytwicz, laster und schant,
hünger, dürst, jamer, chlag und ais,
tyevelischer gesichte frais,
6485 an aller hilf zaghait,
träwren und hertzenlait,
aller unsälden überswal,
flüchens, wainens ludenschal.
Ir füzz auf sint gechertt,
6490 ir haup ze tal daz wesen lert,
daz si von got iren müt cherten,
wider beschaidenhait sünden gerten:
davon sint ir haup ze tal
gechert in ewigen val.
6495 Wer daz nicht füricht, übel witzet.
In dem lant den prewtstül besitzet
dew laidig prawt mit irem prewtigan,
ein todsüntig sel mit satan,
da der tod lebet ymmer,
6500 daz sterbunt leben stirbet nimer.

Also geschiecht der laidigen prawt,
dy dem schalkch baz getrawt
den Jesu Christo, dem getrewen:
daz müz sey ewichleich gerewen,
6505 wenn sy bringet ir trawtgeselle,
der tiͤvel, zü der ewigen helle,
da si mit irem prewtigan
rew und unseld müz ymmer han.
So Christus sein gmähel bringet,
6510 da ir seligchleich gelinget,
fol. 67v in daz fran himelreich,
so geschiecht in paiden ungleich:
der pösen übel, der güten wol.
Dew red sich also enden schol.
6515 Wer daz geistleich püchel list,
dem baz von gnaden gwissen ist,
der hab meiner ainvolt nicht spot,
wann ich ynnerchleich in got
durch geistleich übung dez began,
6520 wie lutzel ich mich der sach versan.
Wer aber dapey bessert sich,
den pit ich, daz er pit umb mich;
also tün ich umb yn,
daran hab wir baide gewin.
6525 Ich sünder haiz Chünrat.
Wer mein armes gehüge hat,
dem lan got in sei*n*em reich,
da ich in sech ewichleich.
Dez verleich uns in dez sunes namen
6530 got vater mit dem heiligen geist. Amen.

ANHANG

APPARAT

Überschrift Daz puechel ist von geischeicher gemähelschaft die czwischen got ist vnd der sel vnd redet ingeleichnuzz vō tugenten als vō junchfrawen 4 Geischleich' *aus* Geschleich' 14 d' selbn̄ *für* derbn̄ Y 17 cziertt *aus* czieret 23 *nach* Vnd *nachgetr.* ir *S.* mynn *ers. d.* lieb 27 ist *nachgetr.* 30 *nach* scherigen *nachgetr.* sy Y 31 nement *zu* nemen 32 geczement *zu* gecyment 39 aynūg *aus* eynūg 41 geczæmen *zu* geczymen 64 hön *ers. d.* schandn̄ Y 66 *unter dem Vers gestrichen:* Seiner wirtschaft seinez reichz eren 86 *nach* ȳmer *expung.* mer 100 gehaiz *aus* geheiz 105 trüg *auf* trüb 117 den *nachgetr. S* 124 *vor* den *gestrichen* Der schol *S* 149 *Lücke. vor* vnd' *gestrich.* der 163 *nach* gewizz *gestrich.* prff 171 ew *nachgetr. S* 197 dez *aus* daz 210 vnczæmpt *zu* czympt Y 218 ez *ers. d.* vil Y 220 h'ren *nachgetr.* Y 222 *nach* vnd *rasiert* y 226 hhoche *aus* choche 231 mynn *ers. d.* lieb Y 234 gehaym *auf* h 236 gelaub *zu* gelaubn̄ 246 seim *zu* seinē 247 däwcht *aus* däwch 248 si *ers. d.* dy 260 dē *aus* den 261 vnerchāt *aus* vnerchātt 264 enden der *zu* ender 268 geschietht 271 pispel *zu* peyspil Y 272 getzemen *zu* getzymen 277 v̈ns *nachgetr.* 278 *nach* sein *gestrichen* nicht 282 *nach* vns *rasiert* e. 285 er (2) *nachgetr. (zweite Hand)* 295 Der. gyme *aus* gryme 297 all *aus* all' 320 sig *aus* sich (*zweite Hand*) 325 ist *gestrichen* 330 sehen *aus* czesehen 337 syn *aus* sein 338 *nach* gecht *gestrichen* vnd 341 stain *aus* stan 374 werēt *aus* warēt 377 pispel *zu* beyspil Y. dir 388 ist 393 rēchichait 398 hebes *zu* liebes 403 nicht *aus* nich 405 vnd *aus* vnd' 412 geschelschaft 421 sy *aus* sich 422 schaiden *aus* scaiden 428 den 431 *nach* ist *gestrichen* vn̄ 434 danchnäm *aus* danchnē Y 437 spilen *zu* gespilen Y 438 vnwert *aus* vngewert 441 pispel *zu* peyspil Y 442 getzemē *zu* getzymen Y 443 ainen *aus* anem 455 im *aus* eim 463 gat *zu* gayt 465 tyefel *aus* tyfel 470 dy 472 den *aus* der 480 gumpeł 481 beczaihent *auf* bechaihent 482 wol 486 prewtigans *aus* prewttgans 488 Ewichleych *aus* Ewechleych 493 *nach* h'rē *nachgetr.* Y *und gestrichen* hold. *vor* nemen *nachgetr.* zu h'tzē lieb 494 *nachgetr.* Y 497 *nach* frewt *gestrichen* die 509/10 (= 605/6) *aus syntakt. Gründen umgestellt*

511 payde *aus* paide 514 *nach* ir *nachgetr.* ewe'r Y. cze *aus?* 517 pispel *zu* peispyl 518 *nach* Dez *nachgetr.* euch Y. ew *nachgetr. und gestrichen.* tubmer *aus* tubme. geczemē *zu* geczymē Y 526 v'bage 527 czebrochz. giegē 530 wsser 531 nahn̄t *zu* nahn̄ 534 d' dreier *nachgetr.* X 555 frewntent *für* frewdn̄t Y. czesampt *zu* czesam 558 'lag 560 *nach* hail *gestrichen* h 561 *nach* werlt *nachgetr.* tünnen d' Y 562 nach frew̄tschaft *gestrichen* in sich R 564 vnden schenchet *ers. d.* vngebenchket Y 565 frewtschaft 568 vnphigt 576 in *nachgetr.* S 577 in *nachgetr.* S 579 v'chiesen 586 frewd 587 dez *nachgetr.* (*zweite Hand*) 599 Den *aus* Dem 615 *am unteren Rand nachgetr.* X 617 pracht *aus* prach 623 *nach* den *gestrichen* h'rē 630 getzemē *zu* getzymē 649 wüst *zu* *wüchst* (*vgl.* 2010) 659 pispel *zu* peispyl 660 chan *aus* cham. getzemē *zu* getzymē 671 ehab *aus* gehab 672 *nach* geit *gestrichen* als ich waiz 681 chaltn̄ *aus* chalt- 684 chunig *aus* chunigig 686 meins *aus* mins 689 vberhebt *aus* vberhebst 706 ire' *aus* irē. swachen *aus* swahen 714 frümpt *auf* fre 716 rem̄ 725 pispal *aus* spispal *zu* peyspil Y 727 schatzes 728 chan *aus* chain 737 chan *aus* chain 751 nutzen *aus* nutzez. rechtez *aus* rechtē 756 geischleych 764 gewyn̄et 775 nemem 776 getzemē *zu* getzymē 777 die 780 hin *aus* in Y 782 dem *aus* den 783 ym *aus* inn 788 nicht *aus* nich 791 herē *aus* h'rē 793 pispel *zu* peispyl 794 getzemē *zu* getzymē 799 der *aus* de (*zweite Hand*). aswer9 *aus* aswar9 801 füstn̄ 806 ger *aus* gere *aus* ger 808 achtnūg *aus* achnūg 814 schein *aus?* 818 vber *aus* vberswal 837 di *nachgetr.* S 840 trewlose *zu* vntrewlose Y 842 *nach* durchfürn̄ *nachgetr.* sy Y 843 laden *aus* laiden 844 *nach* In *gestrichen* ein 846 chūden *nachgetr.* (*zweite Hand*) 848 wẘhen *aus* wehen *aus* wẘhen 849 warē *aus* warēt 851 hongiz 854 nicht *aus* nich. *nach* verwesten *gestrichen* vnd 861 Daz *fehlt.* furstynn *aus* furstinn 867 muz *zu* muzt 874 weil *aus* wil 876 phlegen *auf* phe 878 gehaissn̄ *aus* haissn̄ (*zweite Hand*) 881 pegnadʒ (*vgl.* 1749) 904 gifft *für* gyft *aus* geift Y 906 ze *zu* zer *zu* ze 912 vberwerte *ers. d.* vnberde Y 913 Vberwert *ers. d.* vnwert Y 914 wolluschleych' 917 dir. pispel *zu* peispyl 918 *nach* Die *gestrichen* ch 919 daz *zu* dez 922 u'begent *aus* u'bergent 934 hiet *aus* het 939 awf *auf* au 940 Ob es ir *für* Die potn̄ iah 941 iahen *aus* iahent 943 fröleich *aus* frölich 945 ew *aus* ewr 951 pispel *zu* peispyl 952 getzemē *zu* getzymē 953 haher *aus* hoher. dyemüt *aus* dymüt 955 aigne *aus* agne 962 wernd' *aus* werd' 965 gelübt *zu* gelüb

966 getorst *aus?* *971* *auf fol. 9r nachgetr. und gestrichen* Vñ yach. *vor* missetat *gestrichen* Seyd si soliche *972* h'n *aus* h'm *974* entwelt *ers. d.* enterbet Y *978* hawt *aus* hewt *981* d' *nachgetr. S.* d' ofen cham' geb't *ers. d.* do nichcz gebert Y *982* der *zu* des Y. mit *ers. d.* von Y *986* er *nachgetr. S* *989* lerr'er *990* *nach* frewd *gestrichen* g S *995* mynn *ers. d.* lieb. gach *auf* gaz *1012* myñ *ers. d.* lieb *1020* stat *aus* stät *1026* mynn *ers. d.* lieb *1031* mynn *ers. d.* lieb *1059* gnadēreichñ *aus* gnareichñ *1063* sicen *1067* hat *nachgetr. . nach* irē *gestrichen* cz *S* *1075* glust *auf* b *1082* pprechñt *1087* alz ich *nachgetr. S* *1098* freut. lan *nachgetr. S* *1103* sechst *aus* sechs *1108* haissēt *aus* hassēt *1111* purtgraff *aus* purgraff *1114* fliegñman *aus* flignman *1119* nügifer *aus* mügifer *1120* lugñtrager *aus* lugntragger *1122* chan hart (*nachgetr.* b a *stellt die Lemmata um*) *1125* hewt *für* hawt Y. ge'ñ *gestrichen* *1129* gemächelt *aus* gemärchelt *aus* gemächelt *1145* Auch *aus* Ach *1150* dez *aus* daz *1151* *nach* gedach *steht* zeredē *1155* geistlē *1157* anegan *1160* e'lewchtē *aus* e'lewch *1162* ainē mynē *ers. d.* allñdingñ Y *1166* ewychleych *auf* ewē *1169* cze *nachgetr.* Y *1171* da'an *zu* da'n *1175* syn *aus* sen *1177* *nach* vil *gestrichen* d *1193* myñsenūg *ers. d.* liebsenūg Y *1196* ich myñent *ers. d.* ez mein lieb. ringe *zu* ringet *1201* *nach* schaiden *gestrichen* nicht *aus* nich *1202* *vor* Nicht *am Rand* vnd Y *1203* berednūg *aus* predūg Y *1205* beg' *aus?*. erñ *aus?* (*zweite Hand*) *1210* magt *nachgetr.* X. *nach* antwürt *nachgetr.* gar *1213* pispel *zu* peispyl *1216* Do *aus* D' *1219* der *nachgetr.* (*zweite Hand*) *1221* dien' *nachgetr.* X *1233* *vor* Ewch *nachgetr.* vñ Y *1235* der(*1*) *aus* de *aus* ein *1237* evch *aus* avch. wēdē *aus?* *1238* ewch *aus* evch *1243* ew' *aus* ewch *1265* *nach* mit *nachgetr.* ir' (*zweite Hand*). myñ *ers. d.* lieb *1268* alsus *zu* also *1269* gewent *ers. d.* machent Y *1271* mynsenūg *ers. d.* liebsenūg Y *1273* süntsachen *zu* sünd'sachen. ze *nachgetr.* *1275* dē *ers. d.* irrem *1287* *nach* auch *nachgetr.* vil Y *1295* hat *aus* hāt *1296* dich (*1*) *zu* sich. dich (*2*) *zu* dir. rechten *zu* rechen *1298* *nach* alsus *gestrichen* ein *1300* *nach* frucht *nachgetr.* tet. früchtet *am* Rd. *getilgt* *1301* *nachgetr. am oberen Rand* X. sam (*2*) *zu* der Y *1302* *ers. d.* frey' willen nicht wol czympt Y *1303* *ers. d.* vnd der erd vil vnuczen sämen pringt Y *1308* frucht *aus* fruch *1313* awch *aus* ewch *1323* sein' *aus* sin' *1326* Alssam *aus* Alsso. *nach* zu *gestrichen* geistleich' *S* *1329* den tod *für* todez not *S* *1337* nicht *aus* nich *1341* sey *aus* sei . ew *aus?* *1347* gemähel *aus* gmähel. *Lücke* *1354* sich *aus?* . *nach* sich *nachgetr.* paide Y *1356* dy *aus* die *1357* was *aus* wais *1358 nach* Got *gestrichen* f *S.* dapey *aus* däpey *1373* mȳsenūg *ers. d.* liebsenūg *1378* ein *aus* en *1380* vächt *zu* väch *1384* gieriger *auf* gir *1387* zeit *aus* zit *1393* in *nachgetr. Y* *1394* dy *aus* die. *nach* helle *gestrichen* vor *1397* iem' schray *aus* iam'schray *1399* dans *aus* dons *1400* lag *aus* lang *1401* *nach* sy *nachgetr.* hart Y *1405* *nach* habitantib9 *nachgetr.* die wart in latein also wedeuttñ Y *1411* ein *aus* ain *1412* gechostent *1415* giegñ *1427* *nach* Memēto *gestrichen* dño *S.* *nach* reu'teris *nachgetr.* die ward in latein also bedewttñ Y *1428* *nach* du *nachgetr.* pist chomē Y *1429* *ers. d.* vnd da' czů du wid' must zu erdñ werdn Y *1430* *ers. d.* Die dich pilleich woll manen schol Y *1435* in *nachgetr.* . laitē *aus* latē *1436* gewan *aus* gwan *zu* gewyn. meidē *aus* midē *1438* wachten. *danach* Vnd an allen *1443* *am oberen Rand nachgetr.* X. nach all' *gestrichen* s *1445* dē *aus* d' *1447* newen *aus?* *1461* ain *aus* an *1466* nicht *aus* nich *1468* tieffen *1470* reicht' *1471* gereicht *zu* gerecht *1472* richt' *aus* reicht' *1475* gedankch *aus* gedanch *1478* nacht *aus* nach *1479* Nicht *aus* Nich *1480* chan *aus* chain *1483* sol *aus?*. *nach* ab *gestrichen* Nach recht vnd *1486* Saw̄pt *aus* Sam̄pt. da' *zu* dā *1490* sol *aus* scol *1495* *nach* fraysem *gestrichen* sty *S* *1498* *nach* ir *gestrichen* stain *S* *1503* vntrast *aus* vnd trast *1515* *nachgetr. nach* *1517* *S* *1518* pusawn *auf* pul *1519* *nach* prawt *nachgetr.* sich Y *1522* *nach* clokcht *nachgetr.* so Y. *nach* sprechend *nachgetr.* sy Y *1525* ernsthaft *auf* ert *1526* *nach* Daz *nachgetr.* von Y *1529* liecht *aus* liech. geschach *aus* gesach *1533* mocht *aus* moch *gestrichen* *1536* vinsterñ *ers. d.* denkchen Y *1537* zesem *aus* zesen *ers. d.* rechttñ Y. luczerñ *auf* luc'n *1538* her *aus* der *1541* seinen *aus* seinem *1543* warñ *aus* war *S* *1545* e'welte *aus* e'weltē *1548* erchant müzz *1550* an *zu* nur *1553* meldung *1554* vnweisen *aus* vnwisen *1559* prehēt *aus* prehe't *1562* *nach* e'chant *gestrichen* Mit den zwain ew *1564* pusawn *aus* pjsawn *1570* sol *aus* scol *1579* mein' *aus* miñ' *1581* Nach *aus* H'nach. mit mir *vertauscht durch* b a *1582* vinst' *ers. d.* denkñ Y *1590* nā *aus* mā *1592* sp'cht *aus* sp'ch. dewtsch *aus* dewsch *1597* ew *nachgetr.* *1602* vngewrñt *ers. d.* vnerparnt *1603* erschrakch *aus* erschrakcht *1604* hailb' *aus* halb' *1605* t'äff *aus* tärff *1606* *nach* pleibt *steht* vn- *1609* weytzen *aus* wetzen. *nach* gelewtert *gestrichen* od' *1610* de' *aus* dē. ewigē *aus* ewig .charch' *aus* chrach' (*zweite Hand*) *1615* *nach* prawt *nachgetr.* ir Y *1625* prädñ *zu* plödñ *1629* naig *aus* mag *1638* tawgē *auf* tau *1642* sy *nachgetr.* . an *zu* jn *1643* ein *aus* ain *1648* Webaint *aus* Webant *1656* vil *aus* wil *1657* hert *aus* hart.

hofczücht *auf* s *1660* öug *aus* äug *1664* garñt *aus* garñt *1665* pewarnt *auf* b *1666* tuwgen *aus* tugen *1672* myñ *ers. d.* lieber Y *1677* hin *ers. d.* sein Y *1679 nach* Mit *gestrichen* wellich'. weltleich' *zu* weltleich. irūg *nachgetr.* X *1683* zemen *zu* zymen *1684* sy *aus* sey *1685* phartē *aus? 1687* icht *aus* ich *1688* an *zu* in *1690* lyegen *aus* ligen9. hanlachen *zu* anlachen *1693* er *nachgetr. 1694* stillmüzz (*vgl. 1548*) *1703 nach* spech *gestrichen* an *1704 nach* hend *gestrichen* sulend *S* *1705* Chain *auf* Chi *1708* ir *fur* ich *S* *1713* preis *aus* speis *1724* allez *aus* all' *S* *1735* drey' *zu* drey *1736 nach* seruilis *steht* Ein petwungē *1740* leidnūg *aus* leidñūg. güt *aus* got *1742* gerichtes *aus* gereichtes. nät *aus* nöt *1744* sy *aus* sey *1745* fräun *aus* frunn *1747* ausser *aus* aussen *1749 vor* Nür *gestrichen* M. pegnadeȝt *aus* pegnadeȝ (*vgl. 881*) *1751* nur *nachgetr. S* *1754* ein *aus* ain *1755* erchömē *aus* erchämē *1761 nach* ir' *gestrichen* g *1773* gepirt *auf* geb *1777* hails *auf* haili *1781 nach* haist *steht* Timo' *1783* entweicht *aus* entwicht *1791* vinster. vil *aus* wil *1794* wewarñ *aus* wēnwarñ *1797* entweichet *aus* entwichet *1799 nach* Die *gestrichen* ch *S* *1806* ein *aus* en *1817* lieblich *aus* liepleich *1823* den. gerichtes *aus* gereichtes. czämet *aus* czemet *1828* förcht *aus* färcht *1830* scholt *aus* schol *1831* meiden *aus* miden *1834* voricht *aus* vorich. güt *aus* got *1836* ist *für* vns *S* *1838* bleibet *auf* be *1842* den *nachgetr.* (*zweite Hand*) *1847* anuankch *aus* anunkch *1851* die *für* ie *1855* würch' *1856* dy *aus* dye *1861* üben *aus* übūg *1862 nach* der *gestrichen* f *1864* voricht *aus* vorich *1882* irer *aus* irn. vinsterñ *1887* sert *aus* fert *1888* seit *aus* feit *1897* mein *auf* mi *S* *1899* swert *aus* swertȝ (*vgl. 1749*) *1902* swert *aus* swertȝ *1904* swert *aus* swertȝ *1913* chemleychē *aus* chämleychē *1915* meidet *aus* mider *1921* engelis (*vgl. 1378. 1806; das Gelübde bei Jesaia 14,12ff.*) *1926* steiget *aus* stiget *1927* gesichert *aus* gesicher *1930* wurden *aus* wuden (*zweite Hand*) *1933* si *nachgetr. S* *1934* erdē *aus* erndē *1938* tawsent *aus* tusent *1947* precht *aus* prächt *1951* himeltröne *aus* himeltöne *1952* sawl *auf* sal *1953 nach* gepot *gestrichen* h *1958* ew *aus* rew *1964* bas *nachgetr. S* lebentig *aus* lebentigen *1974* wurden *aus* wudent. v'senkchtt *aus* v'senkchet *1975* bedenkt *aus* bedenk *1982* swertȝ (*vgl. 1899. 1902. 1904. 2008*) *1983* ainē *aus* anē. chünig *aus* chüng *1995* sey *aus* sy *2008* swert *aus* swertȝ *2010* wüst *zu* wüchst (*vgl. 649*). weist *aus* wist *2017* vndächnäm *2021* get *2029 nach* v'smachē *steht* vnd *2032* swertȝ (*vgl. 1982*) *2046* der *aus* dem *2054* gerechichait *2060* gereccht *aus* gereicht *2063* ĩzicht *ers. d.* ĩzihtē mag, *gestrichen S* *2065* deʒ *zu* die *2077* phlengen *2081 nachgetr. Marg.* die zehen gepot *2089* nā *aus* mā *2096* ravben *aus* roben *2098* vnewsch *2111* an *aus* ein. *danach gestrichen* dē *2117* notdürftichleich *aus* notdürfichleich *2121 nach* swert *steht* Ein strenge ge- *2128* ist *nachgetr.* *2136* e' *aus* e's *2137* sünd *aus* sünden *2143* E *aus* Er *2148 steht vor 2147. durch nachgetr.* B A *umgestellt S* *2150* gwarhait *aus* gwarhat *2156* thron *2158 nach* gricht *nachgetr.* furicht (*zweite Hand*) *2161* voricht *aus* vorich *2162* grechtichait *aus* grechichait *2163* gesait *aus* sait (*zweite Hand*) *2169* trait *aus* trat *2176* miͤet *aus* müet *2180* Agusti9 *2201* irn̄ *auf* ire *2203* noch *aus* nach *2208* new *2210 nach* waz *gestrichen* die. ĩ *auf* re *2211* mit *nachgetr. S* *2213* peicht *aus* picht *2214* genanāt *2216* ein *aus* ain *2224* prehent *zu* prehen. *danach* Dem mā vn̄ sun *2225* iehent *zu* iehen *2226* sehent *zu* sehen *2227* iehent *zu* iehen *2229* frewdinn *2230* mail *aus* mal *2232 nach* ew *gestrichen* bi *2238* hanttüch *aus* hantüch *2249* Sy *aus* Sey *2258* Abwischt *aus* Abwisch *2260* trübn̄ *aus* tübn̄ (*zweite Hand*) *2268* ir *nachgetr.* (*zweite Hand*). mail *aus* mal *2272* herē *aus* h're *2274* gerūd' *aus* grūd' *2276* meinē *aus* minē *2278* mein *auf* mi *2281 nach* ich *gestrichen* dich *2283* solichē *aus* solechē *2286* geit *aus* git *2291* dē *nachgetr. S* *2301 nach* ew' *gestrichen* seinē *2313 nach* ge-varn *steht* Ein beslissūg der dreiͤr' frawn *S* *2319 nach* geraint *steht* Dy muz man *2321* notdurst *2324* ich *nachgetr. S* *2346* durcht *2365 nach* pitt' *steht klecksig* gesall salcz' *2378* enspringēt *aus* erspringēt *2391 nach* aus *gestrichen* aus *2399* gnadē *nachgetr. S* *2401* ĩ *nach-getr. S* *2402 vor* Der *gestrichen* Dem ist wol *S* *2403* ist trophen *2422* pedurffen *aus* peduffen (*zweite Hand*) *2423* thranckchait *auf* tr *2424* chlar *2425 nach* Schier *gestrichen* sch *S* *2434* weyroch *auf* wi. my'ren̄ *aus* my'rn̄ *2435* frü *aus* früe *2437 nach* pessrūg *steht* Gepet vastē vn̄ *2444* weiroch *auf* wi. smekcht *aus* smekch *2451* nöch *aus* näch *2453* gepot *2458* gett *aus* ? *2478* rawch *aus* roch *2486* nīm' *aus* im̄' *2491 nach* Da'czů *nachgetr.* ez *S* *2497* cōtemplirn̄ *aus* cotemplarn̄ *2500* gerūg erhitz *2514* Nimpt *aus* Nempt *2515* auch *aus* ? *2516* geist *aus* gest *2519* betrachten *aus* betrachtent *2523* ain *aus* an *2527* richent *aus* reichent *2529* Da *aus* Daz. vastn̄ *aus* vast *2532* vnchewsch *auf* vncha *2533* mert *aus* ? *2537* sy *aus* sey *2545* gmachecz. *nach* nöttet *steht* Die gemachz vn̄ e' tz *2548* gewainhait *2549* trait *aus* trat *2557* gelygēt *aus* gelingēt *2562* mā *nachgetr. S* *2568 nach* Die *gestrichen* e *2580* schadē *aus* schaidē 2591 chünē *aus* chemē. chōmē *nachgetr. S* 2596 beslewsset *aus* belewsset 2597 in. nicht *aus* nich 2599 *nach* gütē *gestrichen* vñ 2611 hailbäe' *aus* halbäe' 2613 Wer *fehlt* 2615 Dē *aus* Der 2619 aine *aus* ane 2622 beschaiden *aus* beschaidem 2625 ergangen *aus* erganen 2640 mit *nachgetr. S* 2655 *nach* ain *steht* Sy 2656 dein *auf* di 2664 augen *nachgetr. S* 2665 gñ *auf* ?. der *auf* ?. tawgē *auf* ? 2677 wūder *aus* wūdē (*zweite Hand*) 2678 Do *aus* Der (*zweite Hand*) 2680 geswaig *aus* geswag 2682 smützt *aus* smütz 2688 sweigē *aus* swigē. wirdt *aus* ward 2693 weil *aus* wil 2695 wil 2700 vrchund *auf* vnt 2701 inren *auf* ing 2707 geschicht *aus* geschich *auf* geschiq 2717 sin *aus* sein 2718 ew *aus* ewr 2727 wil 2731 cōtēplerñ 2732 mediterñ 2733 andacht *aus* andach 2737 zesehē *aus* ? 2738 lustsañ 2742 Daz 2746 Nicht *aus* Nich. uersehē *ers. d.* uersten. schold *aus* schol *S* 2748 ew *aus* gew 2750 ingeflozzens (*vgl.* 2749. 2771. 2776. 3144) 2752 götleich *aus* gotleich 2757 *nach* ring *gestrichen* Beschaffen georñt *auf* ger 2762 geleich *aus* gelich 2765 dreyualt *aus* dryualt *aus* dreyualt 2771 ausgeflozzen *aus* augeflozzen 2772 *nach* geporn *gestrichen* ge 2774 dy *aus* die 2781 dryn *aus* dreyn 2784 sein *auf* si 2790 ainichait *aus* äinichait 2794 Götleych *aus* Gotleych. vorschen *aus* vorsehen 2800 hört *aus* hort 2802 macht *ers. d.* mügt *S vgl.* 3810. spechē *aus* sprechē 2813 grözz *aus* grözzer 2814 augen *aus* ougen 2819 gewalt *aus* gewal. vnbeslozzen 2822 nach *für* dē *S* 2842 di *aus* d' 2849 sel *aus* sol 2856 *nach* ardnung *steht* Nempt 2858 ordenleichen *aus* ondenleichen 2859 nicht *aus* nicht 2860 dunch *aus* duncht 2863 v'porgē *aus* e'porgē 2865 glert *aus* gbert 2874 losam. haidt *aus* haid 2876 also schön . *Umstellung durch nachgetr.* b a *S* 2879 luczerñ *aus* lucerñ 2882 dapey *auf* dapi 2901 den *aus* dem 2903 gnaschaft *auf* gm. ain *aus* an 2904 *nach* dem *gestrichen* ist 2915 schawē *aus* schowē. liebe *aus* liebē. frawe *aus* frawē 2925 Den *aus* Dem. den *(3) zu* dem 2926 *nach* güt *gestrichen* halt 2929 anderñ *aus* and'n 2930 latein *aus* laterin 2933 sin *aus* sein. enspart *aus* entspart 2934 chumpt 2943 todlichen *aus* todleichen *auf* todleig 2952 *nach* phaffen *steht* In 2954 d' *nachgetr. S* 2959 verderñ 2982 chor *aus* chon 2984 drey *auf* dri 2989 latein *aus* latin 2990 lewthtet *auf* lewtt 2994 den *aus* dem. thrōñ *aus* throñ 2996 doniaconib9 *auf* donn 3001 scherm̄ *auf* se 3007 got *aus* gut 3011 spricht *aus* espricht. d- *aus* d' 3014 nym' *aus* nym̄' 3015 nutz zes 3017 icht *aus* ich. chan *aus* chain 3019 dē *nachgetr.* (*zweite Hand*) 3027 ist *fehlt* 3031 *nach* sel *gestrichen* tod 3033 geleich *aus* ? 3040 tavgē *aus* taigē 3042 will *aus* willñ 3043 sol *nachgetr. S* 3047 *nach* speculirn *steht* Volūtas mit got 3049 schopcht. cōtēplyren *aus* cōtēpleren 3051 *nach* gotez *gestrichen* hügd. gehugde dew 3052 sich *nachgetr. S* 3055 Gogotez 3062 di *nachgetr. S* 3067 ir *nachgetr. S.* niccht *aus* nitt 3068 si *nachgetr. S* 3069 verwaldet *aus* verwaldt 3070 sey *aus* si 3072 gnadñ 3076 der *aus* dez 3078 gewiñet 3080 gehüg *aus* ghüg 3081 gegewürte 3093 spigels *aus* spiegels 3098 todleich *aus* todletch 3110 Daran *aus* Daram 3111 *nach* gepilldet *steht* stet 3112 mail *aus* mal 3113 er 3114 wächst 3115 ez *aus* er 3117 schawet *aus* schawt 3122 schol *aus* scol 3125 enspart *aus* emspart 3129 *nach* ornūg *gestrichen* st 3134 schüll *aus* scüll 3135 gestalt *aus* gesalt 3139 witz *aus* weitz. *danach* So schol wir dē rinch 3143 anegeng *aus* eingeng 3144 *nach* awz *gestrichen* sp. vnsprinch 3145 gescheft 3152 geganē 3153 yn *aus* eÿn 3161 maist *aus* meist 3163 ist vō 3165 wir *nachgetr.* (*zweite Hand*) 3180 schön *aus* schon 3186 ir' (*1*) *aus* ir 3189 nicht *aus* nich 3190 dünchē *aus* dͤinchē 3200 weishait *aus* weshait 3203 syn *aus* sein 3206 Eyn *auf* Ei 3207 enwaiz *aus* einwaz 3209 vͤirden *auf* vie. wart *aus* gewart 3210 sait *aus* seīt 3216 Zü *aus* Ze 3227 v'slikcht *aus* v'slikch 3228 syech *aus* sych *aus* seich. schawen *aus* schowen 3249 *nachgetr. S* 3251 chlaid *aus* chlad 3253 vol *aus* wol 3279 rewe 3281 nā *aus* mā 3283 chü 3286 nicht *aus* nit 3289 frͤied *auf* frīn 3293 frewdē *aus* ? 3301 gumbel *aus* ? 3302 sach *nachgetr. S* 3305 gämlich *aus* ? 3311 donerslag *aus* ? 3313 we *aus* wie 3314 quit 3318 *nach* habt *gestrichen* ich 3327 ge 3346 smartzer 3347 in *nachgetr. S* 3351 Chachitzent schriren. piz si vielen 3352 tyerr. *nach* val *gestrichen* Jr val 3356 forichtsam *aus* forichsam 3357 *nach* exaltatū *gestrichen* ¿ (= et) 3362 nyeme'e *aus* nyem'er 3363 *vor* Noch *gestrichen* N 3374 peste *aus* pest 3380 *vor* Wolff *sehr klecksig* Wolf. *nach* vil *steht* dy heten mit einand' 3381 *vor* Dy *gestrichen* spil 3393 den 3397 all *aus* aller 3402 *nach* raufftē *gestrichen* d 3405 tringchñ *auf* trink 3406 syn *aus* synn 3408 swain *aus* ? 3409 ich *nachgetr. S* 3413 sanch *aus* gesanch 3414 den *aus* dew 3421 lieb. *nach* lieb *gestrichen* vnd 3427 woltē *aus* ? 3438 iñer *aus* iñr 3442 czecicht 3436 began *zu* begvndt 3447 vnd trachtē *nachgetr. S* 3462 sibenden *nachgetr. S* 3466 leut *aus* laut 3507 sich *nachgetr.*

S 3515 genæden *aus* genaden 3517 ir *nachgetr. S* 3521 allm̄ *aus* alln̄. *nach* vnflat *gestrichen* schaiden 3527 *vor* Mit *gestrichen* M 3530 v̈rleng 3532 *nach* den *gestrichen* den 3533 saigen *aus* paigen 3547 nachualg' *auf* nachul 3550 steigent *aus?* 3557 yn *aus* im 3560 petrogen *aus* petragen 3564 ir' 3602 den *nachgetr. S* 3607 der 3614 funften *aus* funten 3617 frewtschaft. *nach* nicht *gestrichen* lasse 3619 sint *fehlt* 3630 frewtschafftt *aus* ? 3631 macht *aus* ?. *nach* snell *gestrichen* Mach lewt czu 3642 den 3647 wil *nachgetr. S* 3651 dem 3658 gesehn̄tt *aus* gesehn̄ 3659 warr *nachgetr. S* 3672 solhe *auf* soh 3686 dritt *nachgetr.* 3688 Dey *aus* Dez 3692 ein *nachgetr.* 3694 *nach* leben *steht* Vnd 3696 wach 3697 *nach* Dew *gestrichen* sch 3701 iach *auf* ic 3703 mainūg *aus* manūg 3708 *nach* Vnd *gestrichen* d 3710 dew 3712 ja *aus* ya 3724 totez *aus* gotez. *nach* vinst' *gestrichen* hat. v'iait *aus* v'iat 3735 wellē *aus* wellēt 3740 laittet *aus* laittēt 3756 hat *aus* halt 3767 fungen 3778 ew *aus* ir 3781 gabrihel *aus* gabriehel 3782 *nach* warn̄ *gestrichen* g 3785 wairn̄ 3789 iubilern̄ 3802 ganchk *aus* ? 3804 e'chorn̄ *aus* ? 3805 si *nachgetr.* 3808 also *aus* alz 3810 macht *zu* mügt *S vgl.* 2802 3814 psalterium *aus* spalterium 3821 ein *aus* an 3823 schonest *aus* schonst 3824 schönest *aus* schönst 3827 dez *aus* d' 3829 chnebelein *aus* chnebelin 3837 an *aus* am 3848 gütez *aus* gütn̄ 3849 myn̄ēt *ers. d.* liebn̄t X 3853 dem *aus* den 3855 sme̊chew *aus* sme̊thew 3862 ich *nachgetr. S* 3863 *nachgetr. S* 3866 Josep *aus* Joseph 3878 liebn̄ *aus* lieb' 3880 güt *aus* ? 3883 Sprecht *aus* Sprech 3896 rewem 3897 rw *aus* rwe 3906 geschicht *aus* gesicht 3908 ir. lieben *aus* lieb' 3914 *nach* myn̄et *nachgetr.* libet X 3920 Drukch *aus* Druch 3923 maī *aus* mā 3931 honigsam *aus* hongsam 3934 rosem 3945 Nicht *aus* Nich 3955 rewen 3963 den *aus* dem 3976 parwt 4008 baider *aus* laider 4010 des *aus* den 4029 präid *aus* praid 4030 praiden *zu* plöden 4035 hant *auf* hai 4043 war *aus* warr 4050 veraint *aus* varaint. lechnā *aus* ? 4056 *nach* erstünd *gestrichen* Vō dē to 4065 st'ben 4072 dem *aus* den 4073 sein' 4076 h'r 4078 lemptign̄ *aus* lemptig'n 4083 sant *nachgetr.* (*zweite Hand*) 4092 aynichait *aus* aimichait 4095 rwe *aus* rewe 4101 liepleith 4102 fräden *aus* friden 4106 Secht *aus* Sech 4108 peyzaychen *aus* pyzaychen

4113 sene *aus* seinē 4117 zeit *auf* zi 4124 liecht *aus* liech 4131 pringt *aus* pring 4133 mi̊rn̄ *aus* mirn̄ 4139 fralokchten *aus* frolokchten 4141 weil *aus* wil 4149 wal *aus* val 4153 geheiligtez *aus* geheligtez 4154 entspart *für* v'spart 4156 gesaigt 4160 dem *aus* der 4161 heiligt *aus* heligt 4162 gotez *aus* gotz 4167 slüst *aus* flüst 4168 hüteñ 4174 vest in *aus* vestein 4189 götleichen 4194 präed *aus* präid 4209 Enphahẽ *aus* Enphangẽ 4210 vol *aus* wol 4224 ir *nachgetr.* (*zweite Hand*) 4228 *nach* o'den *gestrichen* wber. cze *nachgetr. S* 4234 ordens *nachgetr. S* 4236 vñ rain. fiechleich *auf* fu 4238 ew *auf* v 4247 scchol *aus* scohol 4254 glawbẽ *aus* glaubẽ. gerũt *auf* gere 4257 wẽcht *aus* wẽht *aus* wẽkt 4265 gespricht *aus* gesprich 4266 sich 4268 besliessen *auf* besle 4283 lawterhait *aus* lewterhait 4286 dem *nachgetr.* (*zweite Hand*). schönisten *aus* schonsten 4311 vrolachen *aus* vrolochen 4321 tugent ist würchung. würchung *aus* wurchung (*zweite Hand*) 4324 wurkcht *aus* wurkch 4344 dem *nachgetr.* (*zweite Hand*) 4354 seinẽ *aus* sinẽ 4362 zwo *aus* zü 4364 tawgñ *zu* tawgn' 4371 luschsam 4373 warẽ *aus* warẽt 4375 dristrenig *aus* dristreng 4380 phlicht *aus* phlichtȝ (*vgl.* 1982) 4396 Speculirñ *aus* Speculirn 4400 swebũt *auf* swebe 4403 gesteigñ *aus* gestigñ 4407 sweigñ *aus* swigñ 4408 gesteigẽ *auf* gesti 4411 ind'stem 4412 maingenent. *Lücke* 4419 ew *für* mich (*zweite Hand*) 4437 auch *aus* ouch 4440 phlegt *aus* phligt 4445 Ich *aus* Iach 4452 mach *aus* macht 4463 mit vnser. *Umstellung durch nachgetr.* b a . volgeriñ *aus* ? 4465 paide' *aus* paidñ 4471 übẽt *zu* übẽ 4478 frolachten *auf* frali 4486 nã *aus* mã 4489 warhait 4508 swest' *auf* se 4510 dy *aus* die 4515 erwaizzen *aus* erwazzen 4516 chlaidẽ. chan *aus* chain 4520 hiet *auf* hu 4521 *nach* gesellet *steht* Vnd 4522 sleich *aus* slich *aus* fliech 4523 getrawen *aus* ? 4531 memẽ *aus* memẽ 4532 chan *aus* cham 4534 *nach* spes *gestrichen* ich 4535 u'zagt *aus* u'zait 4555 Der *für* Daz 4559 fleust *aus* flust 4571 Satisfactio (*vgl.* 2214, 2264, 2432) 4574 *nach* Vnd *gestrichen* so 4575 getraueñ *aus* getraurñ 4578 erñ *auf* n 4582 e'g'en *aus* e'gen 4589 nȳmã *aus* nȳm' 4597 fides *aus* frides 4610 gnädechleich *aus* gnädeleich 4613 *nach* schon *steht* Vnd w'dent 4614 gegewürt 4623 *nach* streit *gestrichen* d 4627 get *aus* geit 4632 wartẽ *aus* wartẽt 4634 *nachgetragen S* 4641 ẽden *aus* wẽden 4647 ewr *auf* u 4652 *nach* fraw *gestrichen* dy 4655 gwärr *aus* ? 4656 spes *aus* ? 4657 laittet 4663 wesst *aus* wisst 4670 bedåcht *aus* bedåchte 4678 all *aus* all' 4687 ye *aus* y (*zweite Hand*) 4695 zir *auf* zie 4699 Tempacia 4705 volgten *aus* volgen 4707 namen *aus* mamen 4710 *nach* wol *gestrichen* vñ 4713 vinsterñ

4718 schull *aus* scull 4723 fortitudo *aus* fartitudo 4733 Obediēcia *aus* Obēdiēcia 4741 gwainhait 4742 pseruēcia 4751 gmain *aus* gman 4759 si *fehlt* 4769 senung *aus* sengung 4773 pin *aus* pein 4780 han *fehlt* 4792 warñ *aus* varñ 4815 lib *aus* leib. schewzzet *aus* ? 4827 *nach* pin *gestrichen* ich. ich *aus* ? 4829 chömē *aus* chömest 4839 *nach* Jch *gestrichen* send 4861 Bracht *aus* Brach 4863 grymē *auf* gri 4864 dein *aus* din 4869 dir *aus* mir 4875 ainūg *aus* anūg 4879 hat *nachgetr. X* 4881 dich *nachgetr. S.* ir *aus* dir 4883 ir *nachgetr.* (*zweite Hand*) 4884 sy *nachgetr.* 4901 v'namē *aus* v'nomē 4911 ch'tzē *aus* h'tzē 4939 ir 4971 trawñ 4992 Sei *aus* Si 4993 gswachñ *aus* ? 4998 sicht *aus* sich 5005 ainūg *aus* anūg 5010 ir 5011 *nach* dañ *gestrichen* ? 5018 chūt *aus* chūpt 5019 tröstet *zu* tröste. frümt *aus* frunt 5032 fro *aus* fra. *danach getrichen* all 5037 vnerchömē *aus* vnchömē 5041 gehellūg *aus* gehelūg 5044 ires *auf* ri 5045 ffuder *aus* vudir 5057 ein *aus* ain 5059 *nach* andacht *gestrichen* in 5063 rwe *aus* rewe 5066 *nach* gotez *gestrichen* fr 5073 rewe *aus* rwe 5076 myñe *aus* ? 5086 gepirt *aus* gebirt 5089 Dy *aus* Dew 5093 guss *aus* gruss 5099 flüchtigen *aus* ? 5103 fruchtēt *aus* fuchtēt 5104 ynn *auf* i . ersprīgent *aus* ersprīgen *auf* ersprn 5126 genem *aus* gegenem 5143 gedait *aus* gedagt 5154 d'. wall *aus* vall 5155 *nach* fleuzzet *steht* mit fran- 5162 *nach* sicht *gestrichen* helfen 5165 phlegt 5181 enczüchet *aus* einzüchet 5186 gesachach *aus* gesach *aus* gesah 5193 der *aus* dē (*zweite Hand*) 5194 Nicht *aus* Nich 5195 lewtzel 5196 chan *aus* cham 5198 vnweiser *aus* vnwiser 5203 wir *aus* mir 5207 chan *aus* chain 5211 chrankchen *aus* chrankchem 5217 lenchet *aus* lenkchet 5218 faiget *aus* faget 5243 Macht *aus* Mach 5248 noch *aus* nach 5262 magdalena *auf* mad 5280 taritas 5309 macht *aus* mach 5316 *nach* salb *gestrichen* si 5326 si *für* ich 5328 gehüg *auf* b 5332 vō(2) *aus* ? 5336 prüd'schaft *aus* brüd'schaft 5337 gesellschaft *aus* geschellschaft 5345 Nicht *aus* Nich. dē *aus* de' 5356 bedenchet *aus* bedenkchet 5388 chünn *aus* chüm 5395 ir 5399 gemain *aus* geman 5401 schult *aus* scholt 5412 Darzü *aus* Darze 5422 hiet *aus* ? . gescheftez *aus* scheftez 5425 magd *aus ?* 5439 dein *auf* din 5454 dañ *aus* wañ 5458 nu *nachgetr. S* 5488 mein *nachgetr.* 5512 schidung *aus* schidnung. güt *aus* ? 5534 chumt *aus* chumpt 5545 mit *gestrichen* 5560 retet 5564 An *zu* Jn 5580 grüzz 5588 möcht *aus* möch 5589 d'sid'at 5596 *nach* sa *gestrichen* sponsa

5622 pärd 5625 lösleich *aus* löslich 5634 irn̄ 5641 Nicht *aus* Nich 4642 eil *aus* ? 5648 wen̄. der *aus* dē (*zweite Hand*). ī *nachgetr.* (*zweite Hand*). gelözzē *aus* v'slözzē 5649 *nachgetr. S* Wem *aus* Wen 5654 mein' *auf* mi 5688 edreich 5699 h' *aus* h'r 5710 ich *aus* in 5713 *nachgetr.* (*zweite Hand?*) 5716 aiē *aus* aiā 5719 frewen *aus* frewn 5722 gehabt *aus* geabt 5746 si *aus* sich 5747 fröleichen *auf* fröw 5755 seculoꝑ *aus* seculaꝑ 5759 x̄p̄o *aus* ? 5762 *nach* ihū *gestrichen* xpi 5764 süzzen 5768 chomē *auf* chonn. irm̄ *nachgetr. S* 5771 w'nder *aus* w'nden 5794 mit *aus* ? 5807 schönist' *aus* schonst' 5824 leib *aus* ? 5829 wisswend 5835 d' *aus* die 5844 schon *aus* schön 5845 schaidn̄ *aus* schadn̄ 5851 Eya *aus* Ey (*zweite Hand*) 5853 wir *doppelt* 5858 den *aus* der 5863 geweicht *aus* gewaicht 5874 Merchen *aus* Merkchen 5880 newen *aus* ? (*zweite Hand*) 5881 mit *aus* ? 5898 seinē 5901 edereich *auf* ederi 5910 noch *aus* nach 5914 gefüg *aus* ? 5916 perkch *aus* pekch (*zweite Hand*) 5918 dürch *aus* ? 5920 Vnze'brochē *auf* Vng 5931 chrast 5936 vol *aus* wol 5943 mēschait *auf* mēschh 5957 dem *aus* dem. mecht *aus* macht 5958 wol *aus* wal. gepunden *auf* gepur 5960 wid'sten *aus* wid'stenden 5967 lolsam 5980/1 *Lücke* 5982 d' *doppelt* 5986 Do *aus* Da *aus* Do. dy *aus* de 6001 all *nachgetr. S* 6005 wirtscheft *aus* wirtschaft 6015 *nach* sint *gestrichen* all 6016 dē *aus* de' 6025 *nach* selichait *gestrichen* lait 6034 in 6036 mechten *aus* mēchten 6053 *nach* w' *nachgetr.* d *gestrichen* R 6058 Hart *aus* Har 6061 a'ges *aus* a'gas 6065 mecht *aus* mech 6073 vnbeschnaidn' 6074 bring 6089 erste *aus* erst 6094 dacz *aus* daz 6096 den. *nach* solhew *gestrichen* tauget 6097 chunt *fehlt* 6102 *nach* ist *gestrichen* auz 6103 D' *nachgetr.*. chain 6107 vn̄ *nachgetr.* 6113 fraissam *aus* frassam 6114 leidig 6127 misstat *auf* misse 6129 sī *aus* si 6132 hailant *auf* hailer 6136 artes 6141 artzt *aus* artzat 6144 *nach* ein *steht* ge- 6149 freutez. der *aus* dez 6156 gleich *aus* geleich 6166 frümt *auf* fra 6170 müt *aus* ?. gerūg *aus* gerūt 6171 ainder 6177 veter *aus* vter 6179 Sprecht *aus* Sprech 6186 frevntschaft *aus* ? 6222 *nach* sagn̄ *steht* datz himel 6232 seinr *aus* sein' 6237 petrn̄ *aus* petern̄ *aus* peten̄ 6240 gernt 6270 manich *aus* manig 6279 fürstleich er *aus* fürstleich' (*zweite Hand*) 6287 seine *auf* sin 6292 fal *aus* val 6300 mit *nachgetr. S* 6330 himlischē *aus* himlische' 6351 iungscht *aus* iunscht 6353 dy da 6361 rüeb *aus* rüb 6389 geschehen *auf* geschep 6399 *nach* liebn̄ *gestrichen* habn̄ 6407 fürn

6411 er *nachgetr. S* *6423 vor* Angst *gestrichen* Anst *6430 nach* nöten *gestrichen* vnd erlesen *6434* reichtub. güt *auf* e *6438 nach* väterleich *gestrichen* leut *aus* laut *6442* si *aus* sr *6451* sey *aus* si *6458* hiet *aus* het *6471* de *aus* den *6480* gestankch *aus* gestanch *6482* ytwicz *aus* etwicz *6485* zaghait *aus* zaighait *6489* geschertt *aus* gescheret *6510* seligchleich *aus* seligjchleich *6527* seimē *6529* dez *aus* d' *Im Ornament*: AMEN . *Darunter* (*rot*) finis ʒ illi9 oꝑis (*schwarz*) vnde.

GRAMMATISCH-LEXIKALISCHER KOMMENTAR

32 hocher = hahaere. *s. 81. 115. 119*
52 verbegen an *m. dat.* – entschlossen zu
81 hocher *s. 32*
97 unverczait *m. inf.*
115. 119 hocher *s. 32*
131 nach volgen *m. dp und gs* – einem in etwas folgen
210 unczaemen *m. ap.* – widerspenstig machen. *verbum denominativum s. 757. 1248. 1694. 2018. 2738. 3225. 5099. 5170. 5377. (un- bei Verben s. 568. 2018. 3225)*
217 ungetrew *n.*
247 *Mhd. Gr. § 204*
365 bedewt *part. prät. nach Mhd. Gr. § 292*
370 verrichten *m. ap und an.* LEXER *III, 203*
398 hebesglust Hebe *f.* LEXER *I, 1198*; SCHMELLER *I, 1033. -s- der Wortfuge,* HENZEN *§ 26 s. 2294, vgl. 4086. 4213.*
425 entwenkhen – untreu werden. LEXER *I, 596.*
426. 436 bedenken *m. gen. nach Mhd. Gr. § 263/4 A 1*
459. 464 pedewt *s. 365*
468 fräwel *adv.* LEXER *III, 503*
522 hinder *adj.*- später
549 czaichung *f.*-Bild
552 urstantan – erwerben *(?), wenn* in *dat. reflex. ist.*
auferstehen *(?) mit* in *b. acc. vgl.* LEXER *II, 2013*
568 unphlegen *m. gen. (Mhd. Gr. § 263/4 A 1)* – sich nicht kümmern um *vgl.* LEXER *II, 1923 (un- bei Verben 210. 2018. 3225)*
572 gewirren *unpers.* – wirr sein *vgl. Mhd. Gr. § 276 a (ge-)*
575 entleiden *m. dat.* – aus der Bedrängnis helfen
632 rechen – verstoßen
639 gemain *adv.*
648 vest *subst. (acc.)*
687 ölmynn (*f. zu* olm) – empfindungslose Frau *vgl.* SCHMELLER *I, 68*
757 witzen – klug sein *s. 6495. Denominativ* s. *210.*
798 wart genoz erfunden *(802)*

800 swacht = swacheit *(?)*
808 achtnung – Ansehen
812 chlain *adv. s. 5934. 6036*
813 gesein *vgl. Mhd. Gr. § 276 a*
846 fürvaren – weiterreisen SCHMELLER *I, 745*
869 petragen *pers. konstr. m. gen.*
875 phantloz *gen.*
912 uberwert *zu* uberwaeren
934 verjehen *mit dp und as* – geloben, versprechen
956 gedenken *mit dp und zu* – bestimmen
1069 versport *zu* versperren *s. 1684. 2975. 3208. 3707. 3747. 3797. 3809. 4335. 6474.*
1073 pedewt *s. 365*
1092/3 A. c. I. Mhd. Gr. § 299 s. 3623
1114 süntgifig – sündenbringend *(?)*
1135 pestan an – aushalten bei
1136 unwiderchomenleich *adv.* LEXER *II, 1986*
1146 sparen an – versparen auf
1195 gedingen an *m. dat.* – hoffen auf *s. 3499.* LEXER *I, 773*
1197 gewern *m. gen.* LEXER *I, 988*
1244 tawentleich = in tagewans wîse. SCHMELLER *II, 917*
1248 maiczogen *s. 1254, verb. denominat. s. 210*
1281 gernung – Begierde
1296 rechten – rechtfertigen, *denominativ s. 210*
1346 twahel *f.*-Quelle *(?)*
1335 chunt = kundete. kunden *m. dat.* – kund werden. LEXER *I, 1772*
1356 zaichnung *f.*-Bild *s. 3541.* LEXER *III, 1049.*
1383 petragen *pers. konstr.*
1406 pedewt *s. 365*
1436 gewanen *m. inf.* – gewohnt werden LEXER *I, 997*
1457 peywanen – zugehören
1483 abchomen *m. gen.* – sich enthalten *s. Mhd. Gr. § 263/4 A 1*
1553 meidung *f.*- das Vermeiden
1605 parig = borge *(Zwischenvokal,* KRANZMAYER *LG § 49 f 1; 50 d 1)*
1611 menschenplöd *dat.*
1630 bechennen *m. abh. Satz vgl. Mhd. Gr. § 352*
1649 unsicherhait *(erster Beleg s.* LEXER *II, 1936)*
1694 stillnüzzen – schweigen. *Denominativ s. 210*
1740 leidnung *f.*- das Leiden *s. 5352*

1746 hinvar – von jetzt an. SCHMELLER *I, 1117*
1761 wächs *f.* – Wachstum *vgl.* SCHMELLER *II, 838*
1879 *A. c. I. unter lat. Einfluß Mhd. Gr. § 299*
1913 unwiderchämleych *adj.* – ohne Rückkehr LEXER *II, 1986*
1971 überrinnen *intr. m. gen.* – überfliessen von LEXER *II, 1651*
1989 manneschraft *adj.* – herrlich. *(Umwortung s. 2321. 3656. 4614)*
1991 bebolgen – hin und her wälzen. SCHMELLER *II, 904*
2018 ungeharsamen – ungehorsam sein. *Denominativ s. 210 (un- bei Verben s. 210. 568. 3225)*
2064 ervächten – ermessen. ergründen *s. 4188. 5855. 6336. 6396. von* phacht *vgl.* SCHMELLER *I, 418 f.*
2068 menschensynn *dat.*
2097 heln – unsaubere Geschäfte machen *s. 3579 vgl.* LEXER *I, 1242 f.*
2098 unsawber *subst.* SCHMELLER *II, 207 (Glosse des VIII. Jhs.)*
2114 pärmchleich – barmherzig
2135 gehüg *dat.*
2145 unrüesam – ruhelos
2260 vel *f.* – Verfehlung *s. 4280, statt des üblichen* mail
2266 zü sprechen *s. Mhd. Gr. § 273*
2294 hütezgewär – sorgfältig behütet. huot *ist fem., -s- der Wortfuge s. 398 (vgl. 4086. 4213) vgl.* HENZEN, *Wortbildung § 26, zur Bildung des Adjektivs* HENZEN *§ 31*
2321 notdurft *adj. (zur Umwortung s. 1989. 3656. 4614)*
2384–6 sich vermügen *(m. gen.:)* gnad *vgl. Mhd. Gr. § 263/4 A 1*
2409 ausswellen – ausspülen *vgl.* LEXER *II, 2033*
2436 betzaichung *f.* – Hinweis, Symbol
2439 müsen *prät. zu* müezen *Mhd. Gr. 172. 9.*
2456 gesmachen *m.* – Geruch *s. 5251. 5991.* SCHMELLER *II, 541*
2463 underwankch – Unterbrechung
2493 ez = gepet *(2487)*
2522 sind *subst.*
2545 gmachez legen – in Pflege legen *vgl. Mhd. Gr. § 267*
2602 bedewt *s. 365*
2677 spehel *m.* – Spiegel
2734 in der mitte synn = meditieren
2735 haimleichen – vertraulich nähern, *denominativ s. 210*
2737 awgsehen – erblicken *vgl.* HENZEN *§ 52*
2738 lustsamen *m. inf. und gen.* – sich erfreuen, *denomin. s. 210*
2751 enspart *v.* entsperren *s. 1338. 1995. 2933. 3023. 3125 u. a.*

2801 gwar sein an – achthaben auf *vgl.* LEXER *I, 977*
2849/50 beschaffen *part. prät. nach Mhd. Gr. § 292*
2903 gnaschaft = genozschaft – Ebenbürtigkeit
2932 bedewt *s. 365*
3017 mälich *adv.* (*v.* mal – Zeitpunkt) – von Punkt zu Punkt
3093 in *m. gen.* = inne
3099 disthait = dissîthait *(?)* – Diesseits
3216 *A. c. I. nach lat. Gramm. Mhd. Gr. § 299*
3225 undulten – ungedultig sein, *denominativ s. 210*
(un- bei Verben s. 210. 568. 2018)
3328 chachitzen – laut lachen *s. 3351.* SCHMELLER *I, 1219*
3370 hingeben – verkaufen SCHMELLER *I, 866*
3373 haefte *adj.* = haft *?* LEXER *I, 1203*
3376 sich haben – sich befinden. SCHMELLER *I, 1031*
3408 frayssam *subst. vgl.* SCHMELLER *I, 827 (z. Umwortung 648. 5898. 5967)*
3440. 3480. 3498 pedewt *s. 365*
3499 gedingen an *s. 1195*
3541 czaichnung *s. 1356*
3576 belangen – verlangen LEXER *I, 170*
3579 heln *s. 2097*
3623 *A. c. I. vgl. Mhd. Gr. § 299 s. 1091/2*
3656 gesicht *adj. vgl.* SCHMELLER *II, 247 (z. Umwortung 1989. 2321. 4614)*
3731 umb süchen *tr.*- umhersuchen *vgl.* LEXER *II, 1742*
3767 fralochen – frohlocken LEXER *III, 529 s. 3916. 4114. 4139. 4311. 4478. 4802. 4891. 4902. 5023. 5156*
4002 glauben *m. dopp. acc. vgl.* GRIMM *DW IV, 1, 4 S. 7844*
4079 werdent unverzigen – werden nicht abgeschlagen *vgl. Mhd. Gr. § 290*
4188 erphe̊chten *s. 2064*
4280 vel *s. 2260*
4375 dristrenig – aus drei Fäden geflochten LEXER *I, 466*
4413 unsicht *adj.*- unsichtbar
4416 erliezzen = *(Prosafassung)* auff tuen, entsliezzen. LEXER *I, 651*
4421 auf höher sten – zurücktreten. SCHMELLER *II, 710. s. auch Altdt. Bll. II. Geistl. Minne II, 49.*
4498 auf baz – höher hinauf *s. 4793.* SCHMELLER *I, 286*
4614 gegenwürt *adj.*- gegenwärtig *vgl.* LEXER *I, 781 (z. Umwort 1989. 2321. 3656)*
4734 hellung – Eintracht LEXER *I, 1240*
4771 getraw *f.* – Vertrauen

4793 aufbaz *s. 4498*
4903 vrasingen – jubelnd singen *s. 5032 vgl.* LEXER *III, 536*
4906 pidmung *f.*- Beben. LEXER *I, 265*
4996 ir gepet = irer gepete
5032 fro singen *s. 4903*
5083 versuchnung *f.* – Versuchung *vgl.* LEXER *III, 259*
5099 flüchtigen – in die Flucht schlagen LEXER *III, 420, denominativ s. 210*
5137 anbeschewd *f.* – Anblick *s. 5679. 5728.*
5147 bedewt *s. 365*
5170 andachten – in Andacht sein, *denominativ s. 210*
5175 ungwarhait – *(militär. belegt als)* Schutzlosigkeit LEXER *II, 1884*
5175 stroffen *m. ap und gs* – mit tadelnden Worten zurechtweisen LEXER *II, 1221*
5238 gwesten = questen
5251 gesmachen *s. 2456*
5301 undankchnemchait – Undank LEXER *II, 1775*
5336 prüderschaft *s. 5695. 6160. 6174. 6190* LEXER *I, 370*
5377 genügen *m. dp und gs* – genug sein LEXER *I, 865*
5451 durchfliezzent *(s. 6001) part. präs. in pass. Bedeut. Mhd. Gr. § 286*
5808 ungenassam *adj.* – unebenbürtig *s. 6175. 6281. vgl.* LEXER *II, 1855*
5855 erphechten *s. 2064*
5898 gesehen *subst.* – Blick LEXER *I, 908*
5922 ungelaidet – unbehindert LEXER *II, 1841*
5967 lobsam *subst.* – Lobwürdigkeit *vgl.* LEXER *I, 1941*
(z. Umwortung s. 648. 3408. 5898)
5991 gesmachen *s. 2456*
5993 unbesigen – unversiegt *zu* besîhen LEXER *I, 216. part. mit gramm. Wechsel*
6030 unleidichait *f.* – Dasein ohne Leiden *vgl.* LEXER *II, 1907*
6108 bescher *(f. n.?)* – Schicksal *vgl.* LEXER *I, 206* bescherde
6122 der *gen. nach Mhd. Gr. § 267 a Anm.*
6175 ungnossam *s. 5808*
6194 der = derer
6196 zwischnung *f.* – Vermittlung *vgl.* LEXER *III, 1220*
6238 degenctum – Unberührtheit des Mannes LEXER *I, 415, s. auch* degen SCHMELLER *I, 492*
6240 garnt = gearnede
6244 enein *(mit präp.* an*?)* – ineinander, zusammen LEXER *I, 521*
6336 erphechten *s. 2064*
6396 ervaechten *s. 2064*
6495 witzen *s. 757*

TEXTPROBEN AUS DEN PROSAFASSUNGEN

A. TEILABDRUCK DER MELKER PROSAFASSUNG

nach der Hs. Melk 1730 entsprechend dem Eingang des Werkes bis Vers 490.

fol. 1r Das püehel sagt von geistleicher / gemähelschaft die tzwischen / got und der sel ist und ret in / gleichnus von tugenten der junchfrawn / Die gemähelschaft die tzwi- / schen got und der sel ist die / hat den chünig der höchsten / ern von himel her ab pracht das / er unser plöde menschait an sich / nam in der er chumer smert-
5 zen / und grasse not durch unsern willen / erliten hat auff das unser sel sein / gemähel wurd. Als der weissag / gesprochen hat. dem chünig wer- / dent junchfrawn zü pracht. Das / ist ein sälige sel die sich mit tugent / tziert da mit sy des chünigs gemä- / hel wirt der sy hat von gnaden gesu- / echt und vadert sy und lat sy durch seine / götleiche wart und durch die ler / der grechten geschrift in
10 der er ir sein / lieb ertzaigt und für legt. Sälig ist / die sel dy in czu lieb enphächt
fol. 1v und / nymbt unsälig ist die in ver- / smächt und sein chnecht für in / nymbt der von seinn ern umb sein / hachvart verstozzen ist. O wie vil ir / ist die den scherigen für den hahen / chünig nemen von dem sy nicht / anders warten dann laster schannt und / ewigs wee. Die aber an der lieb des / himel fürsten pestent
15 den geit er sich selber ze lan mit vollen frewden / in ewigem leben. Dar umb wer / geistleich reden wil der pedarff ettwan / gueter gleichnus zu pessrung sunder unverstentiger lewt. als ich hie reden wil. Ein reicher haher chunig sant / aws sein poten mit priefen in seine / lant die da scholten chund tuen ein / grasse wirtschaft zu des chüni- / gs gemähelschaft als vil sy junch- / frawn pringen
20 möchten und den / chünig zu lieb wolten haben die / scholten all fürstinn werden
fol. 2r und pe- / sitzen seines reichs tran und enpha- / hen er frewd und fürstleiche chran. / Aber die sein pot versmächten und in / verliessen die müessten ewichleichen / enpern seiner wirtschaft und seins / reichs er und frewd. Der chünig / het ein untrewn und pösen chne- / cht den er von seim reich mit seinn / genassen
25 verstozzen het der trueg den / grassen neid die zu der wirtschaft / und des chünigs reich geladen wurden. / Der selb wider riet wo er chund des / chünigs potschaft. Der ern chü- / nig czu sein poten sprach. vart hin / und volpringt mein potschafft und / ob ir dar umb leib und guet ver- / liest. das wil ich euch als wider geben / und dar czü fürsten machen in meim / reich. Die poten warn perait
30 cze / tragen not und arbait in irs herren / dienst wann sein verhaissen gab in /

fol. 2v hoffnung und sterkch. / Die poten chamen vor einer stat / auff ein haid auff der sy siben / junchfrawn funden zu den sy sp- / rachen wir seinn aus gesant von / dem höchsten chünig der da reich / und edel ist und dem sich all fürsten / der welt nicht geleihen mügen dem / ir ewch schült ergeben und seiner / potschaft
35 willichleichen naigen / wann er ewer aller zu gemähelsch- / afft pegert. wann in seim reich / ist alle genuchtsamchait frewd / und sälichait an allen prechen. wider / die potschaft der tewfel in riet und / sprach. Jr junchfrawn des rats schült / ir nicht volgen. wann wer dem chü- / nig nach wil volgen der mues vil / arbait leiden er mues chlag und / trawern phlegen er mues sich selber / hassen und vil frewden ver-
40 wegen / er mues dy tzier der welt und sein / aigen frewnt lassen. wann seine / pot
fol. 3r sind swär und unträgleich / den die sich im unter geben. Dar / umb chert von im zu mir wann / ich gib euch lust und reichtumb / der welt chürtzweil tantzen sait- ten- / spil und vil er frewd und frewnt- / schafft der die mir nach volgen. / Da wider des chünigs poten sprachen / du untrewer ratgeb dein wider / sprechen mues
45 uns versmahen wan / du nicht anders chanst. dann liegen / und välschleich petriegen. Dein gab / ist jamer nöt und ewigs wee dar zü / du mit allen deinn nach volgern gewar- / ffen und verstozzen pist. dar umb du / schalkch dy pot- schaft deins herren / wider räts allain von neits wegen das / die zu den frewden chomen die na- / ch volgen dem ewigen chünig von / dann du gevallen pist. Du
50 sprichst / sein dienst sey swär und unleidl- / eich. und er selber hat gesprochen /
fol. 3v Mein purd ist ring und mein joch / süezz. wann er den die in liebhaben / und seiner ler volgen sig chraft und / die chran der ern geit wider dein un- / trew und valschait. wann er den / seinen umb ir arbait geit ewigen / reichtumb. Im geharsam ze sein / ist ein sälichait. Sein frid ein sicher- / hait. Sein huld ein
55 fürstleiche er. / Sein lieb und angesicht frewd und / wunn. Sein gnad ein süezze wir- / tschaft. Sein pot ein grechtichait. / Sein gehaim ein chewsche gemä- / hel- schafft. Sein glaub ein unpe- / trogne warhait. Sein züchumft / ein trast und aller sälden sicherhait. / Dar umb du valscher ratgeb pey / des gwalt sey dir poten das du / dich von uns schaidest. von dem / gepot er fuder cham und slaich
60 hai- / mleich czu den junchfrawn und / wider riet in des chünigs potsch- / afft.
fol. 4r Sechs junchfrawn voligten / im nach aber die sibent versmächt / seinn rat und chert sich zu dem / ewigen guet. Die poten viengen an / ir red und fragten weisleich yede / junchfrawn pesunder ob sy den herren / wolt nemen oder ver- lassen dar umb / sy antwurt geben scholt (*rot*) von der ersten junchfrawn / Die
65 erst sprach die / potschafft ist mir frömd wann / ich des nicht erchenn von dem ir / mir sagt dar umb füegt mir ni- / cht sein gemähelschafft. Die poten sprachen dein antwurt mues / dem chünig versmahen das du spri- / chst er sey dir unerchannt den / doch alle welt zu herren vergicht / und des er namm und reichtumb in / aller creatur ist erchannt. Des / namen man in allen tzungen /

70 predigt und nennt den wildu un- / weise nicht erchennen. Der tewfel / hat dein
fol. 4v hertz pesezzen und petrogen / und hat dich zu im tzogen mit / seim valschen
rat. Ein gleichnus / scholtu merkchen das deiner un- / weishait zü gehört. vier
frawn / giengen pey eim wazzer churtzwei- / len die funden gar einn edeln
stain. / da sprach die ain aws in was schol / uns der stain wann wir erchen- /
75 nen sein tugent nicht. Die ander / sprach werff wir den stain hin und / verweg
wir uns sein. die dritt / sprach werff wir in in das wazzer / swimbt er ob so ist
er guet tuet / er des nicht so ist er pös. Die / vierd sprach in der warhait ir /
seit unweis das ir sprecht ir / erchennt des stains nicht dem / doch haben urchund
geben all patriarchen / und weissagen. und von dem die lieben / tzwelifpoten
80 predigt haben. und umb / sein edel die martrer ir pluet / vergozzen haben. und
fol. 5r all peichtiger / haben mit grasser arbait erstriten / des stains wirdichait. All
heilig / junchfrawn haben mit irm chew- / schem leben nach dem edeln stain /
gearbait. Als auch noch hewt all / rain und frumb menschen tuen die / chawffen
den edeln stain mit ver- / smähen der sünten lust und des tew / fels rat. von der
85 edel margarit spricht / got selber. da sy ein weiser chaw- / fman vand da
verchawfft er als das / er het und chawft den stain. Der / stain ist der edel jesus
der von der wur- / hung des heiligen gaist von der / junchfrawn mariam parn
wart. / wer des sigs stains hüett der ge- / sigt an allen seinn veinten und tzer- /
slecht all ir getzellt. Der stain ist / predigt mit tugenten und wirdichait / er
90 möcht die taten erchükchen. die / plinten gesehund machen und pe- / hafft
chrump awssetzig oder andern / siechtumb sel und leibs wider czu ge- / sunt
fol. 5v pringen. und ir unweisen / sprecht ir chennt sein nicht der so vil / und offt pewärt
ist das nicht tzw- / eifels dar an ist. Pey den vier fr- / awn sind uns petzaichent
vierlay / menschen. die drey wellen sich / des edeln stain Jesum Christum
95 peraw- / ben. Die ersten wellen im nicht glaw- / ben. die andern wellen vor
trachait / durch got nicht arbait leiden. Die dritten wellen got versuehen als
pald / er sy ettwan nicht gewert des sy / unweisleich an im pegern so mürelm /
sy wider sein güet und chraft. Aber / die vierd fraw den stain nam und / pehielt
den fleissichleichen und straft / die andern unweisen drey als ich / vor gesagt
100 han. Pey der weisen / vierden frawn schol man versten / frumb trew christen
die ander un- / weis menschen straffen mit ler / und mit gueten ebenpilden umb
fol. 6r ir / irsal und unrechts leben das in / zu hertzen get als an in selber. vol- / gen
sy in das ist guet volgen sy in / nicht got lät sy dannoch unpe- / lant nicht. Die
gleichnus sey / der unweisen junchfrawn gesagt / die da nicht erchennen wolt
105 den / chünig aller creatur den sy versmächt / und macht sich untertan dem
tewfel / irm herren. Pey der junchfrawn / schol man versten chetzer juden /
und haiden die ab gesniten sind von / dem christen glauben. und auch all /
die dy vor plintichait irer pashait / got nicht erchennen wellen und / die ding

die irer sel sälichait zü / gehörn und nür allain weis / und fleissig sind wie sy
110 weltleich / guet er reichtumb und des leibs / lust pesitzen und herschen. der selben / weishait ist vor got ein tarhait. / die pashait tuen chünnen und nicht / wol die sind petrogen in irm va- / lschen gesicht. Als die awfen und / fledermews
fol. 6v die pey dem tag sind / plint und pey der nacht sehen. Also / haben die das ewig liecht verlarn / und haben in aws ercharn die na- / cht des töds. (rot) von der
115 andern junchfrawn / Des chünigs poten der andern / junchfrawn sagten ob sy den / herren nemen wolt des scholt / sy in antwurt geben. Sy sprach / ich näm gern den herren ich mag / aber nicht enpern meiner gespiln / die ich lieb han und sy mich solt / ich von der schaiden das möcht ich als / schier nicht tuen ob ich aber dar zü frist / hiet so wolt ich mich dar umb pe- / denkchen. Da wider
120 des chünigs po- / ten sprachen dein antwurt ist dem / herren unwerd wann er so edel / und so hachwirdig ist das man sein / mit ernst und gantzem hertzen pegern / schol. Dar umb hör hie ein glei- / chnus das deiner tarhait zü gehört /
fol. 7r Ein jäger einn affen jagt mit seinn / hunten der lewff pey eim wasser / in dem er sein pild ersach und / vergas da mit des jägers nach jagen / und sas da selbs
125 nyder und spilt / gegen seim pild untz das in der / jäger ungewarnt nam und warff / in den hunten für die in mit grym / ze rissen und tötten. Pey dem affen / sind pedewt die menschen die / also an irm muet petrogen sind / das sy gots vergessen und sich also / an sehen in den fleischleichen lüsten / untz das sy der jäger der grimig tod / uber eilt und sy für die hellischen / hunt wirfft und mit
130 in pringen / zu der ewigen marter. Des affen / tumbhait sey der unweisen junch- / frawn gesagt die ir gespiln lieber / het dan den chünig aller ern / den sy lieber tet verlassen dann ir ge- / spiln dar umb sy auch seiner gemä- / helschaft ewichleich mues an / sein und enpern.

am oberen Rand: JESUS MARIA
8/9 *beide* sy *hineinkorrigiert*
78 urchund *am Rand nachgetragen*
95 im *eingeflickt*
118 solt *auf Korrektur*
118 *Unleserliches am äußeren Rand*
119 dar *eingeflickt*

B. DIE LESARTEN DES 'BUCHES DER KUNST'

(Bämlers Druck v. 7. März 1477, GKW 5666), verglichen mit denen der Hs. Melk 1730.

Überschrift (*rot*) Hie nach volget ein bůch der kunnst / dar durch der weltlich mensch mag geystlich werden / und der schlecht unverstendig mensch durch geleichnuß zů klarer verstendtnuß götlicher sacrament und grosser gehaim der cristenheit / mag gepracht und gefürt werden Das durch einen hochgelerten doctor und lerer / der aller durchleüchtigisten groß mächtigisten fürstin und frawen fraw Leonaren Römischen kaiserin etc. mit höchstem vleiß von latin zů teütsch gepracht und iren kaiserlichen genaden geantwort und geschenckt ist worden

2 gemahelschafft so *3* ist hat *5* auff das dz *8/9* sy von genaden hat gesůcht gevordert und geladen durch *9* und lere; der heyligen geschrifft *11* aber unsälig ist sy die *13* nichcz *15* selbs *16/7* einer besserung besunder schlecht unverstendig *17* Von des höchsten künigs botschafft. Gar ein *20* Und die den; künig lieb haben wölten
24 ungetrewen bösen; mit seinen genossen von seinem reych *25* trug grossen neid allen den die *26* wurden und widerriet auch wo *27* Da sprach der künig der eren zů seinen poten farent
31 grosse hoffnung; Es kamen die poten vor *31/2* ein schöne haid auff der stůnden siben junckfrawen zů den sprachen sy Wir *34* dem söllent ir euch ergeben *36* fröwd wunn und *37* dise potschafft riet in der tewfel und sprach also zů in. Ir *38* nach volgen will
41 in undertenig machen *43* den die *43/4* Darwider sprachen des *44* poten Du *47/8* schalck wider redest du die botschafft deines herren allein *48* die nit *49* dem du *50* er hat selber
53 er gibt den; arbeit ewig; reichtumb und im *54/5* *fehlt*: Sein *bis* er *57* ein warheit *58* seinem gewalt *59/60* Da schied er von dannen und gieng heimlich *60* in die botschafft *61* Sechs volgeten im aber
61 verschmähet in und *62/3* Die boten fragten yegkliche junckfrauen *64* Darumb ir yede sunderlichen ein antwurt *64/5* Der ersten yunckfrawen antwurt. Antwurt die erst junckfraw und sprach *65/6* ich erkenn den nicht von *66* mir sein gemahelschafft nicht *68* zů einem herren *69/70* in allen tzunngen prediget man und nennet seinen vil heyligen namen Den wilt
72 die keiner *72/3* Es giengen vier frawen bey *73* funden einen *75/6* fraw die sprach. Wir wöllen den stein hinwerffen und wöllen uns sein verwegen. Die dritt fraw sprach Wir wöllen in in das wasser werffen schwymmt *78* den stein *80/1* vergossen und die peichtiger mit vil arbeit des steins wirdigkeit erstriten haben auch all
82 junckfrauen mit *83* gearbeyt haben Als *83/84* *fehlt*: die chawffen den edeln stain *84* verschmähung *84/5* dem edeln margariten *85* den da ein

86 Diser *87* der mit würckung *88* desselben steins *89* geczieret mit tugenden ere und wirdigkeyt *90* mag *90/1* machen behafft krumm und ausseczig und ander *91* der sele und des leibs zu gesuntheyt.
93 dz dhein czweifel *94* drey frawen wöllent *95* berauben und verwegen *95/6* Aber die andern wöllent vor tragkeyt dhein arbeyt leiden. Die dritten die *97* an in *98* fraw nam den stein und *99* in; andern drey unweisen frawen als *100* der selben vierden weisen frawen *101* und gůten *101/2* umm iren
103 nicht so laßt sy got dannocht nit unbelonet *106* der selben unweisen junckfrawen; versteen die *107* seind von cristenlichem gelauben *107/8* alle die vor *108* wöllent noch *109* und allein *110* *fehlt*: und herschen *111* selbigen; die nun boßheyt *111/2* nicht gůts thůn Die *112* eilen *113* tag plind seind und
; gesehent *114/5* der andern junckfrawen antwurt und widerred *115* boten sagten der andern junckfrawen und fragten sy ob *116* wölt darczů sölt sy ir antwurt geben. Da antwurt sy und sprach *117* meiner gespilen enperen *118* ich mich von ir *119/20* wider sprachen des künigs poten Dein *120/1* er ist so edel und hochwirdig dz *121* *fehlt*: ernst und *122* *fehlt*: hie; die deiner *123* Es jaget ein jäger einen affen mit
124 pildnuß *125* pilde also lang uncz in der *127* werdent bedeütt; in irem *130* pringt *131* die da ir *133* ewigklichen onennde můß

BIBLIOGRAPHIE

A. EDITIONEN ZUR BRAUTSCHAFT DER SEELE

Altdeutsche Blätter, hrsg. von MORIZ HAUPT - HEINRICH HOFFMANN. Bd. 2. Leipzig 1840 ('Geistliche Minne' S. 359–373 = WACKERNAGEL KL II, S. 290 ff.).

ROMUALD BANZ: Christus und die Minnende Seele. Zwei spätmittelhochdeutsche mystische Gedichte (Germanist. Abh. 29). Breslau 1908.

KARL BARTSCH: Die Erlösung mit einer Auswahl geistlicher Dichtungen (Bibl. der ges. dt. Nat.-Lit. 37). Quedlinburg und Leipzig 1858 (S. 214–224. 242–277).

ELEONORE BENARY: Liedformen der deutschen Mystik im 14. und 15. Jahrhundert. Diss. Greifswald 1936 (S. 75–77, S. 83–87).

KARL BIHLMEYER: Heinrich Seuse, Deutsche Schriften. Stuttgart 1907.

'De nuptiis libri duo'. PL 176. p. 1201–1218.

GUIDO M. DREVES S. J.: Konrads von Hirschau doppelchöriges Epithalamium Virginum. ZfkathTh 25, 1901, S. 546–554.

ARWED FISCHER: Brun von Schonebeck (Bibliothek des litterarischen Vereins in Stuttgart 198). Tübingen 1893.

AUGUST HARTMANN: Scheirer Rhythmus von der Erlösung. ZfdA 23, 1879, S. 173–189 = 'Conflictus Iustitiae et Misericordiae'. Analecta hymnica 46, ed. BLUME-DREWES. Leipzig 1905, Nr. 328).

Hugo von St. Viktor: De amore Sponsi ad Sponsam. PL 176, p. 987–994.

Hugo von St. Viktor: Soliloquium de Arrha Animae. PL 176, p. 951–970.

Innocentius III: De quadripartita specie nuptiarum Liber. PL 217, p. 921–968.

CARL KRAUS: Deutsche Gedichte des zwölften Jahrhunderts. Halle 1894 (Nr. 8).

RUDOLF LANGENBERG: Quellen und Forschungen zur Geschichte der deutschen Mystik. Bonn 1902 (S. 64–66. 131).

GEORG WOLFGANG KARL LOCHNER: Leben und Gesichte der Christina Ebnerin Klosterfrau zu Engelthal. Nürnberg 1872.

FRIEDRICH MAURER: Die religiösen Dichtungen des 11. und 12. Jhs. Bd. I u. II. Tübingen 1964/5 (I. Nr. 8. 9. II. Nr. 30. 43).

HERMANN MENHARDT: Das St. Trudperter Hohe Lied (Rheinische Beiträge und Hilfsbücher zur germanischen Philologie und Volkskunde 22). Halle 1934.

P. GALL MOREL: Offenbarungen der Schwester Mechthild von Magdeburg oder das fließende Licht der Gottheit. 2. unveränd. Aufl. Darmstadt 1963.

HERMANN OESTERLEY: Gesta Romanorum. Berlin 1872.

KARL RIEDER: Mystischer Traktat aus dem Kloster Unterlinden zu Colmar i. Els. Zeits. f. Hochd. Mundarten 1, 1900, S. 80–90.

Sanctae Gertrudis Magnae 'Legatus divinae pietatis'. Pictavii et Parisiis 1875.

Sanctae Mechtildis 'Liber Specialis Gratiae'. Pictavii et Parisiis 1877.

OSKAR SCHADE: Daz buochlin von der tohter Syon. Berlin 1849.

Edward Schröder: Die Ebstorfer Liederhandschrift. Jahrb. d. Ver. f. niederdt. Sprachforsch. 15, 1889, S. 1–32 (Nr. 7. 20).

Karl Schröder: Carmen sponsae. Germania 17, 1872, S. 357–358.

Karl Schröder: Der Nonne von Engelthal Büchlein von der Genaden Uberlast (Bibl. des Litt. Vereins in Stuttgart 108). Tübingen 1871.

Wolfgang Stammler: Gottsuchende Seelen (Germanist. Bücherei 1). München 1948 (Nr. 9. 10. 74).

Philipp Strauch: Die Offenbarungen der Adelheid Langmann Klosterfrau zu Engelthal (Qu. und Forsch. zur Sprach- und Culturgesch. 26). Straßburg 1878.

Philipp Strauch: Margaretha Ebner und Heinrich von Nördlingen. Freiburg/Br. u. Tübingen 1882.

Ferdinand Vetter: Das Leben der Schwestern zu Töss beschrieben von Elsbet Stagel samt der Vorrede von Johannes Meier und dem Leben der Prinzessin Elisabet von Ungarn (DTM 6). Berlin 1906.

Karl Weinhold: Lamprecht von Regensburg. 'Sanct Francisken Leben und Tochter Syon'. Paderborn 1880. Darin (S. 285–291): Filia Syon (der lateinische Traktat) = FS.

Wilhelm Wackernagel: Kleineres ahd. Lesebuch. 2. Aufl. Basel 1880 (S. 514).

B. ALLGEMEINE LITERATUR ZUR GEISTLICHEN BRAUTSCHAFT

Arthur Allgeier: Der König und die Königin des 44. (45.) Psalmes im Lichte des N. Test. und der altchristlichen Auslegung. Ein Beitrag zur Begriffsgeschichte der Sponsa Christi. Der Katholik 97, 1917, S. 145–173.

Kurt Berger: Die Ausdrücke der Unio mystica im Mittelhochdeutschen (Germanische Studien Heft 168). Berlin 1935.

Odo Casel: Die Kirche als Braut Christi nach Schrift, Väterlehre und Liturgie. Theologie der Zeit (Theologische Beihefte zum 'Seelsorger') 1, 1936, S. 91–111.

Odo Casel: Die Taufe als Brautbad der Kirche. Jahrbuch der Liturgiewissenschaft 5, 1925, S. 144–147.

Jean Daniélou: Liturgie und Bibel. Die Symbolik der Sakramente bei den Kirchenvätern. München 1963 (S. 193–208. 216–221).

Gustav Ehrismann: Geschichte der deutschen Literatur bis zum Ausgang des Mittelalters. Zweiter Teil. Die mittelhochdeutsche Literatur. Schlußband. München 1935 (S. 426–428).

A. Gebhard: Die Briefe und Predigten des Mystikers Heinrich Seuse, gen. Suso, nach ihren weltlichen Motiven und dichterischen Formeln betrachtet. Berlin und Leipzig 1920.

Otto Gillen: Braut – Bräutigam (Sponsa – Sponsus). In: Reallexikon zur deutschen Kunstgeschichte 2, Sp. 1110–1124.

Otto Gillen: Brautmystik. In: Reallexikon zur deutschen Kunstgeschichte 2, Sp. 1130–1134.

Otto Gillen: Christus und die Sponsa in der Heilig-Grab-Kapelle des Magdeburger Doms. Eine ikonographische Untersuchung. Die christliche Kunst 33, 1936/7, S. 202–224.

Martin Goebel: Die Bearbeitungen des Hohen Liedes im 17. Jahrhundert. Nebst einem Überblick über die Beschäftigung mit dem Hohen Liede in früheren Jahrhunderten. Diss. Leipzig 1914.

Karl Goedeke: Grundriß zur Geschichte der deutschen Dichtung. Erster Band. 2. Aufl. Dresden 1884 (S. 204–206).

Rudolf Günther: Die Bilder des Genter und des Isenheimer Altars. II. Teil. Die Brautmystik im Mittelbild des Isenheimer Altars. Leipzig 1924.

Karl Heisig: Über den geistesgeschichtlichen Standort des 'Sponsus'. Romanistisches Jahrbuch 5, 1952, S. 245–255.

Karl Künstle: Ikonographie der christlichen Kunst I. Freiburg i. Br. 1928 (S. 316–318).

Grete Lüers: Die Sprache der deutschen Mystik des Mittelalters im Werke der Mechthild von Magdeburg. München 1926.

Franz Mussner: Brautsymbolik, biblische. In: LThK 2, Sp. 661/2.

Friedrich Ohly: Hohelied-Studien. Grundzüge einer Geschichte der Hoheliedauslegung des Abendlandes bis um 1200. Wiesbaden 1958.

Arnold Oppel: Das Hohelied Salomonis und die deutsche religiöse Liebeslyrik. Diss. Freiburg i. Br. 1911.

Helmut Riedlinger: Brautmystik. In: LThK 2, Sp. 659.

Joseph Sauer: Das Sposalizio der heiligen Katharina von Alexandrien. In: Studien aus Kunst und Geschichte. Friedrich Schneider zum siebzigsten Geburtstag gewidmet von seinen Freunden und Verehrern. Freiburg i. Br. 1906.

Wilhelm Scherer: Geistliche Poeten der deutschen Kaiserzeit. 2 (Quellen und Forschungen zur Sprach- und Culturgeschichte 7). Straßburg 1875 (S. 55).

Josef Schmid: Brautschaft, heilige. In: Reallexikon für Antike und Christentum 2, S. 528–564.

Wolfgang Stammler: Mittelalterliche Prosa in deutscher Sprache. In: Aufriß[2] II, Sp. 939–943.

Wolfgang Stammler: Studien zur Geschichte der Mystik in Norddeutschland. Archiv für Religionswissenschaft 21, 1922, S. 122–162 (S. 144 Anm. 1).

Philipp Strauch: Über Preger, Deutsche Mystik II. AfdA 9, 1883, S. 113–159 (S. 121 Nr. 7).

Heinz Tillmann: Studien zum Dialog bei Mechthild von Magdeburg. Diss. Marburg 1933.

E. Faye Wilson: Pastoral and Epithalamium in Latin Literature. Speculum 23, 1948, p. 35–57.

C. VERSTREUTE HINWEISE AUF DAS WERK

Altdeutsche Blätter, hrsg. von Moriz Haupt–Heinrich Hoffmann. Bd. 2. Leipzig 1840.

Romuald Banz: Christus und die Minnende Seele. Zwei spätmittelhochdeutsche mystische Gedichte (Germanist. Abh. 29). Breslau 1908.

Otto Behaghel: Der Stand des germanischen b im Anlaut des Bairischen und die mhd. Schriftsprache. PBB 57, 1933, S. 240–284.

Hanns Fischer–Hans Fromm: Mittelalterl. dt. Handschriften der Univ.bibl. München (II). PBB (Tüb.) 84, 1962, S. 433–473 (S. 442/3).

HANS FROMM – HANNS FISCHER: Mittelalt. dt. Handschriften der Univ.bibl. München. In: Unterscheidung und Bewahrung. Festschr. f. Herm. Kunisch z. 60. Geb. Berlin 1961, S. 109–131 (S. 119 f.).

ANNEMARIE KLECKER: Das Büchlein von der geistlichen Gemahelschaft in Cod. 295 des Wiener Schottenstifts. In: Festschr. f. D. Kralik. Horn NÖ 1954, S. 193–203.

HANS RUPPRICH: Das Wiener Schrifttum des ausgehenden Mittelalters (Sitz.ber. der Österr. Ak. d. Wiss. phil.-hist. Kl. 228. Bd. 5. Abh.). Wien 1954 (S. 49 f.).

WOLFGANG STAMMLER: Konrad. In: VL II, Sp. 869/70.

WOLFGANG STAMMLER: Mittelalterl. Prosa in dt. Sprache. In: Aufriß[2] II, Sp. 749–1102 (Sp. 940).

WOLFGANG STAMMLER: Studien zur Geschichte der Mystik in Norddeutschland. Arch. f. Rel. wiss. 21, 1922, S. 122–162. (Überarbeitete Fassung in: Altdt. u. altndl. Mystik [Wege der Forschung XXIII]. Darmstadt 1964, S. 386–426, S. 420.)

D. ZUR SPRACHE DES TEXTES

(Lokalisierung, Datierung, soziologische Bezüge, Editionsgrundsätze)

KARL BOHNENBERGER: Auslautend g im Oberdeutschen. PBB 31, 1906, S. 393–428.

BERTA GILLITZER: Die Tegernseer Hymnen des Cgm. 858 (Forsch. zur bair. Mundartkunde 2). München 1942.

ARTHUR HÜBNER: Grundsätze für die Herausgabe und Anweisungen zur Druckeinrichtung der Deutschen Texte des Mittelalters. Neue Fassung (DTM 38). Berlin 1934. (Ergänzt durch WERNER SIMON, Nachwort zur Einleitung des DTM 49. Berlin 1957.)

INGE KÖCK: Entwurf einer mittelbairischen Lautgeschichte nach Traditionen, nach Urbaren und Urkunden. Diss. (Masch.) München 1946.

EBERHARD KRANZMAYER: Die bairischen Kennwörter und ihre Geschichte (Studien zur österr.-bair. Dialektkunde 2). Wien 1960.

EBERHARD KRANZMAYER: Die steirische Reimchronik Ottokars und ihre Sprache (Sitz.-ber. der Österr. Ak. d. Wiss. phil.-hist. Kl. 226. Bd. 4. Abh.). Wien 1951. (= KRANZMAYER R)

EBERHARD KRANZMAYER: Historische Lautgeographie des gesamtbairischen Dialektraumes. Wien 1956. (= KRANZMAYER LG)

KAJ B. LINDGREN: Die Ausbreitung der nhd. Diphthongierung bis 1500 (Ann. Ac. Scient. Fennicae Ser. B.tom. 123, 2). Helsinki 1961.

OTTO MAUSSER: Mittelhochdeutsche Grammatik auf vergleichender Grundlage. 1. Teil (Dialektgrammatik). München 1932.

HUGO STOPP: Zur Lokalisierung alter, besonders spätmittelhochdeutscher, literarischer Texte. WW 14, 1964, S. 105–120.

LAURENZ STREBL: Zu Schreibung, Sprache und Kulturleben in Klosterneuburger Rechnungsbüchern. Diss. (Masch.) Wien 1956.

KARL WEINHOLD: Bairische Grammatik. Berlin 1867.

KONRAD ZWIERZINA: Mittelhochdeutsche Studien 8. 9. ZfdA 44, 1900, S. 249–316. 345–406.

E. ZUR GEISTIGEN HERKUNFT DES TEXTES

ALEXANDER VON HALES: Summa theologica. lib. III. p. III. inqu. I (De gratia). tom. 4. Quaracchi 1948 (p. 941–1060).

KARL HEINRICH FRIEDRICH GANDERT: Das Buß- und Beichtwesen gegen die Mitte des 13. Jhs. Diss. Halle 1894.

KARL HEIM: Das Wesen der Gnade und ihr Verhältnis zu den natürlichen Funktionen des Menschen bei Alexander Halesius. Leipzig 1907.

ARTUR MICHAEL LANDGRAF: Dogmengeschichte der Frühscholastik. 1. Teil. Die Gnadenlehre Bd. I. Regensburg 1952.

FRANZ MITZKA: Die Lehre des hl. Bonaventura von der Vorbereitung auf die heiligmachende Gnade. ZfkathTh. 50, 1926, S. 27–72. 220–252.

KURT RUH: Altdeutsche Mystik. WW 7, 1956/7, S. 212–231.

KURT RUH: Bonaventura deutsch. Bern 1956.

KURT RUH: Die trinitarische Spekulation in deutscher Mystik und Scholastik. ZfdPh. 72, 1953, S. 24–53.

KURT RUH: Zur Grundlegung einer Geschichte der franziskanischen Mystik. In: Altdt. u. altndl. Mystik (Wege der Forschung XXIII). Darmstadt 1964, S. 240–274.

P. POLYKARP SCHMOLL: Die Bußlehre der Frühscholastik (Veröff. aus dem kirchenhist. Sem. München III. Reihe Nr. 5). München 1909.

P. EGINO WEIDENHILLER: Untersuchungen zur deutschsprachigen katechetischen Literatur des späten Mittelalters (MTU 10). München 1965.

WILTRUD WICHGRAF: Der Tractat von der Tochter von Syon und seine Bearbeitungen. PBB 46, 1922, S. 173–231.

F. VERFASSERPROBLEM UND ÜBERLIEFERUNGSGESCHICHTE

PATRICK J. BARRY: Die Zustände im Wiener Schottenkloster vor der Reform des Jahres 1418. Diss. München. Aichach 1927.

G. E. FRIESS: Geschichte der österreichischen Minoritenprovinz. Arch. f. österr. Gesch. 64, 1882, S. 79–245.

MARTIN GRABMANN: Die Kulturwerte der deutschen Mystik des Mittelalters. Augsburg 1923.

VIGILIUS GREIDERER: Germania Franciscana. tom. I. Oeniponte 1777.

IGNAZ FRANZ KEIBLINGER: Geschichte des Benedictiner-Stiftes Melk in Niederösterreich, seiner Besitzungen und Umgebungen. Bd. I, Wien 1851.

MARTINUS KROPFF: Bibliotheca Mellicensis seu vitae et scripta Benedictorum Mellicensium. Vindobonae 1747.

P. PARTHENIUS MINGES: Geschichte der Franziskaner in Bayern. München 1896.

HEINZ RUPP: Deutsche religiöse Dichtungen des 11. und 12. Jahrhunderts. Freiburg 1958.

Saeculum quintum bis fortunatum, terque beatum (etc.). Neostadii Austriae 1724.

ALBERT SCHRAMM: Der Bilderschmuck der Frühdrucke. 3. Die Drucke von Johann Baemler in Augsburg. Leipzig 1921.

Georg Zappert: Über das Fragment eines liber dativus (Sitz.ber. d. kais. Ak. d. Wiss. phil.-hist. Cl. 13. Bd.). Wien 1854, S. 97–183.

Joseph Zeller: Beiträge zur Geschichte der Melker Reform im Bistum Augsburg. Archiv f. d. Gesch. d. Hochstifts Augsburg 5, Dillingen 1916–19, S. 167–182.

REGISTER

INCIPIT-REGISTER

HANDSCHRIFTEN- UND INKUNABELREGISTER

VERFASSER- UND WERKREGISTER

MÜNCHENER TEXTE UND UNTERSUCHUNGEN
ZUR DEUTSCHEN LITERATUR DES MITTELALTERS

Titelübersicht

1. Band: *Hans Folz · Die Reimpaarsprüche.* Herausgegeben von HANNS FISCHER. 1961. LXXI, 471 Seiten. Mit 8 Tafeln. Geh. DM 48,–

2. Band: WILHELM DEINERT · *Ritter und Kosmos im Parzival.* Eine Untersuchung der Sternkunde Wolframs von Eschenbach. 1960. VII, 175 Seiten. Geh. DM 18,–

3. Band: BURKHARD KIPPENBERG · *Der Rhythmus im Minnesang.* Eine Kritik der literar- und musikhistorischen Forschung. Mit einer Übersicht über die musikalischen Quellen. 1962. VIII, 236 Seiten. Mit zahlreichen Notenbeispielen im Text und 6 Abbildungen auf 4 Kunstdrucktafeln. Geh. DM 30,–

4. Band: HELLA VOSS · *Studien zur illustrierten Millstätter Genesis.* 1962. VI, 226 Seiten und 27 Abbildungen auf 12 Tafeln. Geh. DM 32,–

5. Band: GERHARD HAHN · *Die Einheit des Ackermann aus Böhmen.* Studien zur Komposition. 1963. VIII, 124 Seiten. Geh. DM 16,50

6. Band: MICHAEL CURSCHMANN · *Der Münchener Oswald und die deutsche spielmännische Epik.* Mit einem Exkurs zur Kultgeschichte und Dichtungstradition. 1964. VIII, 254 Seiten. Geh. DM 34,–

7. Band: KLAUS BERG · *„Der tugenden bůch."* Untersuchungen zu mittelhochdeutschen Prosatexten nach Werken des Thomas von Aquin. 1964. XII, 254 Seiten. Geh. DM 34,–

8. Band: PAUL-GERHARD VÖLKER · *Die deutschen Schriften des Franziskaners Konrad Bömlin.* Teil I: Überlieferung und Untersuchung. 1964. IX, 262 Seiten. Geh. DM 34,–

9. Band: MARIANNE VON LIERES UND WILKAU · *Sprachformeln in der mittelhochdeutschen Lyrik bis zu Walther von der Vogelweide.* 1965. X, 225 Seiten. Geh. DM 30,–

10. Band: P. EGINO WEIDENHILLER · *Untersuchungen zur deutschsprachigen katechetischen Literatur des späten Mittelalters.* Nach den Handschriften der Bayerischen Staatsbibliothek. 1965. VIII, 259 Seiten. Geh. DM 34,–

11. Band: KURT RUH · *Franziskanisches Schrifttum im deutschen Mittelalter.* Band I: Texte. 1965. XV, 309 Seiten. Geh. DM 45,–

12. Band: *Die deutsche Märendichtung des 15. Jahrhunderts.* Herausgegeben von HANNS FISCHER. 1966. XXVI. 561 Seiten. Mit 8 Tafeln. Geh. DM 72,–

13. Band: MARTIN WIERSCHIN · *Meister Johann Liechtenauers Kunst des Fechtens.* 1965. IX, 214 Seiten. Mit 2 Abbildungen im Text und 38 Abbildungen auf 20 Tafeln. Geh. DM 34,–

14. Band: GEORG STEER · *Scholastische Gnadenlehre in mittelhochdeutscher Sprache.* 1966. XI, 246 Seiten. Geh. DM 35,–

15. Band: CHRISTOPH CORMEAU · *Hartmanns von Aue „Armer Heinrich" und „Gregorius".* Studien zur Interpretation mit dem Blick auf die Theologie zur Zeit Hartmanns. 1966. X, 167 Seiten. Geh. DM 24,–

16. Band: DIETRICH BOUEKE · *Materialien zur Neidhart-Überlieferung.* 1967. X, 244 Seiten. Geh. DM 37,–

17. Band: KLAUS GRUBMÜLLER · *Vocabularius Ex quo.* Untersuchungen zu lateinisch-deutschen Vokabularen des Spätmittelalters. 1967. XVI, 413 Seiten. Geh. DM 65,–

18. Band: ULRICH MONTAG · *Das Werk der heiligen Birgitta von Schweden in oberdeutscher Überlieferung.* Texte und Untersuchungen. 1968. VIII, 359 Seiten. Geh. DM 54,–

19. Band: CHRISTOPH PETZSCH · *Das Lochamer-Liederbuch.* Studien. 1967. IX, 294 Seiten mit 32 Notenbeispielen und 2 Tafeln. Geh. DM 46,–

20. Band: IRMGARD MEINERS · *Schelm und Dümmling in Erzählungen des deutschen Mittelalters.* 1967. VII, 214 Seiten. Geh. DM 32,–

21. Band: DIETER RICHTER · *Die deutsche Überlieferung der Predigten Bertholds von Regensburg.* 1969. XI, 305 Seiten. Leinen DM 58,–

22. Band: WOLFGANG EICHLER · *Jan van Ruusbroecs »Brulocht« in oberdeutscher Überlieferung.* 1969. VIII, 267 Seiten. Leinen DM 46,–

23. Band: JOHANNES JANOTA · *Studien zu Funktion und Typus des deutschen geistlichen Liedes im Mittelalter.* 1968. X, 307 Seiten. Geh. DM 44,–

24. Band: HELGA UNGER · *Geistlicher Herzen Bavngart.* 1969. X, 492 Seiten. Leinen DM 78,–

25. Band: TILO BRANDIS . *Mittelhochdeutsche, mittelniederdeutsche und mittelniederländische Minnereden.* 1969. VIII, 365 Seiten. Leinen DM 54,–

26. Band: ROBERT G. WARNOCK · *Die Predigten Johannes Paulis.* 1969. Etwa 320 Seiten. Leinen etwa DM 52,–

27. Band: ROLF GRIMMINGER · *Poetik des frühen Minnesangs.* 1969. VII, 124 Seiten. Leinen DM 26,–

28. Band: ALFRED KARNEIN · *De Amore deutsch.* 1969. Etwa 260 Seiten. Leinen etwa DM 45,–

29. Band: PAUL SAPPLER (Hrsg.) · *Das Königsteiner Liederbuch Ms. germ. qu. 719 Berlin.* 1969. Etwa 400 Seiten. Leinen etwa DM 58.–

30. Band: BURKHARD TAEGER · *Zahlensymbolik bei Hraban, bei Hincmar – und im Heliand?* Etwa 220 Seiten. Leinen etwa DM 38,–

31. Band: ULRICH SCHÜLKE · *Konrads Büchlein von der geistlichen Gemahelschaft.* Etwa 310 Seiten. Leinen etwa DM 50.–

VERLAG C.H. BECK MÜNCHEN